システム・エラー社会

「最適化」至上主義の罠

SYSTEM ERROR

WHERE BIG TECH WENT WRONG AND HOW WE CAN REBOOT

| ロブ・ライヒ | メラン・サハミ | ジェレミー・M・ワインスタイン | 小坂恵理 訳 |

ROB REICH / MEHRAN SAHAMI / JEREMY M. WEINSTEIN

NHK出版

システム・エラー社会

「最適化」至上主義の罠

SYSTEM ERROR:

WHERE BIG TECH WENT WRONG AND HOW WE CAN REBOOT

ブックデザイン／西垂水敦・市川さつき(krran)

私たちのすばらしい子孫たちへ

目次

システム・エラー社会
「最適化」至上主義の罠

（凡例）

本文中の〔　〕内は訳注を表す。注番号は巻末の原注を参照。

本文中に挙げられた書名は、邦訳版があるものは邦題を表記し、邦訳版がないものは原題とその逐語訳を併記した。

はじめに

危機の時代には、一般市民は混乱して分別を失い、知性が麻痺する。かつてプラトンが論じたように、難しい選択をする役割が自分に務まるとは信じられなくなる。苦難の時代には、民主主義社会の市民は政《まつりごと》を専門家に任せてしまいたがる。しかしそれは、制度的枠組みに保証された政治プロセスへの参加者としての権利や自由を、市民自ら放棄することである。混乱に直面して知性が麻痺したときに危険なのは、つまるところ民主主義の大前提——市民は常に考える準備が整っているという前提——が損なわれることなのだ。

ダニエル・アレン、教育の目的に関する講演　二〇〇一年九月二〇日

二〇二一年一月六日、アメリカ合衆国議会議事堂に暴徒が押し寄せた。この日、ドナルド・トランプ大統領が出席した集会で扇動され、行動を起こした人々である。彼らの目的は大統領選挙の結果を暴力に訴えて覆すことだった。すでに何週間も前から、「勝利は盗まれた」と偽りの情報を聞かされ続けていたからだ。このメッセージの発信源は、主にトランプ本人だった。選挙結果の無効を主張した訴訟で六〇回以上も敗北し、全米の選挙管理人から徹底的に反論されていたにもかかわらず、おとなしく引き下がる気配はなかった。

巨大テクノロジー企業（ビッグ・テック）のプラットフォームはその何か月も前から、選挙の「不正」を非難するために利用され続けてきた。しかし、一月六日、自分たちが招いた恐ろしい事態と向き合い、ビッグ・テックもついに目を覚ました。ツイッター社は、九〇〇〇万人ちかくのフォロワーを抱えるトランプの投稿を禁じ、アカウントを一時停止した。二日後には、「さらなる暴力を扇動するリスク」を理由に、トランプをプラットフォームから永久に追放し、彼のアカウント上のいっさいを抹消した。同様の使用禁止措置は、フェイスブック、インスタグラム、ユーチューブ、スナップチャットでも行なわれた。するとトランプは、まだアクティブだった@POTUSという政府のアカウントを利用して、自分は「沈黙させられた！」と投稿したが、このツイートも直ちにプラットフォームから削除された。

トランプによる選挙関連の偽情報の発信を、プラットフォームはこのように厳しく取り締まったが、このことは一握りのビッグ・テックに権力が集中している証拠でもあり、警鐘として受け止めるべきだ。何しろ、しばしば「自由世界のリーダー」と称えられるアメリカ合衆国大統領が、何千万人ものフォロワーとコミュニケーションするためのお気に入りのツールを、突然奪われたのだ。このことが、選挙後のさらなる暴動のリスクを低減させるために必要な措置だったかどうかは別として、二〇二〇年の選挙のはるか以前から嘘を重ねてきた人物を黙らせるタイミングを見計らってきたプラットフォームが、ついにそれを実行に移したのだった。ビッグ・テックのエリートたちが、アメリカの選挙で選ばれた最高位の役職者を遠慮なく弾圧したということだ。このことによって、テクノロジーやそれを開発した関係者が、私たちに対して絶大な力を持って君臨している現実が明らかになったのである。

　合衆国議事堂襲撃に至る出来事でビッグ・テックの果たした役割と対応は、テクノロジーに関する長年の懸案のごく一部にすぎない。ビッグデータを利用してプライバシーを侵害しているとか、行動を操っているといった憶測は後を絶たず、ビッグ・テックは常に色眼鏡で見られるようになっている。インターネットやスマートフォン、コンピュータが私たちに提供する便利な道具の数々は、私たちを夢中にさせて注意を惹きつけ、画面にくぎづけにさせる。その間に、私たちのオンラインでの行動からたくさんの情報を集めているのだ。さらに、合衆国議会議事堂の出来事からもわかるように、ソーシャルメディアのプラットフォームには誤報や偽情報が溢れかえっている。その結果として科学への信頼は損なわれ、政治の分極化が進み、民主主義そのものの存在まで脅かされている。これらのいっさいで、巨大な市場支配力と政治的影響力を持つ一握りの企業が黒幕として暗躍しているのだ。

　この未曽有の時代に、私たちは新型コロナウイルスのパンデミックまで経験することになった。この原稿を執筆している時点〔原書の出版は二〇二一年九月〕において、全世界で三〇〇万人もが命を落とし、仕事や教育や経済、さらには私たちの私生活が根底から揺さぶられた。この稀に見るパンデミックが一瞬にして引き起こした行動変容は、今後長い期間にわたって潜在的影響力を持つかもしれない。かつてウラジーミル・レーニンは、つぎのように語ったという。「何も起こらない数十年間もあれば、数週間で数十年分の出来事が起こることもある」。今回のパンデミックでは、世界の多くの地域で公衆衛生機関がソーシャル・ディスタンシング〔感染症の拡大を防ぐために対人距離を確保すること〕の規則を徹底し、地域によっては自宅待機命令が出された結果、実際に「一夜にして」在宅勤務への移行が進み、学校は閉鎖された。飛行機での移動はあっという間に途絶え、ビデオ会議が急増した。ファイル共有や職場の共同作業を支えるテクノロジーが普及し、経済の多くの側面が急速に進歩した。いまや映画館を訪れる代わりに、記録的な数の人たちがネットフリックスに殺到している。友人や家族とのつながりを求めて、フェイスブックなどのソーシャルメディアネットワークの利用は爆発的に増えた。物理的にいっしょにいることができなくても、ビデオ会議ツールのおかげで子供たちは授業を受けられるし、誰もが愛する人たちとのつながりを維持することができるようになった。世界中のテクノロジー企業が、パンデミックに関して信頼に足る科学情報を広く周知すること、感染を封じ込めるための接触者追跡アプリの開発、感染症の治療法や有力なワクチンの開発、また入院患者に対する薬剤投与等の作業の自動化促進などを目的として、人工知能の利用を促進した。

　端的に言って、インターネットや私たちが親しんでいる中毒性のある便利なデバイスがもし利用できなかったとしたら、パンデミックのもとで、私たちの仕事も私生活も、経済も人間関係も、さらには健康でさえ、はるかに悲惨な状態に置かれていたはずだ。

　新型コロナウイルス感染症のパンデミックから脱して政治が新しい局面を迎えたとき、私たちは、最初の数十年に目立った過剰なテクノロジー礼賛にも、その後に発生した「テックラッシュ」〔巨大テクノロジー企業への反発〕にも陥ることなく、ようやくテクノロジーについてよく考えることができるようになるだろう。

フェイスブック〔二〇二一年一〇月に社名を「メタ」に変更〕という企業、ZOOMのプライバシーポリシー、人間の仕事が機械に奪われることを顧みないスマートマシンの時代における自動化の加速、ソーシャルメディアのプラットフォームを介した有害な誤情報や偽情報の拡散……と、批判すべき点はまだまだあるだろう。しかしこうした問題は、ポスト・パンデミックの新しい時代に私たちが取り組むべき課題を明確にしているのだ。大きな利益をもたらすと同時に、個人や社会に対して明らかな損害をもたらすテクノロジーの力を制御する方法を、努力して見つけなければならない。私たちはいま、技術革新が単に自分たちの外側から作用するだけのものではないということを賢明にも理解している。テクノロジー発展の道も、テクノロジーが私たちにおよぼす影響も、私たち自身が具体的に形作ることができるものであり、形作らなければならないということだ。

テクノロジーを無条件に賞賛したり、深く考えずに批判したりするばかりでは、自分たちの未来をテクノロジスト〔高度な工学系の科学知識と応用能力のもとに企画・開発・設計力が求められるエンジニア（技術者）と、マニュアルなどにより定められた経験的な実務能力が求められるテクニシャン（技能者）の中間的な職能〕の手に委ねることになる。しかし私たちは個人として、さらには民主主義社会の市民として力を合わせることで、権利を行使し、民主主義をよみがえらせ、デジタル革命を社会にとって最善の利益をもたらすよう方向づけることができる。それを理解してもらうため、私たちは本書を執筆した。

＊　＊　＊

この二〇年間、本書の著者である私たちは、スタンフォード大学で教鞭をとり、シリコンバレーに人材を送り出してきた。スタンフォードは研究に強い大学のひとつで、ノーベル賞、マッカーサー基金天才賞、ピューリッツァー賞を受賞するような数多くの優れた才能が、最高レベルで競い合っている。しかし、外からは楽園のように見え、「オタクの国」を自認するこの大学のなかで、私たちはいくつかの、気がかりな思考様式を目にするようになった。

キャンパスではイノベーションやディスラプションといった言葉がもてはやされている。学生たちは、古いやり方はもはや役に立たず、テクノロジーが万能の解決策になったというユートピア的見解を公言するようになった。テクノロジーは貧困を終わらせ、人種差別を解決し、機会均等を実現し、民主主義を強化する能力を備え、さらには独裁政権の打倒にも役立つというのである。ある学生は、私たちに情熱をこめて次のように語った。「毎年の新入生オリエンテーションには、テック企業の億万長者を招きます。彼らは、この大学の新入生が何をなしうるかの模範であり、学生が望む人生を体現しているからです」。また、この大学の前学長が次のように言ったという話もある。行政府は無能なのだから、勝ち組を目指す学生に役人をなることを勧めるという発想は「ばかげている」[1]。

最も気がかりなのは、デジタル経済への熱狂も、スタンフォードからシリコンバレーに進んで大金持ちになるキャリアも、明るい面ばかりに目が向いていることだろう。問題が解決される人もいれば取り残される人もいること、イノベーションから恩恵を受ける人もいれば負け組になる人もいること、テクノロジーの未来形成に発言権を持つ人もいれば無視されたままの人もいることに考えが及ばないのだ。

このような傾向はスタンフォードに限られたものではない。指摘した問題の多くは、もっと広い範囲で観測される。たとえば、テクノロジストへの反動が強まっても、世界中のメディアの見出しには、批判どころか、どんなに複雑な問題もテクノロジーが解決してくれると賞賛する言葉ばかりが並ぶ。気候変動も、貧困も、メンタルヘルスの危機も、きれいに解決されるという。そうした単純素朴な楽観主義に学生が染まらないよう導くには、かなりの努力が必要だ。「世界をより良い場所にする」とは、大手テクノロジー企業の数々が掲げる目標だが、これは現実的なミッション・ステートメントというよりも、単なる決めぜりふのようなものではないか。そんなことを言われても、本当のところ何が公益にかなうのか判断するのは難しいという現実が強調されるばかりだ。

私たち三人は、キャンパスのこうした雰囲気を覆し、テクノロジーの枠を超えてその外側の世界にまで反響を広げるために力をあわせることにした。三人が独自の視点を持ち寄れば、テクノロジーがより良い未来に進むための道は見つかると信じている。

メラン・サハミはセルゲイ・ブリンに見いだされ、草創期のグーグルに採用された。迷惑メールのフィルタリング技術を開発した技術者のひとりで、彼がグーグルで働いた一〇年間で携わったアプリケーションの数々を利用する人の数は、何十億にもなるだろう。二〇〇七年には機械学習とＡＩの分野での実績を携え、コンピュータ科学部門の教授としてスタンフォード大学に戻ってきた。メランはテクノロジストたちに、彼らがコードを作成するときのひとつひとつの決断が実社会にとって重大なものであり、何百万という人々に影響することを理解してほしいと考えている。メランが憂慮するのは、エンジニアが善意から書いたコードでも、その社会的影響は、誰の目にも明らかな失敗が起こるまで顧みられないことだ。そうなってから心配しても遅すぎるのだ。

ジェレミー・ワインスタインは、二〇〇九年にバラク・オバマ大統領のもとでアメリカ合衆国政府に登用された。ホワイトハウスの主要スタッフとして、新しいテクノロジーの登場が政府と市民の関係に引き起こす変化の予測に取り組み、オバマの肝いりのオープンガバメント・パートナーシップを立ち上げた。これは各国政府、各種NGOとテクノロジストから成る国際的なネットワークで、市民の期待に応える政府の実現を目指すものである。サマンサ・パワーがアメリカ国連大使に任命された際には、ニューヨークに同行した。北朝鮮によるソニーへのサイバー攻撃や、暗号化を巡るFBIとアップルの争いが世間を騒がせたとき、ふたりは厳しい現実に直面した。テクノロジーを構築する側と、テクノロジーによって変容した社会の統治を任せられた側（すなわち政府）のあいだには、大きな溝が存在しているということだ。政策立案者は多くの点でテクノロジーへの理解が不足しているし、テクノロジストのほうは、公共政策の重要性を認識していないか、意図的に目をそらしている可能性もある。しかし、テクノロジーが社会におよぼす影響について理解を深め、予測を行ない、さらには影響を和らげるためには、社会科学が非常に重要なのだ。二〇一五年に政治学教授としてスタンフォードに戻ってきたジェレミーは、このような考えから、若いコンピュータ科学者の教育を最優先事項に掲げ、テクノロジーが社会環境をどのように作り替えているか、社会科学を通じて学んでもらうことに力を入れている。

ロブ・ライヒは哲学者で、スタンフォード大学の社会倫理センターならびに人間中心ＡＩ研究所の責任者を務めている。彼はソクラテス式問答法を通じ、テクノロジストの価値観に揺さぶりをかける。たとえば以下のような、即答が難しい不愉快な質問をつぎつぎと投げかけるのだ。ディスラプション〔既存の価値や制度に破壊的な影響を与えるイノベーション〕はどんなときに価値を持つのか？　なぜ最適化に執着するのか？　デジタル広告のクリック率の増加は、きみにとって最大の使命なのか？　しかしロブが何より重要だと考えるのは、エンジニアが自らの役割に対する認識を改めるよう導くことだ。エンジニアは単に問題を解決するだけの人になってしまってはならないのだ。その問題は本当に解決する価値があるのか？　自分が大切にするものの価値を損なわずに問題を解決する方法はないのか？　テクノロジーの力を考慮するとき、何が問題で、どう解決するかを誰が決めるべきなのか？　そもそも、民主主義はこうした問題の解決にふさわしいのか？　エンジニアは、このようなより深い問題について自問する存在であるべきなのだ。

私たち三人はそれぞれ専門知識を持ち寄り、テクノロジーの変化を倫理学や政治学の面からとらえた新しい講義の構想をまとめた。実現すると、たちまちのうちにキャンパスでもっとも受講生が集まる講義のひとつになった。三人の視点――テクノロジスト、政策立案者、哲学者としての視点――が中心となるが、私たちはそれ以外の意見の重要性も認識している。自分たちの専門分野にとらわれず、テクノロジーに関する様々な視点が盛り込まれるように配慮した。特定のイノベーションから受ける被害が不当に大きい有色人種のコミュニティ、自動化によって生活を脅かされる人たち、技術者の性差別的なカルチャーを問題視する女性たち、企業の内外で経営幹部の権力と戦う活動家たち、といった多様な人々の視点である。やがて、大学の外の人々からも、講義の内容をもっと大勢の聴衆に紹介してほしいと依頼されるようになった。まずは地域住民を集めた数百人規模の市民講座を開き、後にはサンフランシスコのエンジニア、起業家、ベンチャーキャピタリストを対象にした夜間講座を開催した。

私たちは、大学でも、市民講座でも、夜間講座でも、参加者たちが目先のスキャンダラスな問題にとらわれることなく、きちんと議論する心構えを持っていることに気づいた。感情的な議論や反論はやり過ごし、重要な問題に正面から取り組んで、その出来事が本当に意味するものをつかみはじめるようすを見ることができたのだ。学生たちは、新しいテクノロジーの弊害がもはや無視できない時代に、テクノロジーの世界でキャリアを追求することの意味を考えはじめた。実際にテクノロジー業界で働いている人たちは、テクノロジー企業を内部から改革することは可能かという難題を問いかけてきた。そしてテクノロジー部門の外にいる人たちは、ビッグ・テックの絶大な力の前で無力感にとらわれそうになりながらも、テクノロジーの未来を方向づけることに関わりたいと考えるようになった。

新しいイノベーションの登場で従来の価値が危険にさらされることを感じ取った人々が、大事なものを守るために立ち上がるのは意外なことではない。効率や利便性や利益の追求が何らかの犠牲を伴うときには、特にそんな場面を目撃する機会が多い。私たちにとって最も重要な価値の正しさを証明し、社会がそれをどのように守ろうとしてきたか、十分に理解するのは簡単なことではない。しかし、もっと難しいのは、両立しない価値のどちらを選ぶかをどのように決めるのか、そもそも系統だった方法でそうした判断に取り組むことができるのかを考えることだ。

読者のみなさんが、テクノロジーの恩恵にあずかり、仕事で活用する個人として、そして危機に瀕する民主主義社会の市民として、本書を通じてよく考え、新しい道を前進してくれるよう願っている。

序章

ジョシュア・ブラウダーは二〇一五年、若く才気あふれる学部生としてスタンフォードの一員となった。ウィキペディアによれば、彼は「イギリス系アメリカ人の起業家」で、『フォーブス』誌の「サーティ・アンダー・サーティ」のひとりに選ばれている。スタンフォードに入学してからわずか三か月の間に、駐車違反切符の無効化を手助けするチャットボットをプログラムしたという。起業については、入学前にロンドンで暮らしていたときから構想していた。「イギリスで高校生だった僕は、十八歳、つまり運転できる年齢になったばかりのとき、三〇枚の違反切符を切られたんだ。でも、罰金を払えなかった。払うべきことをしてしまったのかもしれないけど、支払う余裕がなかった。僕は自分自身と友人たちのためにソフトウェアを作ったんだ」[1]。大学一年生が始める片手間のプロジェクトらしい単純さに思えるが、「世界中の誰もが違反切符を切られるのを嫌がる」ことをブラウダーは見逃さなかった。ほんの数年を早送りするように、ブラウダーはドゥ・ノット・ペイ（DoNotPay）というテクノロジー企業のCEOとしてスタンフォードを離れた。ドゥ・ノット・ペイは、ロンドンやニューヨークなどの大都市において、発行された駐車違反切符に異議申し立てをするための無料で自動化されたメカニズムを提供するベンチャー企業である。ブラウダーの輝かしい経歴を示すプロフィールによれば、二〇一六年六月の時点で、ドゥ・ノット・ペイのおかげで一六万枚以上の駐車違反切符が無効になり、取り消された金額は全部で四〇〇万ドルにのぼった[2]。

このサービスはかなりシンプルだ。ブラウダーは、交通法規に関する知識を無償提供してくれる弁護士のグループの協力を得て、駐車違反切符が無効になる一般的な理由を確認した。このように準備を整えたうえで、チャットボットはユーザーにいくつかの質問を行ない、その回答に基づき、ユーザーが控訴した場合に勝利できるかどうかを判断する。勝利を期待できそうなら、チャットボットは控訴のあいだユーザーを一貫してサポートするが、ユーザーは料金をいっさい請求されない。実はチャットボットは、違反切符が合法的に発行されたかどうか判断する能力をほとんど持たない。ユーザーに最適な苦情処理手続きを提供しているだけだ。もちろん、いきなり請求された高い罰金を払わずにすんだユーザーは嬉しい。ここでは、弁護士と政府だけが負け組になる。ブラウダーは、「違反チケットは弱者を苦しめる税金のようなものだ。本来は政府が守るべき集団に税金を課すのは間違っている」と主張した。おかげで彼は、『ワイアード』、『ビジネス・インサイダー』、『ニューズウィーク』などの雑誌やウェブサイトで「神童」ともてはやされ、母校のスタンフォードでも賞賛された。さらに、シリコンバレーでも大成功を収めたベンチャーキャピタル企業のアンドリーセン・ホロウィッツから支援を受けた。同社は二〇一七年、創業間もないブラウダーの会社のシードラウンド（資金調達）に率先して協力した。

このような類のストーリーは、スタンフォードやシリコンバレーには何百も存在するが、私たちはこんな話を聞かされても手放しで賞賛できない。そもそもなぜ違反切符が存在するのか、考えるべきではないか。たしかに違反切符を切られれば良い気分はしないが、合法的で重要な目的の多くに貢献していることも事実だ。違反切符を切られる可能性があれば、消火栓のそばに車を停めたり、私道を車でふさいだり、障害者専用スペースを占領する行為を慎むようになる。大都市では、違反切符を回避するために車を移動すれば、道路の清掃作業が楽になる。駐車取り締まりを強化すれば、コミュニティは様々な優先事項を実現しやすい。たとえば交通量の減少や渋滞の緩和にもつながる。そしてもうひとつ、駐車違反切符は自治体にとって市や市民をサポートするために役立つ貴重な収入源でもある。

ブラウダーは、ロンドンの保守的なタブロイド紙の時代精神に影響されたのかもしれない［3］。駐車違反切符を通じて歳入を増やす自治体の試みをタブロイド紙は酷評するが、実のところ、これは利便性や環境衛生の向上を理由に取り組む他の都市構想と矛盾しない。しかも交通量の減少は、多くの人から評価される可能性がある。さらにロンドンの地方議会は、駐車違反切符からの歳入を地域の交通事業に費やさなければならず、国道補修のためには九〇億ポンドが必要とされる点も見逃せない［4］。インフラは公共財の典型例で、市場による供給が難しい。政府が介入しないと、消費者はインフラの使用料を支払わないまま好き勝手に利用することになる。ゆえに、税金や罰金や駐車違反切符にはそれ相応の役割がある。そして、駐車違反切符は弱者を狙い撃ちした税金だという主張だが、実を言えば、誰が駐車違反の罰金を支払っているのか確認できる優れたデータは存在しない。むしろ、公共交通機関が効率的で料金も手ごろなロンドンなどの都市では、上流階級よりも低所得世帯のほうが、バスや地下鉄を利用する可能性はずっと大きいと推測して間違いない。一皮むけば、駐車違反切符は弱者に対する税金だという主張には、あまり説得力が感じられない。

ブラウダーの野心は駐車違反切符という狭い範囲にとどまらず、もっと大きな目標を掲げているため、このストーリーは不安の種がさらに増える。そもそもシリコンバレーでは、順調なスタートアップ企業のCEOは組織のスケールアップが頭から離れない。たとえば、ブラウダーはつぎのように語る。「僕はできれば、テクノロジーで弁護士を代用させたい。駐車違反切符の取り消しはいたってシンプルな仕組みだった。最初はそれでもかまわないけれど、目標はもっとデカい。ボタンを押すだけで誰かを訴えられれば、ボタンを押すだけで離婚が成立すればいいよね」［5］。ブラウダーの長期的なビジョンが実現すれば、訓練を積んだ人間の弁護士はお払い箱だ。そして「消費者は、弁護士という言葉の意味さえわからなくなるだろう」。法律専門家を嫌悪し、訴訟社会の傾向を嘆き、弁護士の報酬を羨む多くの人たちにとって、ブラウダーの構想は耳に心地よいかもしれない。弁護士の報酬が、社会的役割や貢献度に見合わないほど大きいと感じる人は特にそうだろう。でも私たちは本当に、ボタンひとつで誰かを訴えられるような社会に暮らしたいと望むだろうか。子供の養育権や財産分与についての決定をアルゴリズムや自動システムに任せたら、離婚の痛みは緩和されるのだろうか。

ここでブラウダーひとりに注目し、彼のやり方が特に悪質だと非難するつもりはない。彼は悪い人間ではない。むしろ、新しいテクノロジー企業が生み出す弊害についてじっくり考えないことが常態化した世界に暮らしているだけだ。スタンフォードやシリコンバレーでは、スタートアップ企業の設立を目指す人材がつぎつぎ生み出されており、ブラウダーも最近の事例のひとりにすぎない。彼は教授や仲間や投資家に刺激され、大きな夢を持つようになったのである。そんな環境では、立ち止まってつぎのように尋ねる機会は滅多にない。あなたは誰の問題を解決しているのか。取り組んでいる問題は、本当に解決に値するのか。解決策は、人類や社会の役に立つのだろうか。

シリコンバレーが「ドットコム不況」から回復し始めた二〇〇四年、アーロン・スワーツという若者がスタンフォード大学に入学した。ブラウダーと同様、彼は幼い頃からコンピュータプログラミングに魅了された。一三歳のときには、オンライン共有ライブラリの theinfo.org を創造した功績を評価され、全米レベルの賞を受賞した。一四歳のときには、Really Simple Syndication（RSS）の仕様書の作成に協力するが、これがインターネットプロトコルとして広く利用されると、どこでもウェブサイトの更新情報へのアクセスが可能になった。RSSの目標はオープン標準の創造で、実現すれば、誰もがインターネットで情報を共有・更新できる。

スワーツはコンピュータプログラミングの上級講座をいきなり受講する一方、社会学の入門講座、ノーム・チョムスキーに関するセミナー、さらには文科系の新入生には必修の自由、平等、違いに関する講座を受講した。しかし、彼はスタンフォードで疎外感を味わった。数週間だけ続けたオンラインのデイリージャーナルには、同級生への不満が綴られている。誰もがあまりにも浅はかで、講義も期待外れだった。人文学の講義は「大体は三人の教授が受け持つが、ひとつのパラグラフの意味を巡って議論を戦わせるだけ……人文学は、この程度の学問なのか。これなら、

RSSのディベートのほうがましだ」と不満を書き連ねている［6］。

スワーツは、コーディングをして時間の大半を過ごした。そして一年生に在学中、Infogamiという新しい会社を立ち上げるため、創設まもないテクノロジー・インキュベーターのYコンビネータに支援を申し込んだ。その結果、Yコンビネータのサマー・ファウンダーズ・プログラムの第一期生のひとりに選ばれた。夏の終わりには、スワーツは会社をそのまま続ける決心を固めた。その後まもなくInfogamiは、やはりYインキュベーターから支援されたスタートアップのレディットと合併する。二年後にレディットはコンデナストに売却されるが、売値は一〇〇〇〜二〇〇〇万ドルだと報じられた。スワーツは、若くして大金持ちになった［7］。レディットは今日、インターネットで最も人気のあるサイトのひとつで、会社の価値は三〇億ドルだと言われる［8］。

若くて優秀なコーダーが大学に入学するが、スタートアップ企業の立ち上げという夢を実現するためドロップアウトする。これは、ビル・ゲイツやスティーブ・ジョブズのドロップアウト・ストーリーと同じような印象を受けるし、マーク・ザッカーバーグやエリザベス・ホームズについても同じストーリーが語られる。いまはジョシュア・ブラウダーが、同じストーリーを経験しているところだ。

しかしアーロン・スワーツは異色の存在だ。彼は金儲けよりも、テクノロジーのほうに興味があった。テクノロジーを利用して、人間が情報にアクセスして関わり合う方法を変化させたいと考えた。「情報は力である」と彼は二〇〇八年に「ゲリラ・オープン・アクセス・マニフェスト」

で宣言し、つぎのように続けた。「ただしあらゆる力と同様、これを独り占めしたがる連中がいる……しかし、この特権を独り占めする必要はないし、道徳的に許されない。あなたには、この力を世界と共有する義務がある」［9］

まだスタンフォードに入学する以前の一五歳のときにスワーツは、テクノロジー分野の知識人として世界トップレベルのローレンス・レッシグにEメールを送り、コードの作成を手伝いたいと志願した。完成後にクリエイティブ・コモンズと呼ばれたこのコードは、著作権使用許諾がオンラインで行なわれるシステムで、これを使えば著作物の利用、共有、修正が、費用をかけずに可能になった。スワーツの見解では、テクノロジーは政治にがんじがらめの状態で、人々を統制するために情報が統制されていた。彼はテクノロジーが解放され、ひいてはそれが政治の解放につながることを望んだ。

コーディング言語やインターネットプロトコルに関してスワーツが作成したレキシコン（語彙目録）には、自由、平等、正義という言葉がちりばめられている。テクノロジーについての独自の見解から、彼はテクノロジー活動家になった。テクノロジーと政治の関わり合いについての独自の見解から、政治活動家になった。このふたつが連携した結果、彼の積極行動主義は複数の形で具体化された。

二〇〇八年、スワーツはWatchdog.netを立ち上げた。政治家に関する情報を収集し、政治の透明性を高めて草の根の活動を促すことが目的である。つぎに、これまで出版された本のウェブページを作成するオンラインプロジェクト「オープン・ライブラリ」を始めた。二〇一〇年にはウェブの活動団体「デマンド・プログレス」を創設し、ネットの中立性を損ないかねない連邦法の制定に抗議して、最後は廃案に追い込んだ。他には、PACER（Public Access to Court Electronic Records）というデジタルシステムに保管された全米の裁判所の記録が、市民に一般公開されるためにも骨を折った。このようにスワーツは、市民や政治のためにテクノロジーを活用する方法を常に探し求めた。だから、テクノロジーが世界におよぼす影響について何も考えないコーダーが、私腹を肥やすためにテクノロジーを乗っ取るとかならず失望した。

二〇〇六年、スワーツはウィキペディア・コミュニティの国際的な会合に出席した。このコミュニティは、オープンアクセスな非営利組織であり、ユーザー作成型として有名なインターネット百科事典の管理や資金援助に関わる人たちで構成される。スワーツによれば「これまで出席した『テクノロジー関連』会議のほとんどは、参加者はおおむねテクノロジーそのものについて話し合う。用途について話し合うとしても、大金を稼ぐための用途に限定された」[10]。しかしウィキペディアの会議は、「世界に最大限の利益をもたらすことが最大の関心事で、テクノロジーはそれを実現するための手段と見なされた。これは思いがけず新鮮な経験で、すっかり夢中になった」。

一方スワーツは、学者が生み出す知識へのオープンアクセスの実現にも情熱を注いだ。オンラインジャーナルのコンテンツを読むためには、大学の学生か職員になるか、あるいは多大な料金を支払う必要があり、そんな現状に彼は不満を抱いた。学者は所属する大学が公立にせよ私立にせよ、公的資金の援助を受けられる。しかも、金銭的利益を得るのは論文の著者ではなく、学術誌を所有する大企業である。それなのに学術論文を著作権で保護するのはおかしい。そこで二〇一〇年、ＪＳＴＯＲという学術リポジトリから何千本もの学術論文のダウンロードを始めた。それにはマサチューセッツ工科大学（ＭＩＴ）のコンピュータネットワークが使われた。というのも、ＭＩＴは開かれた学びの場の提供が長年の政策として定着しており、キャンパス内の誰でも――部外者も含め――大学のネットワークへのアクセスが許可されていたからだ。ＪＳＴＯＲのサービス利用規約では、論文にひとつずつアクセスすることが義務付けられていたが、彼がノートパソコンで書いたプログラムによって、ダウンロードのプロセスは自動的に進行した。スワーツはコンピュータ室を何度か訪れ、そこで自分のノートパソコンをＭＩＴのネットワークにつなげたうえで、何百万本もの論文のダウンロードに成功する。これはＪＳＴＯＲの政策に対する違反であり、ＭＩＴのネットワークを法律違反に巻き込んでしまった。

ＭＩＴはダウンロードを追跡調査した結果、犯人はスワーツのノートパソコンであることを発見し、彼のパソコンがネットワークにアクセスした現場となったコンピュータ室を突き止めた。そして二〇一一年はじめ、ダウンロードのために再びコンピュータ室を訪れたスワーツは、ＭＩＴの警備員に逮捕され、重罪を意図した家宅侵入罪で告発された。スワーツがデータファイルを返還すると、ＪＳＴＯＲは告訴を取り下げるが、ＭＩＴにはそのつもりがなかった。二〇一二年、連邦検察官がさらに九件の重罪を追加した結果、スワーツは禁錮五〇年の最高刑を言い渡された。彼は鬱状態に陥り、二〇一三年はじめに裁判を控えて司法取引の準備が進められる最中、ブルックリンのアパートで自ら命を絶った。まだ二六歳だった。

こうして、テクノロジーのサークルではすでに有名人としての地位を確立し、将来を嘱望されていた若者は、悲惨な形で人生の幕を閉じた。ほどなく、アノニマスとして知られるハッカー集団がＭＩＴと米国国務省のウェブサイトに潜入し、「アーロン・スワーツ、あなたの死を悼む」と宣言した［11］。ローレンス・レッシグはスワーツを偲び、自分は彼のメンターだったが、最後は彼が自分のメンターになったと賞賛した。世界中で大勢の人たちが若すぎる死を悼んだ。

スワーツがＪＳＴＯＲのサービス利用規約を繰り返し違反したとき何を考えていたのか、いまでは知ることができない。ＪＳＴＯＲが告訴を取り下げたあとも態度を軟化させなかった検察が、何を考えていたかもわからない。そしてもちろん、鬱病に苦しむ人間の心を覗き込み、自殺を考えて実行するまでには何があったのか考えても答えは出ない。しかし私たちにとってアーロン・スワーツの死は、テクノロジーが政治や倫理に関して進化を遂げるうえで避けて通れない出来事だった。彼の死と、それがテクノロジーの世界にもたらした変化は、テクノロジストが世界にどのような形で貢献できるのか理解するうえで貴重な教訓となった。スワーツにとってコーディングの方法の学習は、市民や政治に変化をもたらすためのツールキットを充実させる作業の一部だった。大学をドロップアウトした彼にとって、テクノロジーは金持ちになる手段ではなく、正義を追求するための手段だったのである。

スワーツは生前、多くの人たちにとって英雄であり、テクノロジーの世界の名士だった。クリエイティブ・コモンズの発展に貢献する一方、テクノロジー活動家としてネットの中立性を守り、米国議会を撃退するための運動の先頭に立ち、知識へのオープンアクセスを熱心に訴えるエバンジェリストだった。テクノロジーは人類に権限や自由を付与するための手段だと確信するテクノロジストはかねてより存在したが、スワーツはこの流れを汲む最も新しい世代だった。したがって、テクノロジーがもたらす未来についてのビジョンはあまりにも理想的で、民主主義的傾向がきわめて強かった。このビジョンは、インターネットの創造やシリコンバレーの文化にも深く根づいている。

今日、アーロン・スワーツが死んでから一〇年も経たないが、彼について語る人はまずいない。シリコンバレーではほとんど忘れられ、一般大衆のあいだでは無名の存在だ。スタンフォード大学でも、スワーツの名前を知っている学生や彼の功績について説明できる学生は滅多にいない。ゲイツやジョブズやザッカーバーグ、あるいはかつてスタンフォードの学生だったラリー・ペイジやセルゲイ・ブリン（グーグルの共同設立者）、エヴァン・シュピーゲルやボビー・マーフィー（スナップショットの共同設立者）、ケヴィン・シストロームやマイク・クリーガー（インスタグラムの共同設立者）、イーロン・マスク（テスラとスペースXの設立者）の名前なら知っている。そして今日キャンパスにいる学生の多くは、ジョシュア・ブラウダーの名前も知っている。彼が資金調達に成功したスタートアップ企業について知らなかったとしても、彼の成果については知っている。というのも、二〇一九年はじめにDoNotPayのサービスを利用して学生全員にスパムメールを送り、キャンパス内の各種学生団体を支援するための費用の支払いを回避するチャンスを提供したからだ。

今日では、混乱を引き起こして短期間で大金持ちになれば英雄と見なされる。かつてテクノロジストは、人間の能力を向上させ、自由や平等を促す反体制的な文化を持ち込んだものだ。しかし今日のシリコンバレーの文化では、創業者が崇拝され、政治に無関心なコーダーが賞賛される。これほど大きな変化が引き起こされてもテクノロジストは気づかなかった、いや、気づきたくなかった。ブレグジット、トランプ大統領誕生、合衆国議会議事堂の包囲を経験してはじめて、テクノロジーは社会や政治にとって役に立たなくなったことを思い知らされたのである。

ジョシュア・ブラウダーのようなタイプが脚光を浴び、アーロン・スワーツのようなタイプが注目されない傾向からは、世界がシリコンバレーと向き合うための課題が見えてくる。私たちの時代に最も広範囲におよぶ変革をもたらしたもののひとつは、デジタルテクノロジーの大きなうねりだ。この波は生活のほとんどすべての側面を巻き込み、従来の傾向を一気に覆した。仕事や余暇、家族や友人、コミュニティや市民としての立場——これらのすべてが、いまやあちこちに存在するデジタルツールやプラットフォームによって形を変えた。現在の私たちは転機を迎えている。だからここで何をすべきか、それはなぜなのか、じっくり考えて理解しなければならない。

大きなテクノロジー企業は、すでに旬の時期を過ぎた。インターネットのおかげですべての人は手元に図書館を確保した、ソーシャルメディアは市民が政府に挑戦する手段を提供してくれる、テクノロジー・イノベーターは従来の産業を崩壊させて生活を改善してくれるとかつては賞賛されたものだが、もはやそんな声は聞かれない。いまや正反対の面ばかりが目立つようになった。人間は機械に活躍の場を奪われ、仕事の将来は定まらない。民間企業は政府の考えもおよばない方法で監視を強め、そのプロセスで大きな利益を確保している。インターネットのエコシステムは、エコーチェンバー現象〔自分と同じような意見を見聞きし続けることによって、自分の意見が増幅・強化される現象〕やフィルターバブル〔自分の見たい情報しか見えなくなること〕によって嫌悪や不寛容を増幅させる。そんな怨嗟の声ばかりでは、テクノロジーの未来はお先真っ暗としか思えない。

しかし私たちは、極端な考えに走りたくなる誘惑に抵抗しなければならない。いまのような複雑な時代には、テクノロジーに関するユートピア的理想主義も、ディストピア的悲観主義も、どちらもあまりにも安直で単純すぎる。いまは問題解決のための楽な道を選ぶことも、絶望して諦めることも許されない。生きている時代の重要な課題に正面から取り組まなければならない。テクノロジーの進歩を上手に利用しながら、個人や社会の利益を損なうのではなく、膨らませる方向を目指す必要がある。この課題にはテクノロジストだけでなく、私たち全員が取り組むべきだ。

それにはまず、新しいテクノロジーが市民や社会に副産物を生み出すことを認識しなければならない。経済学の用語を使えば、外部性が生み出される。外部性とは、個人や企業の活動が他の個人や企業にもたらすコストや利益を指す。たとえば、化学工場が近くの川に廃棄物を捨て、処理するための費用を他の誰かが負担してくれることを期待する場合には、負の外部性が創造される。そして、大きなテクノロジー企業が規制を受けずに私たちの個人データをかき集め、それを最高入札者に売りつける行為は、化学工場と何ら変わらない。大量にばらまくものの種類だけが違う。

フェイスブックのビジネスモデルは、私たちがプラットフォームで過ごす時間を増やすことを目指す。そのうえで、私たちの個人的なプロフィールにアクセスする権利を広告主や政治活動関係者に売りつけると、つぎに彼らは私たちの行動を操作して、その副産物で個人の生活や民主主義的な制度に大きな影響を与える。あるいはユーチューブでは、おすすめシステムや自動再生のデフォルト設定に従ってユーザーはプラットフォームでビデオを視聴するが、そうするうちにエコーチェンバーに押し込められ、偏った傾向のコンテンツばかり提供され、その結果、事実と信用に基づく民主主義が損なわれてしまう。そして、ウーバーやウェウイモが推し進める自動運転車は生産性を向上させるかもしれないが、機械に仕事を奪われた労働者は、政府の虚弱なソーシャルセーフティネットに頼らざるを得ない。

こうした副産物は偶然もたらされるものではない。テクノロジストが新製品を企画して立ち上げるときの選択が反映されている。これらの選択のほとんどは私たちの目に見えないが、実は私たちの民主主義や同胞のウェルビーイングに直接的な影響をおよぼしている。

テクノロジストは、強力な成功要因に後押しされている。エンジニアのマインドセットとベンチャーキャピタリストの利潤動機が組み合わされた結果、スケールアップへのこだわりが強い。リンクトインの共同創業者リード・ホフマンの言葉を借りるなら、素晴らしい企業は「ゼロから出発し、とてつもない規模にまで拡大する」。ただし拡大するにつれて、管理可能な結果はたちまち管理不能に陥り、有害な混乱状態が引き起こされる可能性がある。それなのに、新しいテクノロジーに関連する規制を政府が十分に行なわなければ、世界がますます危険な傾向を強め、不平等が拡大するのも無理はない。

いまやテクノロジーの進歩は回避不能で、私たちは翻弄されるばかりだと誰もが信じ込んでいる。一般の人々はテクノロジーの発見やイノベーションを元に戻せないし、購入する製品の形状にも、テクノロジーが社会全体におよぼす影響にも干渉できない。自動運転車に仕事を奪われたトラック運転手には何ができるだろう。子供がアプリにくぎ付けになっているとき、スマートフォンを取り上げる以外に親には何ができるだろう。オフィスでの顔認証システムの導入について、社員には何ができるだろう。ニュースや情報を伝えてくれるプラットフォームに偽情報が広がったら、市民には何ができるだろう。そしてデジタルガジェットやサービスを利用する見返りとして、私たちは個人データが定期的に収集される状況を受け入れているが、それに対して何ができるだろうか。

生活のあらゆる場面にテクノロジーが遍在する状況に直面し、私たちはしばしば無力感を味わうが、このような結果を甘んじて受け入れるだけが前進する道ではない。これから本書『システム・エラー社会』では、テクノロジーの影響は予め定められているわけではないし、変更不能でもないことを解説していく。テクノロジーがもたらす影響は、新しいテクノロジーをどのように設計し、それとどのような形で関わり合い、管理するためにどんなルールを設定するかによって左右される。

これからの新しい時代、テクノロジーを管理するルールを打ち立てるのはハッカーや企業だけではない。ルールのなかには、製品を作る企業、監督する立場の政府、製品を利用する消費者、製品の影響を受ける人たちのプッシュ要因とプル要因が反映される。これからの新しい時代はどんな職業であっても、全員が新しいテクノロジーの消費者である。そしてさらに重要なのは、私たち全員が市民だという事実だ。誰もが一市民として、重要な役割を担っている。いまはどんな価値が危機に瀕しているのか、新しいテクノロジーはどんな価値のあいだに緊張を生み出しているか、どんな価値を完全に無視しているか、新しいテクノロジーが最も効果的な形で社会に影響をおよぼすためにはどうすればよいか、私たちは理解する必要がある。

本書では、私たち著者がテクノロジー革命の震源地であるスタンフォード大学とシリコンバレーで過ごした三〇年以上におよぶ経験をまとめ、テクノロジーの未来の形成に誰もが大事な役割を果たせることを紹介していく。それにはまず、特定のテクノロジーや企業へのこだわりを捨て去り、テクノロジストの顕著なマインドセットと成長力に注目しなければならない。そのマインドセットとは最適化である。

このマインドセットに注目すると、重要な問題点に向き合わざるを得ない。すなわち、善意からの最適化であっても、価値ある要素のすべてが測定の対象になるわけではない。創造的破壊が大きな規模で達成されると、それに関連した価値や決定がその他大勢の人たちに押し付けられる。しかし、コーダーや強力なテクノロジー企業が専門家としての狭い視点から支配するよりは、厄介で効率が悪くても力強いプロセス、すなわち民主主義と呼ばれるプロセスを通じ、どんな価値を奨励すべきか決断するほうが、戦略として優れている。もはやテクノロジーのストーリーでは、善人と悪人、良いテクノロジーと悪いテクノロジーが二元論的に対立しない。私たちの生活を支配する強力なテクノロジーには、様々な価値が暗号化された形で含まれており、私たちにはそれを選ぶ役割が与えられないどころか、見ることさえできない。それを認識したうえで、私たちは分別ある判断を下さなければならない。

本書『システム・エラー社会』では、倫理とテクノロジーに関する様々な問いかけを行なう。よりはっきりと言うなら、倫理とテクノロジストに関する問いかけである。テクノロジストによる「最適化」の追求は、しばしばそれ自体が善と見なされるものだが、ひとりひとりの人間のウェルビーイングや民主主義社会の健全性を損なう可能性があることを理解してもらうためだ。

テクノロジーにおける倫理的な問題は三つのグループに大別される。ひとつめは、個人の倫理に関わる問題と呼ぶべきもので、エンジニアは善良な人間になる努力を惜しんではならないと考える。規則に違反してはならないし、嘘をついたり、盗んだりすることは許されない。

もちろんこの要求は、テクノロジストやエンジニアだけに向けられたものではない。あらゆる人がそれぞれの仕事のなかで、善良な人間になることを目指さなければならない。

悪名を馳せたエリザベス・ホームズの事例を考えてみよう。彼女は一九歳でスタンフォードを中退し、生物医学関連スタートアップ企業であるセラノスを創業した。同社は、革命的な血液検査技術を開発したと発表した。その新技術を使えば検査は自動化され、近所の薬局でも自宅でも、ごく少量の血液でさまざまな症状を確認できるという触れ込みだった。二〇一三年のある時点では、セラノスの企業価値は一〇〇億ドルを超えた。しかし結局、セラノスはそのような画期的な技術など持っていなかったことがわかった。大がかりな事業は砂上の楼閣だったのだ。一部の若手社員が内部告発者となり、新技術についての説明が虚偽であったことを州政府の役人や

「ウォール・ストリート・ジャーナル」紙の調査ジャーナリストに伝えた結果、不正は明らかにされた。会社は二〇一八年に廃業にとなり、現在ホームズは刑事罰に問われている。

このようなストーリーはあらゆる職業に存在している。金融業者バーニー・マドフの詐欺事件、自転車ロードレース選手ランス・アームストロングのドーピング、リチャード・ニクソンをはじめとする政治家による汚職など、枚挙にいとまがない。

個人の倫理の問題は、しばしば現実の問題となって現れる。倫理に反するやりかたで、個人が行動したり、自分の会社や公的機関を動かすからだ。しかし、この個人の倫理の問題は、倫理的な問題のなかでも本書の関心が最も低い。規則に違反すること、嘘をつくこと、盗むことが擁護できないのは明白だからだ。こうした倫理的な教訓は、『人生で必要な知恵はすべて幼稚園の砂場で学んだ』（河出書房新社、一九九〇年）で紹介されるものと大差ない。

倫理的な問題を構成する二つめのグループには、人格よりも範囲の広い職業倫理という問題が関わる。特定の職業に従事する個人の行動を管理する道徳的規準には何があるだろうか。医療従事者には「何よりもまず、害をなすなかれ」というヒポクラテスの誓いがある。これは「そのようにありたい」という単なる抱負ではない。医療従事者のふるまいを、実効性をもって取り締まることのできる、実体をもった組織が関与している。組織は医療に従事するメンバーの行動を厳しく監視することが可能で、行動規範に違反したメンバーや企業は重大な結果を覚悟しなければならない。

医学研究と医療行為の分野は長いあいださまざまなスキャンダルに見舞われてきたので、研究対象や患者を守る必要性から、職業上の行為に厳格な基準が設けられた。そうしたスキャンダルのひとつが、四〇年にわたって続けられたタスキギー梅毒実験である。この実験に参加した数百人のアフリカ系アメリカ人は、見返りに医療が無料で受けられると説明を受けた。彼らの一部はすでに梅毒に感染していたが、一部は経過を観察するため故意に感染させられた。被験者は自分が梅毒に感染していることを教えられず、当時はすでにペニシリンという有効な治療薬があったにもかかわらず、意図的に治療されないままだった。やがてタスキギー梅毒実験の実態は内部告発者によって明らかにされ、その結果としてさまざまな改革が実行された。人体実験が行なわれる大学や製薬会社には、監視役の治験審査委員会が置かれることになった。

一方、コンピュータサイエンスという職業の場合は具体的な倫理規定が考案されても、違反行為に重大な結果が伴わない。二〇一八年、アメリカの計算機協会（ACM）——世界最大の科学的かつ教育的なコンピュータサイエンス学会で、一〇万人ちかくの会員を擁する——は、倫理規定と行動規範を一九九二年以来はじめて更新した。新しい規定には、ACMの会員の行動の拠り所となる一般的な倫理原則、職業的責任、リーダーシップの原則の概要が盛り込まれ、そこで謳われる原則は賞賛に値した。たとえば規定に違反すれば、ACMから追放される根拠になり得る。ところが実際には、そんな脅しには効果がなかった。州弁護士会や医療委員会のケースと異なり、ACMはテクノロジー関連の職業のゲートキーパーとして機能していない。実際のところ、ゲートキーパーなど存在しない。テクノロジー業界で働く人たちにとって、ACMからの除名という脅しは痛くもかゆくもない。

倫理的な問題の三つめのグループには、社会的・政治的倫理が関わる。そのため、公共政策や規制や統治に関する問いかけが行なわれる。実際、倫理に関する最も興味深く——最も厄介な——課題はこのカテゴリーに当てはまり、本書で最も頻繁に取り上げられる。

社会的・政治的倫理について考えるときは、さまざまな価値の競合に直面する。たとえすべての価値を尊重すべきだと考えるとしても、トレードオフを決断しなければならない。ここで必要なのは、正しいか間違っているか判断したうえで、正しく行動する方法を学ぶことではない。良いことをいくつも確認したうえで、どれも捨てがたいが、すべてを同時に実行できないときの対応策を決断しなければならない。

その典型例が、あらゆる社会に存在する、自由と平等の緊張関係だ。イギリス人哲学者のアイザイア・バーリンは、オオカミに完全な自由を与えれば、羊には確実に死が訪れる〔12〕と指摘した。自由も平等もどちらも価値のある目標だが、両方を同時に完全に実行するのは不可能だ。ここでは選択が必要で、トレードオフを検討しなければならない。

この地点が本書の倫理学の関心となる。テクノロジスト個人に倫理学を教えればよいという単純な問題ではないのだ。受講すれば効果が発揮され、関係者や業界が悪い行動を控えるような、そんな倫理学の必修課程は存在しない。実際、それほど難しくない日常的な決断を迫られるときでさえ、実際には、すべての人が道徳的聖人のように決断できるわけではない。アメリカの第四代大統領ジェームズ・マディソンは、「ザ・フェデラリスト」〔アメリカ合衆国憲法の批准を推進するために書かれた連作論文〕に「人間が天使ならば、政府は必要とされない」と書いている。リスクが高い状況で、しかもテクノロジーが私たちの生活に与える影響が大きいときには、たとえ優れた倫理観を持つテクノロジストであっても、テクノロジストに全面的に頼るのは間違っている。

競合するさまざまな価値観と向き合うときには、民主主義の利点が注目に値する。たしかに欠点も限界もあるが、民主主義はすべての市民に発言権を与え、意見の相違を解消し、利益相反の解決に意欲的に取り組む。民主政治におけるギブアンドテイクは、相容れない理念や要求のうちなにを選択するかについての歴史あるシステムである。民主主義の特に優れた点は、ゆっくり時間をかけて決断する傾向だ。協議を重ね、過去の決断を見直す可能性も排除しない。

民主主義は市民にとって最高の結果を出すために努力するが、その一方、最悪の結果に対する防波堤としても役立つ。二〇世紀オーストリアの哲学者カール・ポパーによれば、政治の中心的課題は、一般市民（すなわち民主主義）、最も賢明な人物（すなわち哲人王や有益なテクノクラート）、最も裕福な人物（すなわち少数独裁制）のうちの誰を支配者にすべきか決めることではない。政治の中心的課題とは、政治制度をうまく組織して、悲惨な結果を回避すること、つまり悪質な支配者や無能な支配者が、深刻なダメージをもたらす事態を防ぐことである。テクノロジーの影響が私たちの社会を圧倒している現在は、まさにそれが必要とされる。

＊　＊　＊

もしもテクノロジーが自分たちにはコントロールできないものだと受け入れてしまえば、私たちはエンジニアや企業のリーダーやベンチャーキャピタリストに未来を全面的に任せてしまうことになる。なかには市場に望みを託し、市場ならば私たちの利益に配慮して、私たちが望むようなテクノロジーを提供し、役に立たないもの、いや有害なものさえ取り除いてくれると期待する人がいるかもしれない。しかし、市場には得意なものと不得意なものがある。利益をもたらしてくれるが、社会的影響については考えない。効率を評価するが、他の価値を無視する。そして独裁的な統治を賞賛する。実際、こうした優先事項がコード化されたアルゴリズムが、新しいテクノロジーを動かしている。企業戦略を決定する測定基準となり、制約された環境で企業にできること、できないことを判断していく。

しかしこれでは、他の理念が危険にさらされる。公正、プライバシー、自治、平等、民主主義、正義といった価値は顧みられない。私たちは人間としてこれらの理念を尊び、自分たちの行動を抑制するために設定したルールを通じ、大切な価値を守っている。ところが新しいテクノロジーは、こうした理念の多くを危険にさらす。それは目に見えることもあるが、多くは見えない形で進行する。

私たちはデジタルエコノミーが誕生してから三〇年間というもの、常に良い結果をもたらしてくれるテクノロジストに集合体としての軌道の決定を委ね、安心しきっていた。しかしいまや、テクノロジストの道徳的欠点は白日のもとにさらされ、自分に都合よくテクノロジーを利用する独裁主義者の権力への不安が高まっている。だから私たちは、異なる道を構築しなければならない。そして厄介な緊張状態を解決する方法は民主的でなければならない。あなたのような市民が積極的に関わる必要がある。

私たちは、テクノロジーの未来をエンジニアやベンチャーキャピタリストや政治家に任せてしまってはならない。本書は、「最適化」を目指す人たちにすべてを任せることがいかに危険か説明したうえで、あらゆる人が難しい選択に自信をもって臨めるように後押しすることを目指している。テクノロジーが私たちの社会を今後どのように変容させるのか見極めるのは非常に困難である。二一世紀に取り組むべき課題のなかでも、これ以上に重要なものはまずないだろう。私たちが集団として行動すれば、自らの手でテクノロジーがもたらす未来を選択できるだけでなく、民主主義が活力を取り戻し、その恩恵で誰もが個人として繁栄する可能性を大きくふくらませることができるのだ。

第一部

「テクノロジスト」の解読

先端技術の時代には、
効率の悪さは聖霊に対する罪である

オルダス・ハクスリー
『すばらしい新世界』の序文、一九四六年

第一章　不完全なマインドセット「最適化」

今日一般に考えられているのとは対照的に、歴史ある米国郵便公社こそが、実は、破壊的なイノベーションの中心だった。一七九二年、アメリカ独立宣言の署名者のひとりであるベンジャミン・ラッシュによって、郵便事業法案が法律として成立した。この法律のもとで、各地の様々な配達ルートを管理する権限が連邦政府に与えられた。同時に、配達は公衆通信事業者によって行われるが、郵便物の中身はプライバシーが守られると明言された。さらに、斬新な料金体系も提案される。料金は重量によって決まるのではなく、手紙の料金は全国一律、新聞の料金も全国一律で手紙よりも安く設定された。こうして、ニュースや情報のやりとりと幅広い普及が支援されることになったのである。

急速に拡大する国の全体を対象にした郵便物配達の効率と信頼性を高めるため、郵便公社は定期的に新しい技術を採用することになる。一八六二年にはポニーエクスプレスという馬による郵便配達を導入し、その数年後には、列車による郵便配達の実験を始めた。そして、少しでも多くの人たちを結びつけるため、一九〇二年には農村地域で無料の郵便配達を導入する。さらに、へンリー・フォードが一九〇一年に自動車を発明し、ライト兄弟が一九〇三年に飛行機ではじめて空を飛ぶと、わずか数年のうちにどちらの技術も郵便配達に取り入れようとした。

鉄道建設がピークを迎え、自動車の時代が幕を開けようとしていた一九一三年、郵便公社はまたしても斬新で革新的なアイデアを導入する。一般的な商品の郵便配達に注目し、手紙、新聞、雑誌のほかに小包郵便を始めたのだ。すると、この新しい配達メカニズムを利用した事業形態がすぐに新登場し、通信販売会社が活気づいた。農村地域も含め、全米で何千人もの職員が配達に従事したおかげで、一九〇八年には四〇〇〇万ドルだった通信販売業界の利益は、一九二〇年には二億五〇〇〇万ドルに跳ね上がった。当時としては、とてつもなく大きな数字だ［1］。

一九二〇年のアメリカの農村地域の家族を想像してほしい。この家族は旅行を計画中で、そのための必需品をいろいろ購入しなければならない。でも、何マイルも離れた最寄りの町まで馬や列車で移動しなくても、シアーズ・ローバックのカタログを見て、手紙で注文することができる。しかも品揃えは、最寄りの町のどの店よりも充実している。シアーズ・ローバックは注文を受けるとそれに応じ、小包を使って商品を配達する。注文してから商品が手元に届くまでには二〜三週間と、時間はかかるけれども、わざわざ店に足を運ぶよりはずっと効率的で便利だ。

ここで話を一世紀後まで進めよう。デジタル時代の今日、郵便公社は危機に直面している。いまやメッセージのやりとりは、デジタル技術のおかげで効率が高まる一方だ。Eメールやショートメールを使えば、どんなに離れた場所にも個人的なメッセージを瞬時に送ることができる。二〇一三年には普通郵便で送られる手紙の量が、一九九五年と比較して六一パーセントも減少した。Eメールやショートメールが十分に普及すると、手紙を書く機会は稀になり、何かを伝えたり依頼したりといった日常的な目的のために使われるのではなく、心のこもったメッセージとしての傾向を強めた。郵便で商品をカタログ注文するシステムはまだ存在するが、利用される機会は大きく減少した。シアーズ・ローバックのカタログ販売は一九九三年に終了し、二〇一八年に同社は破産を申請した。

農村地域の家族が今日旅行を計画するなら、どのようにして身支度を整えるだろう。旅行の必需品は、ボタンを何回かクリックして、アマゾンプライムで注文する可能性が高い。すると二日以内に荷物は届けられる。配達業者は郵便局かもしれないし、フェデックスなど民間の業者かもしれない。一部の都市ではアマゾンプライムナウを使えば、荷物は郵便局を迂回して、わずか二時間で届けられる可能性もある。あるいは、将来アマゾンプライムエアーが実現すれば、ドローンを使って三〇分以内に届けられるかもしれない。家族は午前中に買い物をすれば、午後にはすべての必需品をそろえて出発する準備が整う。

効率をとことん追求すれば、目覚ましい進歩が実現する。メールは瞬時に届くし、荷物は数日、数時間、いや数分以内に届けられる！

ネットフリックスの進化も、効率の追求に関して似たようなストーリーを物語っている。誕生した当時、ネットフリックスは映画の会員制サービスで、店舗型の大手レンタルチェーンのブロックバスターとサービスの中身は大差なかった。月額料金を支払えば、ネットフリックスは米国郵便公社を使ってDVDを届けてくれる。そこには特注でデザインされた、返却用のすぐに見分けがつく切手付きの赤い封筒が同封されていた。会社の草創期には、DVDが返却されてからつぎのDVDが届けられるまでの所要時間の短さが、顧客満足度を左右した。つぎのDVDの到着まで一週間待たされると、顧客は苦情を言うのだった。ネットフリックスも、所要時間をできるだけ短縮するための努力を惜しまなかったが、赤い封筒を配達するのは自分たちの仕事ではなく、郵便局の仕事だった。ネットフリックスは何千か所もの郵便局に特注の機械を導入して返却プロセスのスピードアップを図り、契約者への翌日配達を目指した。そしてついに、配達と返却の時間をできるかぎり短縮する手段として、元郵便公社総裁を最高執行責任者に招いた。ネットフリックスが郵便制度をうまく利用する能力を改善するために、これ以上にふさわしい人選はないだろう。

しかし草創期の時点で、ネットフリックスの長期計画は郵便を使ったDVDのレンタルサービスに限定されなかった。同社の創業者でありCEOでもあるリード・ヘイスティングスは、コンピュータ科学で修士号を取得した人物である。そしてインターネット通信の効率が向上し、ビデオを消費者に直接ストリーミングできる日の実現は時間の問題であることを理解していた。二〇〇七年、ついに彼のビジョンが結実する。ブロードバンドによるアクセスを利用して、ネットフリックスは郵便サービスを完全に迂回できるようになったのだ。ただし、インターネットへのアクセスが限られている顧客やまったくアクセスできない顧客をサポートする必要があったため、インターネットとは別にクイックスターというサービスを使い、郵便でのDVDレンタルを継続させた。それでもネットフリックスは路線変更の手を緩めず、ストリーミングビデオを介したオンデマンドによる映画とテレビ番組の配信にほぼ完全に舵を切った。いまやインターネットを通じて、ほぼすべての映画をいつでも鑑賞することが可能だ。かたや二〇〇〇年にネットフリックスを五〇〇〇万ドルで買収する提案を拒絶したブロックバスターは二〇一〇年には破産を申請することになった［2］。

今日では、映画の配信は効率がよいだけでなく、最適化されている。いまやストリーミングによる同時配信が実現しており、顧客のもとに届くまでの時間に関してはこれ以上の改善の余地はないとしか思えない。

効率の向上によって利便性は大いに高まったが、もっと重要な成果もある。民主主義を強化し、ビジネスチャンスを高めてくれる成果も多い。たとえば世界中で必須医薬品の流通が改善され、新しいワクチンが開発され、世界各地の情報へのアクセスが容易になり、学習困難を抱える学生を効果的にサポートできるようになるといったことだ。

過去数十年間というもの、効率と最適化をとことん追求する傾向は、あらゆる領域や業界で中心的な役割を果たすようになり、重要性は増すばかりだ。ビジネスではサプライチェーンの効率化が進み、スポーツでは、ビッグデータによる分析に基づいて決断を下す『マネーボール』タイプの戦術が採用されている。さらに私たちの私生活にも、オンラインのデートアプリやフィットネス・トラッカー〔健康管理用のスマートウォッチ〕が取り入れられている。そんな時代に最ものぼり調子の業界がコンピュータ科学で、その技能が必要とされるのは偶然ではない。デジタル時代には、破壊的なイノベーターは効率への執着が強く、コーダーまたはソフトウェアエンジニアと呼ばれる集団を形成する。彼らは様々な新しいテクノロジーを市場に送り出し、それが生活の実に多くの側面で効率の向上を促している。

私たちはすべてを最適化するべきか？

効率は善だと思うかもしれないが、常にそうとはかぎらない。ここで、ソイレントという製品の誕生について考えてみよう。これもまた、エンジニアが進めたシリコンバレーのイノベーションの一例だ。

ソイレントは粉末の栄養補助食品で、水を加えてシェイクにして摂取する。この栄養補助食品が開発されたのは、私たちの日常生活で食事がペインポイント（大きな課題）になっていると発案者が確信したからだ。人体は栄養を必要とするが、それを供給するメカニズムは効率が悪いとしか思えなかった。食事には費用がかかる。そのうえ買い物、調理、後片付けが必要で、それができなければレストランで外食しなければならない。食事の多くは社交の場でもあり、会話を交わし、礼儀作法を守ることが期待される。これではかなりの時間を食事にとられ、仕事など、他の大切な活動が犠牲にされてしまう。

この嘆かわしい問題の解決に乗り出してソイレントを発案したのが、シリコンバレーのエンジニアのロブ・ラインハートだ。サンフランシスコで立ち上げたスタートアップ企業が事業に失敗したとき、彼も友人も現金がなくなり、まともな食事をとるのが難しくなった。「それをきっかけに考えたんだ。食事みたいにシンプルでも重要なものが、どうしてあんなに効率が悪いままなのだろうとね。現代の生活では、他のものは無駄を省いて最適化されているというのに」［3］と、彼は『ヴァイス』誌の取材で語った。さらに、個人ブログにはこう書き込んだ。「僕の人生では、食事そのものだけでなく、そのための買い物と準備と後片付けに時間とカネと労力を費やさなければならない。やってられないよ。僕はまだ若いし、おおむね健康で、心身ともに充実している。減量なんてしなくていい。体重は維持すれば十分で、エネルギーを補給するために余計なエネルギーをかけたくない」［4］。

そして彼は、いかにもエンジニアらしい行動をとった。食品と栄養補給にエンジニアリングの側面からアプローチしたのだ。体の維持に必要なビタミンや栄養素について調査をはじめた。食品医薬品局の資料だけでなく、栄養補給や生化学に関する教科書にも目を通した。そして、人体に必要な三〇種類以上の栄養素をリストアップした。そのうえでこれらの栄養素をインターネットで注文し、ブレンドした粉末を作る実験を始めたのである。

二〇一三年、ラインハートは食事をブレンドした粉末のシェイクだけに切り替えた。混合した粉末には鉄分が欠けていて、健康維持に必要な食物繊維の量の計算を間違えていたことに気づき、途中で微調整を行った。粉末に水を加えたシェイクだけで一か月間を過ごした後、「僕はどのように食事とおさらばしたか」というタイトルのブログ記事を書いた。

ラインハートは、一九六六年に発表された小説からインスピレーションを受けて、大事な発明品をソイレントと名付けた。この小説は、人口過剰と資源枯渇が進行する世界が舞台で、人々が食べるものに困らないよう、大豆とレンズ豆を原料とする新しい食品（大豆〈ソイ〉＋レンズ豆〈レント〉が開発される。しかし、ほとんどの人がこの名前から思い浮かべるのは、小説を映画化した一九七三年の作品『ソイレント・グリーン』だろう。チャールトン・ヘストンが主役を演じる映画に登場する人たちは、ウエハースだけを食べて生きている。ウエハースの原料はプランクトンだとみんなは信じ込んでいるが、最後のシーンで、実は人肉が原料だったことが明かされる。人類が生き残る手段は共食いしかないと描くことで、人口過剰が深刻化するディストピアの恐ろしさはさらに増幅された。ブランディングに関して、ラインハートは決して才能があるとはいえないだろう。

それでも、彼のブログ記事は注目された。なかでも、暮らしを改善して時間を節約するために、気のきいた発明品や機械の情報を求めてテックが集まる「ハッカーニュース」というサイトでは評判がよかった。ラインハートは起業のチャンスがあると判断し、クラウドファンディングのサイトでソイレントについて投稿した。六五ドルという最少額の寄付の見返りに、一週間分のソイレントを提供すると約束するものだった。当初は生産を本格的に開始するために一〇万ドル調達できればよいと考えていたが、反応は期待以上だった。わずか二時間で目標は達成され、最終的には、新しいベンチャーを支援するために寄付した人は六〇〇〇人を超え、全部で七五万ドル以上を調達した。

ラインハートは仲間と共に事業を始め、二〇一四年にはソイレントを一般向けに紹介した。活動資金は、シリコンバレーでも特に有名な複数のベンチャーキャピタル企業が提供してくれた。ユーチューブに投稿された紹介ビデオで、ラインハートはつぎのように語った。「僕がじっくり学んだのは、問題を分解する方法です。あらゆるものは複数の部分から構成されているので、分解が可能です。ほとんどの食品は味や食感を優先しますが、ソイレントは違います。目指すのは栄養補給の最大化。できる限り効率的な方法で体に栄養分を提供することが目標です」。

ただし、ラインハートのモチベーションを掻き立てたのは、必要な栄養分の補給の最大化だけではない。彼はある取材で、作物の栽培や牧畜が行なわれる農場は「きわめて効率の悪い工場」だとこき下ろした。「農家の仕事には呆れるばかりだ。農業は、とにかく危険で汚い。昔から下層階級が手がけてきた。足で歩き、手を使い、人間の目で数を数え、測定する。絶対に自動化が必要だ」[5]。

そのうえで彼は、ソイレントなら複数の問題を解決できると続けた。食事を準備するまでの効率の悪さ、最適な栄養摂取について頭を悩ませるストレス、農家に依存する食品業界の構造。どれもソイレントならかなり低いコストで解決可能で、全戦全勝だと胸を張った。

ところが、マスコミはソイレントの発売を「食事の終焉」と報じた。「ニューヨークタイムズ」紙ではファルハド・マンジューが「実利主義もここまで来ると呆れる」「楽しみが奪われ、退屈きわまりなく、罪作りな製品だ」とけなした。ソイレントは完全な栄養食品かもしれないが、「我々の多くは食事の美しさに感動し、喜びを味わう。それがすっかり犠牲にされている」[6]と、テクノロジーコラムニストのマンジューは指摘した。

さらに「ニューヨークタイムズ」紙は、料理評論家でありレストラン批評家でもあるサム・シフトンに、ソイレントを実際に試してもらった。結果は予想通りで、彼はつぎのように評した。

「値引きされたシリアルをボウルに入れてミルクを注ぎ、シリアルを食べたあと底に残った液体だけが食事だと想像してほしい。健康食品店の床を掃いて集めたものを濃縮したみたいだ。シリコンバレーの技術者の一部は、フレーミン・ホット・チートスやレッドブルとプロテイン・シェークで食事を代用しているが、あれと同じだ」[7]。そのうえで、少しだけ寛大にこう結論した。「こうしたインスタント食品は、欠点のない完璧なエンジニアリングのためなら、おいしくて充実した食事は二の次だという企業戦士にはぴったりかもしれない」。

ソイレントが抱える複数の問題に気づくのは難しくない。日々必要とされる栄養量を確保する手段としてきわめて効率がよく、規則的に食事を準備して食べるために要する時間が大幅に削減されるのは事実だ。しかしほとんどの人にとって食事とは、単に栄養所要量を確保するための仕組みにとどまらず、多くの異なる目的に役立っているものだ。食べ物をじっくり味わう機会や社会的つながりが提供され、文化的アイデンティティが守られ伝えられる。ソイレントが食事の終焉をもたらす世界では、こうした価値も失われてしまう。

あなたにとっては、ソイレントは好みではないかもしれない。マーケットプレイスで見向きもされない製品がまたひとつ出来ただけかもしれない。それでも、スーパーでの買い物に費やす時間を節約したいと考えるテックワーカーや、ファーストフード店で不健康な食べ物を大急ぎで詰め込むか、ソイレントを利用するかのどちらかしか選べない忙しい人が、ソイレントを選んだとして、誰が文句を言えるだろうか？　実際、一部の人たちにとってはありがたい代替案である。そうなのだ。エンジニアリングは間違いなく、人類に良いものをたくさんもたらしてくれた。

でもソイレントのストーリーが強烈な印象を与えるのは、最適化を追求するテクノロジストのマインドセットが顕著に表れているからだ。そして最適化のマインドセットが大きくなりすぎると、テクノロジーが拡張を始め、広く普及して最後は回避不可能になり、厄介な問題が引き起こされるようになる。

エンジニアの教育

一九三六年、史上最も影響力の大きな経済学者のひとりであるジョン・メイナード・ケインズは、つぎのように述べた。

経済学者と政治哲学者の思想は、正しいときも間違っているときも、一般に理解されているより強力である。実際、世界がそれ以外の思想に支配されることはまずない。自分はいかなる知的影響も受けないと確信する実際的な人間も、大体は故人となった経済学者の奴隷である。権力の座にある者は周囲に漂う声を聞きとり、数年前の三流学者の意見に従い、ついには錯乱した考えを引き出すのだ［8］。

ケインズがこのように記したのは二〇世紀はじめのことだ。大恐慌で世界が大混乱に陥り、やがて第二次世界大戦に突入していく時代である。そんな時代に思想など重要ではなかったと考えるかもしれないが、彼は正しかった。ふたつの世界大戦、冷戦、ベルリンの壁の崩壊、金融部門の台頭、グローバル経済といった、二〇世紀の大きな出来事のほとんどは、経済学者の様々な見解と政治イデオロギー闘争によって生まれたのである。

経済学者は、政治の意思決定に深く関わり、指導者に助言を行ない、公共政策の立案にも直接関与した。第二次世界大戦以前には、連邦政府機関を支配していたのは法律関係者で、議会は自分たちの決断がどのような効果をもたらすか予測する際、経済的根拠についてはほとんど無視した。しかし二〇世紀半ばになると経済学者が行政府に大量に採用された。連邦政府に勤務する経済学者は、一九五〇年代にはおよそ二〇〇〇人だったが、一九七〇年代には六〇〇〇人以上にまで増加した。さらに成長を推し進め、経済予測を行うために大企業にも大量に雇用された。二〇世紀最後の二五年間に急成長したウォール街の銀行、プライベート・エクイティ・ファーム（未公開株式投資会社）、ヘッジファンドの指導者は、全員が経済学を学んでいる。

二〇世紀における経済学と金融にあたるのが、二一世紀におけるエンジニアリングとコンピュータ科学である。コンピュータのハードウェア、処理能力、ビッグデータ、アルゴリズム、人工知能（AI）、ネットワークパワーは、現代の最も重要な通貨だと言ってもよい。大手銀行には、定量的データを駆使するアナリストや金融エンジニアが入り込んでいる。破壊的イノベーションに資金を提供するのはウォール街のファンドマネージャーではなく、パロアルトのベンチャー投資家になった。それでもテクノロジストの世界観は、テクノロジー業界の部外者から十分に理解されないときがある。二〇世紀の経済学者と異なり、エンジニアは一般に政治の世界に顧問や意思決定者として介入せず、むしろ政治を完全に迂回したがる傾向がある。

新しいテクノロジーがもたらす政治的・社会的問題を論じる際には、小さいけれども特異な人間の集団――テクノロジーの改善法についての自分なりの信念にもとづいて、新しいテクノロジーを創り出し、絶えず微調整し、最適化を試みる人間たち――についての理解が欠けている。このように最も大きな影響力を持つ人間の多くはスタンフォード大学で学び、卒業後はシリコンバレーを目指す傾向が強い。もしも私たちが、テクノロジーがなぜ、どのように世界を変えているのか理解したければ、エンジニアのマインドセットをもっと正しく認識する必要がある。

エンジニアやコンピュータ科学者の入門的なトレーニングにおいて、最適化は早い時期から強調される。エンジニアリングを専攻する学生は自らを問題解決者と見なし、常により良い解決策を探し求めるよう教えられる。コンピュータ科学の領域においては、解決策を見つけるための主要なツールとしてコンピュータが使われる。そして解決策をできるだけ効率的かつ最適な形で見つけるべきだと、早いうちから叩き込まれる。

アルゴリズムの標準的な入門書のひとつでは――一〇〇〇ページ以上もある分厚いものだが――アルゴリズムとは「何を解くべきか明確に特定された**計算問題**を解くためのツール」[9]だと定義されている。アルゴリズムを書く人間に任せられたタスクは、与えられた問題を最短時間で解決するか、またはコンピュータのメモリや処理能力をできる限り使わずに解決することだ。明確に特定された問題の効率的な解決がとにかく強調される。その一方、どんな問題には解決する価値があるのか、計算では解決できない重要な問題が存在するのかと問うことを読者に呼びかけている個所はない。

コンピュータ科学は、一九四〇年代から一九五〇年代にかけて考案された決定理論と線形計画法の影響下にある。最適化法のパイオニアであり、スタンフォード大学教授だったジョージ・ダンツィーグは一九九七年に退任し、二〇〇二年につぎのように回想している。「線形計画法は、画期的な進歩の一部と見なすことができる。人類が、非常に複雑な状況に直面したとき、そのなかで目標を「最高の形で」達成するために、ひとつひとつの決断をどのように下していくかという道筋をつけるための能力を手に入れたといえるのだ。ここで目標を達成するための具体的な道具は、現実世界の問題を細かく表現した数学用語（モデル）、モデルを解決するためのテクニック（アルゴリズム）、アルゴリズムのステップを実行するためのエンジン（コンピュータとソフトウェア）である」[10]。ダンツィーグによれば、出発点は一九四七年だった。この年、彼は線形計画法のためのシンプレックス法というアルゴリズムを発表して賞賛されるが、「一九四七年以前の時代は、最適化への興味が著しく欠けていた」と述べている。

最適化という目的のために、しばしばコンピュータ科学者は世界を数学による抽象化によって表現したうえで、計算による解決を試みる。ほぼすべてのコンピュータ科学者が直面する古典的問題が、「巡回セールスマン問題」（近年、巡回セールスパーソン問題と改名された）略してTSPである。この問題では、まずセールスパーソンが巡回するべき都市のリストが与えられる。出発点に戻るまでには各都市を一度訪問することしか許されないという制約下で、総費用が最小限に抑えられる経路の発見を要求される。簡単に解けそうな問題だと思う人もいるかもしれないが、実際のところ、最も費用のかからないルートを常に決定できる効率的なアルゴリズムを発見するのは非常に困難であることがわかっている。あまりにも難しいので、問題解決のための効率的なアルゴリズムを発見するか、効果的なアルゴリズムは存在しないことを証明したら、一〇〇万ドルの賞金が与えられることになっているほどだ。しかし数十年が経過しても、賞金獲得者は未だに登場しない。

もちろん、常に最適の結果を保証できるわけではないが、TSPにとってかなり良い解決策はいくつも提示されてきた。異なる複数のルート——数十億に膨らんだかもしれない——を試し、それまでに確認された最善のルートよりもコストが低いルートに注目するアルゴリズムもあった。あるいは、現在地から出発点に戻るまでの最低費用に基づいてつぎに訪れる都市を選ぶ「貪欲」法というアプローチ（コンピュータ用語では貪欲アルゴリズムという）もあった。

巡回セールスパーソン問題の解決が一〇〇万ドルの賞金に値するなど、何だか解せないかもしれないが、この問題は、NP完全問題として知られる諸問題を解く鍵なのだ。NP完全問題とは、暗号法やDNAシーケンスなど、多岐にわたる課題の根底にあるものだ。このことは、TSPを最適な形で効果的に解決するアルゴリズムが見つかれば、一〇〇万ドルの賞金が手に入るだけでなく、現在インターネットで使われている暗号化システムの多くを解除することも可能だということを意味している。

世界を抽象化するときに行なう選択は、現実の世界にも影響する。TSPを応用し、都市間の移動コストを航空券や車のガソリンに要する費用の面から選択すれば、移動中の炭素排出量に基づく選択とまったく異なるルートが浮上する。ロサンゼルスからシアトルへ移動する際にシカゴでの乗り継ぎを航空会社の旅行サイトから提案され、困惑した経験があるだろうか。それはアルゴリズムが、環境への影響ではなく価格の最適化を目的としていた可能性が高い。

最適化のための選択からは、表現の妥当性という問題が提起される。何らかの量（切符代や移動時間）を最適化するためには、それを数学的な量で表現する必要がある。量を直接測定したり表現したりできなければ、良し悪しを判断するための最適化の方法は生み出されない。なかにはシンプルで測定しやすいものもある。たとえばチケット代の測定は簡単だ。しかし環境への影響の測定はずっと難しい。正義、尊厳、幸福、見識に基づく民主主義の促進のような根本的な理念ともなると、最適化の方法を決定するのはさらに難しくなる。

以上のような限界はあるものの、最適化はコンピュータ科学の道具箱における必須要素というだけでなく、技術的な問題について考える場面以外でも注目されるようになった。最適化という、テクノロジスト独特のマインドセットだったものが、瞬く間により一般的な生き方の指針になってしまったのだ。効率の悪さを見抜くことは第二の本能となり、食事を嫌ったロブ・ラインハートのように、効率の悪さに不満を募らせる。その結果、単純作業は自動化し、時間を節約する方法を見つけ、結果の改善に努めるべく、日常の活動から軋轢を取り除くことが最も重要な目標となった。多くがエンジニアから成るサブカルチャーの集団では、エンジニアが「ライフハック」〔仕事の質や効率、生産性を上げるための工夫や取り組み〕に熱中し、人気の高いウェブサイト「ライフハッカー」は、「生活のあらゆる側面の最適化に関する最高権威」として崇められている。

こうしたマインドセットで世界を眺めると、効率の悪さが気になるのは小さな問題に限らないことがわかる。物事の全体像についても同様に最適化すべきなのだ。たとえばスタンフォードの教員である私たちは学生から、スタンフォードでの経験を最適化する方法、夏のインターンシップを最適化する方法、最適なキャリアを選ぶ方法について助言を求められることがめずらしくない。最近の話題作『生きるためのアルゴリズム――人間の意思を決定するコンピュータ科学 *Algorithms to Live By: The Computer Science of Human Decisions*』では、よりよい生活を送るための土台としてコンピュータ科学者のスキルを持つことが勧められている。アルゴリズムによる洞察は叡智の一種なのだ［11］。

テクノロジストや最適化のマインドセットの台頭は、語彙にも反映されている。optimist（楽観主義者）という単語は、過去一〇〇年間にわたってほぼコンスタントに使われてきた。ただし、様々な言語で書かれた膨大な本のなかで特定の単語の利用頻度を追跡するGoogle Books Ngram Viewerで検索すると、*optimize*（最適化する）と*optimization*（最適化）のふたつの単語は、一九五〇年以前には基本的に知られていなかったが、この年を境に今日まで使われる頻度が急増している。これは、一九六〇年代にコンピュータ科学が学問分野として台頭した時期と一致している。

もちろん、最適化のマインドセットには明らかな前兆があった。たとえば一九世紀初めには、職場に科学的管理法を導入する運動があった。これは積極的な提唱者だったフレデリック・テイラーにちなんで、テイラーイズムと呼ばれた。科学的管理法とは、経験的に証明できるベストプラクティス（最善の方法）を決定し、大量生産ラインの作業を標準化することによって労働者の生産性と経済効率の向上を目指すものである。このアプローチと現代のテクノロジストの特徴である最適化のマインドセットのあいだには、ひとつ違いがある。一〇〇年前に上司が作業現場で効率を高めようとすれば、それは一種の抑圧行為と見なされた。しかし今日では、私たちは最適化をみずから受け入れ、賞賛さえするようになっている。

ただし、効率をとことん追求して最適化に熱中することには、良くない面もある。いまやテクノロジストは強力な存在になり、テクノロジーに関する彼らのビジョンや価値観が私たち個人の生活や社会を作り替えている。最適化が抱える問題は、私たち自身の問題になってしまった。

効率の非効率

効率や最適化の追求に専念するテクノロジストは、効率の向上や最適な形での問題解決は本質的に善だと信じる。たしかにこの考え方には心惹かれるところがある。何かを効率的に実行する場合と効率悪く実行する場合のどちらかを選ぶ場面で、遅くて無駄が多く、エネルギーを大量消費する道を選ぶ人はいないだろう。

しかし、ときには効率の悪さが好ましいこともある。学校の近くでは子供たちを守るため、減速帯が設置され、車には速度制限が課される。陪審員は判決を言い渡す前、じっくり時間をかけて評議を行なう。すべての投票が締め切られるまで、メディアは選挙結果の公表を先延ばしする。人々に危害を加えるような不正行為はとことん追究する。効率の追求は、本質的に善というわけではない。それが善かどうかは目標や最終結果によって決まるのだ。

最適化が優先されるときに本当に気がかりなのは、目標そのものよりも、達成するための方法に焦点が当たってしまう可能性だ。問題を解決することがどんな価値をもつのか考慮も議論もせず、ソフトウェアエンジニアにその解決を丸投げしてしまうと結果はどうなるか。最適化することそのものが目的になってしまうのだ。するといきなり、スクリーンタイム（画面を見ている時間）を増やし、広告のクリック率を増加させ、アルゴリズムが勧めるアイテムの購入を促進し、顔認証の予測精度を向上させ、利益を最大化することが優先され、他の重要な価値が失われてしまう。

私たちの経験上、ソフトウェアエンジニアの採用面接では、抽象的なコーディング問題に対する実現可能な解決策について質問されることが多い。そのため若い就職希望者は、スケールメリットやアルゴリズムの効率化にばかり目が向いてしまう。就職活動中は、企業の目的やその社会的影響についてじっくり考える気持ちにはなれないのと同じだ。

コンピュータ科学者のパイオニアであるドナルド・クヌースには、つぎのような有名な発言がある。「時期尚早な最適化は諸悪の根源だ」。この発言は様々に解釈され、実際にかなり誤解されてきた。クヌースは、最適化と効率を同義語として使っている。つまり、コードを最適化するとは、コードの効率を向上させることだ。クヌース本人は効率に反対の立場ではない。むしろ、時と場所によって効率は必要だと指摘する。普通はコードの正しい断片を選んで最適化すれば、ごく一部を修正するだけで、プログラムのランタイムは大きく改善されるという。しかし、コードは効率が向上すると、むやみに複雑化することが多く、そうなると全体的な性能が低下する。なぜなら、コードのデバッグやメンテナンスが難しくなるからだ。コードの効率を際限なく追求すると、実際のところプログラマーは効率の悪さに苦しめられる可能性があると、クヌースは主張する。

クヌースによれば、効率の影響はもっと高レベルで分析し、効率化がふさわしいと判断された場所や時点で取り組むべきだという。では、テクノロジストが開発に取り組むコードの処理スピードが速く、しかもコードの可読性を犠牲にせずにプログラムを書いた場合はどうか。プログラムの効率は全体として向上する。ならば、テクノロジストは時期尚早な最適化を回避したと言えるだろうか。かならずしもそうではない。たとえば、プログラムが望ましくない目的のために使われるかもしれない。悪意のあるハッカーに利用される可能性もあるし、格差が大きく広がる方向に経済が誘導されるかもしれない。以上のように考えるとき、クヌースの発言は、本人が意図した以上に広く解釈できる。テクノロジストは、プログラムの効率化を促す方法を理解するだけでは十分ではない。それがどのように使われ、どのような影響を与える可能性があるのか考慮しなければ、最適化に成功したとは評価できない。

以上を踏まえると、目標が特定できないという新たな問題が発生する可能性が考えられる。テクノロジストは構築したツールが、併用型や多目的型だと説明するときがある。実際、特定のテクノロジーの目標や目的がひとつに限定されないケースは多い。様々なユーザーがそれぞれの目的のために運用できるようにするためだ。ちなみに併用型や多目的型というフレーズは、地政学者や外交官の用語にその起源があり、テクノロジーには平和目的と軍事目的の区別があることを強調するために使われた。たとえば原子力技術を開発したエンジニアは、自分の研究成果が原子力発電所などポジティブな用途にも、核兵器の製造と使用というネガティブな用途にも応用できる可能性を認識している。原子力の開発にはエンジニアの創意工夫が必要とされるが、それと同時に、平和利用を促し、軍事利用を制約するガバナンスの枠組みも必要になるのだ。

同じことは、二一世紀のテクノロジストが手がけるデジタル分野の発明にも言える。コンピュータ科学者が創造する新しいツールの性能は驚異的で、たとえばそのひとつの顔認証においては確認作業の最適化が極限まで突き詰められている。狭義では、その目的は顔を同定することにすぎない。しかしこの作業に成功すると、末端(ダウンストリーム)で数多くのアプリケーションが生み出される。その範囲は広く、良いものも悪いものも含まれる。たとえば、写真のなかの顔を検出して自動タグ付けできるし、カメラに顔を写してから、その画像と登録された顔のデータを照合すれば、スマートフォンのロックを解除できる。また、購入したドローンに搭載するだけで近隣の住民を偵察できるし、政府は平和的な抗議運動の参加者を追跡できる。さらに過激なテロリストが軍事用ドローンに搭載すれば、かつてなかったほど高い精度の殺傷能力を発揮する。では、せっかくのテクノロジーが悪用されず有効に利用されるために、テクノロジストはどのような形で責任をとればよいのか。

研究成果が思いがけない形で利用される機会が増えれば、エンジニアはそれだけ多くの課題に取り組まなければならない。テクノロジー企業は、悪用される可能性について真剣に考える必要がある。たとえば二〇一八年には、グーグルの社員数千人が経営陣への抗議の手紙に署名した。ビデオに映された人物の身元確認に役立つ人工知能技術をアメリカ軍に売却するという判断に反対するものである。「グーグルは戦争ビジネスに加担すべきでないと、我々は信じている」[12]

と抗議文には書かれていた。少なくともこの場合、グーグルは政府との契約の更新を行なわない決断を下した。

最適化すべき問題を誰が選択するにしても、解決に値する問題を的確に選ぶことが大切だという点を強調しておきたい。テクノロジストやスタートアップ創業者の集団が人種やジェンダーの多様性に乏しいと、ごく少数のグループの手に選択が委ねられ、広い世界の傾向が反映されない。実際、特権階級の問題解決に偏るスタートアップ企業が多いのも意外ではない。多様性に富んだテクノロジストや創業者の集団が形成され、幅広い問題の最適化に取り組む展開が望ましい。

測定可能ならば意味があるとは限らない

テクノロジストが第一の問題にうまく取り組んだと仮定しよう。何を最適化すべきか詳しく検討し、目標や目的関数を偏見にとらわれずに評価する。そのうえで、問題は解決に値するとある程度の自信を持って、いよいよ仕事に着手する。

テクノロジストは常に定量化可能な測定基準を探し求める。モデルに測定可能なインプットをすることはテクノロジストにとって血液のようなものであり、社会科学者と同様、進捗状況を評価するための具体的指標、「代替的指標」を必要とする。こうして定量化可能な代替的指標が必要とされると、測定が可能で定量化が容易な事柄への偏向が生じる。しかしシンプルな測定基準にこだわると、本当に重要な目標から大きく遠ざかってしまう。重要な目標は複雑な測定基準が必要とされるので、何かひとつの測定基準に当てはめるのはきわめて難しく、場合によっては不可能である。一方、代替的指標が不完全だったり間違ったりしていると、実際には評価に値する解決に向けた進歩がなくても、良い目的のための解決に取り組んでいるような錯覚に簡単に陥ってしまう。

代替的指標で厄介なのは、測定可能ならば意味があるとテクノロジストが思い込むことで、これは決して珍しくない。格言にもある通り、「重要なものがすべて数えられるわけではなく、数えられるものすべてが重要というわけではない」。

この現象の事例には枚挙にいとまがないが、おそらく最もわかりやすいのはフェイスブックの変遷についてのエピソードだろう。フェイスブックは、人々にコミュニティを構築する力を与え、世界の絆を強めることを大きなミッションとして掲げている。ところが、広告とビジネスプラットフォームを扱う部門の責任者だったアンドリュー・ボスワースが二〇一六年に作成した後に流出した社内メモによれば、フェイスブックがミッションの成果を評価するために採用した測定基準は、プラットフォームのユーザーの増加数だけだった[13]。「自然のままの世界はバラバラで、統一されていない。国境や言語によって断片化されているばかりか、様々な製品によって断片化される傾向を強めている。こうした世界で勝利を収めるのは最高の製品ではなく、誰もが利用する製品である」と記されている。人々をつなげることをミッションに掲げたフェイスブックは、その達成のために、友人の輪に取り込まれるユーザーベースの拡大という単純化されたタスクに専念した。ボスワースは文書でつぎのように説明している。「これは不格好な真実だが、少しでも多くの人を結びつけること、みんながつながる機会を少しでも増やすことは、人々をより深く結びつけることであり、事実上の善だと私たちは信じている」。そのうえで、フェイスブックがユーザーベースを拡大するために展開して論議を呼んだ戦略を、ボスワースは以下のように列挙した。「不審な連絡先でも常にインポートを実行する。曖昧な言語でも友人による検索を可能にする。いつか中国に進出するときに必要なことを実践する」。一方で彼は、友人の輪を広げることが常に有益なわけではない点を認めている。「誰かがいじめに遭って、命を落とすかもしれない。我々のツールを使ったテロリストの攻撃で、誰かが死ぬかもしれない」。この文書がすっぱ抜かれると、マーク・ザッカーバーグは激怒した。ボスワースは謝罪して、議論のきっかけを作りたかっただけだと弁明した。

代替的指標が抱える問題を経済学者はかねてより憂慮してきたが、特に気がかりなのが、目標達成のためのインセンティブが社員に提供されるケースだ。このような状況では、社員は価値のある目標ではなく、代替的指標にすぐさま注目してしまう。数値が目標になり、手段が目的を正当化する。これはグッドハートの法則と呼ばれるが、それによれば、手段が目標になると、良い手段ではなくなるという。たとえば、つぎのような展開はよく見られる。我々は大きくて測定しにくい目標に向けて前進しなければならないと社長が発言する。すると経営陣は、一見すると目標と関係がありそうな代替的指標を選ぶ。つぎに社員は、この代替的指標の改善を命じられる。与えられた代替的指標が、目標達成に役立つけれども不完全なことを社員は認識しているかもしれないが、不完全な部分には目をつぶるので、結果として正しい目標にも目をつぶることになる。大事なのが代替的指標だけになるまでに時間はかからない。

価値のある複数の目標がぶつかり合うと何が起きるか

テクノロジストが選んだ目標に価値があり、目標の効率的な達成に役立つ代替的指標が慎重に選ばれ、実際に問題がうまく解決されたと仮定しよう。それでも問題は残る。エンジニアが目標の最適化に成功したとしても、その成功の裏で他の価値が顧みられなかったらどうなるか。これはまさにソイレントの教訓である。ロブ・ラインハートは、食事の準備をする手間を省いて栄養を摂取することを目標に掲げ、この目標を最大化する製品の開発に成功した。しかし、実際に料理を食べることに備わっている価値までは、考えがおよばなかった。

テクノロジーが自己完結型のひとつの問題を解決するために開発される場合には、このような状況は発生しない。たとえば、チェッカーやチェスや碁といったゲームに人工知能が応用されたときの大成功について考えてみよう。いずれのゲームでも、機械は人間のチャンピオンを打ち負かした。これは見事な技術的成果だ。ここで私たちが成功を賞賛するのは、ゲームの目的が明確だからだ。目的は勝利だけ。チェスの場合には、この目的と競合する目標が存在しない。

しかし、もっと大きな複数の目標が関わる状況ではそうもいかない。テクノロジーが個人的・社会的・政治的生活に同時に関わり合っている状況では通常、複数の目標のあいだでバランスを保つ必要がある。しかし、価値のある目的は広い領域にまたがる。そして世界に大きな変化を引き起こすテクノロジーが公正、プライバシー、個人の安全、国家の安全、正義、人間の自律性、表現の自由、民主主義に同時に影響をおよぼす場合には、すべての価値が共存し、全体が大きくひとつにまとまる保証はない。価値が衝突し合う状況は多いと仮定するほうが現実的である。そうなると問題を解決するために、競合する価値のあいだで手探りしながらトレードオフを試みる必要が生じる。

この問題は、一種の「成功による惨事」だ。ここでは、テクノロジストは素晴らしい成果の達成に失敗したわけではない。ある特定の課題をうまく解決した結果、他の大切な事柄に広範囲にわたる影響がもたらされるのだ。たとえば農業では技術が目覚ましい進歩を遂げた結果、生産性は飛躍的に向上した。工場式農場のおかげで野菜の栽培方法が様変わりしただけでなく、肉の流通範囲は拡大し、低価格で購入できるようになった。かつて食肉用のニワトリは五五日間育てたが、いまでは三五日間に短縮された。その結果、毎年およそ五〇〇億羽のニワトリが食肉処理されるようになった。これは一時間ごとにおよそ五七〇万羽という数である。しかし工場式農場の成功は、環境に深刻な影響をもたらした（気候変動の一因であるメタンガスの量が急増した）。個人の健康は損なわれ（心臓病は、肉の消費量増加と関連している）、公衆衛生にも被害はおよんでいる（動物から人間へと新型のウィルスが伝染する可能性が高くなり、パンデミックを引き起こしかねない）。

「成功による惨事」は、シリコンバレーのテクノロジーにもあふれている。フェイスブック、ユーチューブ、ツイッターは、何十億もの人々をソーシャルネットワークで結びつけることに成功し、いまやデジタル版の市民広場を創造するまでになった。ところがそうなると、表現の自由と偽情報やヘイトスピーチの拡散のあいだの対立に対処するのは、政府ではなくこれらの企業の役目になった。テクノロジストによる最適化が問題を引き起こすのは、企業が失敗したからではない。

ある分野で素晴らしい成果を達成した結果、強力な存在になったからだ。

要するに、テクノロジーには増幅作用が備わっている。だからどんな価値を増幅させたいのか、トレードオフはどうするのか、明確にしておかなければならない。なぜなら複数の価値が、最適化問題で使われる目的関数としてコード化される可能性があるからだ。テクノロジーを使って特定の方策を実行に移すと、人間よりもはるかに効率よく目標を達成するという意味でも、テクノロジーには増幅作用が備わっているといえる。自動運転車は人間よりもずっと安全に運転するようになるだろうし、オンラインで動画を視聴する時間は、レコメンダシステムの影響で思いのほか長くなるだろう。たとえ善意の方策であっても、テクノロジーによって自動化があまりにも効率的になると、好ましくない場面が登場するまでに時間はかからない。たとえば最新の地図とGPS機能を車に搭載すれば、ドライバーが制限速度を超えるたびに違反チケットを自動的に発行することができる。違反チケットが積み重なれば、最後に車が動かなくなり、ドライバーには逮捕状が出される。そうした車は、安全運転を目指す交通法規の徹底にきわめて優れた効果を発揮するだろう。しかし安全がここまで増幅されると、自立（安全な運転速度や緊急事態に関して自ら選択を行なう）やプライバシー（自分の運転を絶えず監視されたくない）といった競合する価値が侵害される。

＊　＊　＊

コンピュータ科学者がガレージを拠点とするハッカーだったのは、そう遠い昔の話ではない。コンピュータクラブに集まっては、エンジニアリングでの最新の成果を披露し合ったものだ。政治力などほとんど発揮せず、社会的地位も限定されていた。コンピュータサイエンス学科は、生徒集めに苦労した時期さえあった。ところがこの三〇年間で、ダビデのように小さな存在だったプログラマーは、産業界のゴリアテ（巨人）を打ち負かし、この世界の新しい支配者になった。コンピュータサイエンスの講義を履修する学生は、ほぼすべての場所で増え続けている。その理由は明快だ。プログラミングやデータサイエンスはとてつもなく高い価値を秘めている。だから学生は、デジタル革命に貢献するチャンスを逃したくない。いまやデジタル革命は、私たちの世界を様変わりさせ、人間個人としての経験、社会的つながり、コミュニティに変化を引き起こし、国家レベルでも地球レベルでも政治に影響をおよぼしている。もちろん高額の給与収入を得ることや、スタートアップに成功して大金持ちになるチャンスも魅力だ。今日では、億万長者のリストの上位にテクノロジー企業のCEOが名を連ねている。投資会社のCEOの名前など、知っている人はほとんどいないが、マイクロソフト、アップル、アマゾン、フェイスブック、グーグルの創業者の名前なら、大体の人が知っている。

さらにテクノロジー業界のイノベーターやリーダーは、世界で最も大きな権力を持つようにもなった。それは金銭的な豊かさに限らず、政治的な影響力をも強めている。権力が拡大する一方の状況では、それに伴い発生しかねない問題について、その他大勢の私たちが理解する必要がある。テクノロジーによるイノベーションが、私たちの生活の多くの側面に革命をもたらすときでさえ、気がかりな問題は存在する。しかし最適化のマインドセットがテクノロジーの問題の範囲を超え、社会的・政治的生活の範囲にまでおよぶと、問題はさらに深刻になる。なぜそうなるのだろうか。

数年前、ロブは少人数のディナーに招待された。会社の創業者、ベンチャーキャピタリスト、匿名の技術研究所の研究員、それにふたりの大学教授が、シリコンバレーの四つ星ホテルのプライベートダイニングルームに集まった。テクノロジー業界の超大物のひとりであるホストは、出席者に歓迎の挨拶を述べてから、この日取り上げる議題についてつぎのように確認した。「商業モデルで進められてきた科学やテクノロジーの進歩の最大化を目的に、新しい国家が創造されたらどうなるだろうか。それはどのような形で運営されるのか。ユートピア、それともディストピアだろうか。最終的に人類の進歩を促すのだろうか」

まず、匿名の技術研究所の研究者がつぎのように発言した。これは架空の疑問ではない。すでに計画の段階は終わっている！　皆さんはどこか適当な島を見つけ、そこに建国すればよいと真っ先に考えるかもしれないが、島では、科学の発見の最適化が難しい。インフラの整備も困難だ。そうなると、島以外の場所で土地を見つけなければならないが、良い場所には先住者がいる。だから最初に直面する問題は、先住者の処遇だ。そして我々は、金を払って出て行ってもらうのがベストのアプローチだという結論に達した。

会話は続き、科学技術の進歩の最大化に貢献する小さな国民国家の創造を巡って大いに盛り上がった。ここでロブは手を上げ、つぎのように発言した。「ところで、この国は民主国家ですか。

統治構造はどうなりますか」。すると、すぐにこんな答えが返ってきた。「民主国家だって？ まさか。科学の最適化は、優秀なテクノクラートに任せなければいけない。民主主義はのろすぎて、科学の足手まといにしかならない」。

第二章　ハッカーとVCの結託は問題含み

一九九六年、スイスのダボスで開催された世界経済フォーラムで、ジョン・ペリー・バーロウは「サイバースペースの独立宣言」を発表した。彼はグレイトフル・デッドに歌詞を提供する詩人であり、元牧場主であり、電子フロンティア財団の共同設立者でもあった。同年に米国電気通信法が成立すると、バーロウはテクノ・リバタリアン（技術自由至上主義者）としての精神を発揮して、書面でつぎのように訴えた。「産業界の政府どもよ、肉と鋼鉄で作られたか弱い巨人どもよ、私は精神の新しい住処であるサイバースペースの住人だ。未来を代表し、おまえたち過去の人間に要求する。我々にはかまうな。我々のあいだで、おまえたちは歓迎されない。我々が集まる場所では、おまえたちの支配力は通用しない」［1］。そのあと、バーロウはさらに一歩踏み込み、オンラインの世界で実現するユートピアの可能性について、つぎのように説明した。「我々が創造している世界では、誰でも歓迎される。人種、経済力、政治力、出自による特権や偏見とは縁がない」。バーロウの言葉は、当時のハッカーたちに絶賛された。そのひとりのアーロン・スワーツは、まだ一〇歳にもなっていなかった。

民間のごく少数のテクノロジー企業の手に権力が集中する未来など、当時の人たちはほとんど予想しなかったが、二〇年以上が経過した今日ではそれが現実になった。私たちがどんなコンテンツをどんな方法で見るのか、コンテンツを管理するならそれはどのような形か、いまでは一握りの民間企業が決定している。一九九六年、時価総額で上位五社にランクされたのは、ゼネラル・エレクトリック（GE）、ロイヤル・ダッチ・シェル、コカ・コーラ、日本電信電話（NTT）、エクソンモービルだった。それが二〇二〇年には、マイクロソフト、アマゾン、アップル、アルファベット〔グーグルの持株会社〕、フェイスブックに入れ替わった。ユートピア的な認識では、テクノロジーは世界に平等をもたらすはずだった。しかしいまや、データ侵害、監視資本主義、アルゴリズムの偏り、誤情報の氾濫など、ディストピア的なストーリーばかりが目立つ。どうしてこのような結果になったのだろう。草創期のパイオニアたちが思い描いた独立分散型のインターネット空間からは、大きくかけ離れてしまった。

ここでどんな力が働いているのか理解するためには、パソコン業界の進化を確認する必要がある。一九六〇年代のカウンターカルチャーにルーツを持つ業界が、現在ではグローバル経済の動力源としての役目を担うまでになった歩みを振り返らなければならない。今日、ハイテクの生態系は資本によって動かされている。新しい企業への投資は引きも切らず、新規事業の立ち上げが資金を提供される機会は途絶えず、それが従来の経済秩序の破壊につながっている。シリコンバレーの揺籃期には、半導体産業の発展を連邦政府からの補助金が支え、その結果としてパソコン発展の土台が築かれた。しかしシリコンバレーの発展を推進する原動力は、ほどなく連邦政府の補助金からベンチャーキャピタルへと変化した。スタンフォードからなだらかな丘を登ったサンドヒルロードは、名立たるベンチャーキャピタルのはじまりの場所であり、丘を下ったキャンパスで学ぶ二二歳の学生が考案した世界を変えるアイデアに、何十億ドルも投資する準備が常に整っている。

「ベンチャーキャピタル」という言葉からは堅苦しい金融の世界を連想するかもしれないが、シリコンバレーを活気づけるベンチャー産業のマインドセットはテクノロジストそのものだ。たとえば伝説的なベンチャーキャピタル企業クライナー・パーキンスの共同設立者ユージン・クライナーは、エンジニアとしての教育を受け、一九五〇年代にフェアチャイルド・セミコンダクターを共同設立した後、創業初期のインテルに投資した。クライナー・パーキンスの現会長のジョン・ドーアは、アマゾン、グーグル、ネットスケープの草創期の投資家だが、電気工学の学位を持ち、インテルでキャリアをスタートさせた。さらに一九九〇年代末のドットコムバブル発生の立役者であり、「我々は地球で最大の富が合法的につくりだされる場面を目撃している（そして恩恵を受けている）」［2］と豪語した。やがて自分の発言がドットコムマニアを勢いづかせ、重要なのは大金を稼ぐことだけだと考える金の亡者を生み出したことに気づき、後には謝罪した［3］。

ベンチャーキャピタリストは自分たちの革新的技術を資金提供先の企業に持ち込み、大金を産み出すのに重要な役割を果たした。創業者や投資家と同様に、会社の利益と社員の収入が連動するように、給与体系にストックオプションを含めることが平社員であるエンジニアのあいだでは標準になった。シリコンバレーで企業を立ち上げ、以前はベンチャーキャピタリストだったある人物は、リクルートするスタンフォードの新卒者にこう語った。「給料では金持ちになれない。株式が必要だよ」。一九九〇年代末にスタンフォードの大学院を卒業したばかりのメランは、これを目の当たりにした。小さなスタートアップでソフトウェアエンジニアリングのポジションを希望して面接に臨んだが、最後に創業者のひとりでシリアルアントレプレナー〔新しい事業を何度も立ち上げる起業家〕でもある人物との面接で、開口一番こう言われた。「私からの質問はないが、我々が大金持ちになることは約束する」。それは間違っていなかった。二年もしないうちにこの会社は新規株式公開（ＩＰＯ）を行ない、時価総額が一〇〇億ドルを超えた結果、会社草創期のエンジニアは全員が――少なくとも名目上は一時的に――大金持ちになった。そのわずか数か月後の二〇〇〇年代初めには、ドットコムバブルが崩壊する。

将来のＩＰＯで大金持ちになる可能性への期待は、猛烈な勢いで進行する技術開発をさらに加速させた。既存の大手企業でさえ、株式を餌にして優秀な社員の確保に努めた。たとえばマイクロソフトのリクルーターは新しい応募者に対し、ストックオプションの将来価値を予測した数字でしきりにアピールした。

エンジニアが実権を握る会社にベンチャーキャピタルから資金が提供される機会が増えれば、会社の経営で最適化のマインドセットが重要な役割を果たしてもおかしくない。著書『Measure What Matters――伝説の投資家がＧｏｏｇｌｅに教えた成功手法ＯＫＲ』（日本経済新聞出版、二〇一八年）のなかでドーアは、「目標と主要な成果」（ＯＫＲ）という経営理念を支持している。このコンセプトはインテルのアンディ・グローブが考案したもので、いまではグーグル、ツイッター、ウーバーなど多くのテクノロジー企業で広く使われている。ＯＫＲとは業績の評価と企業の成長を促すための数々の指標のことである。ラリー・ペイジはドーアの本につぎのような序文を寄せている。「ＯＫＲは、我々を10Ｘ（一〇倍）の成長に何度も導いてくれる」［4］。事業の収益性の増加は株価の上昇につながり、ストックオプションを与えられた社員は巨万の富を手に入れる。

ＯＫＲは報奨制度にも組み込まれ、会社のＯＫＲ実現に貢献したエンジニアにスポットライトが当てられた。二〇〇四年にグーグルは、会社に大きく貢献したチームをねぎらうためにファウンダーズ・アワードを始めた。第一回の受賞者のなかには、広告のターゲット設定に早くから取り組んだ一〇人から成るチームも含まれた。全社員が参加する会議で賞が贈呈されると、会場では驚きの声が上がった。何と一〇〇〇万ドルが、チームのあいだで山分けされるのだ。

テクノロジーと資本が融合した結果、シリコンバレーでは「速やかに行動して破壊する」文化が定着した。自由で制約のないサイバースペースというカウンターカルチャーの概念［5］は、「ブリッツスケーリング」〔電撃戦による企業の急成長〕という新しいマントラに取って代わられた。企業は市場で支配的な地位を獲得するためできる限り速く成長し、成長がうなぎのぼりであることを投資家に示し、競争相手が反応しないうちにネットワーク効果を封じ込めることが重視された。

インターネットの特徴である両面市場〔属性の異なるグループが仲介者を通じて相互に作用し、利益を得る市場〕の独占的な傾向は、各市場で最大のプレイヤーによる「勝者独り占め」状態を徹底させる。最大のオークションサイトの名前を知っているだろうか？　答えはイーベイ。では、二番目に大きなサイトは？　誰も知らない。

買い手は売り手が最もたくさん集まる場所に行きたがり、売り手は買い手が最もたくさん集まる場所に行きたがるものだ。そして、このようなサイトでは買い手が広告主であり、商品はあなた、正確を期するならあなたの関心である。何とも都合のよいことに、テック企業の創業者は自分の利益に適うと判断すれば、経済の正当的な慣例を覆すことをためらわない。複数のベンチャーキャピタル企業の創業者であるピーター・ティールは、少なくともテクノロジー市場では独占の価値を信じている。彼によれば「競争は負け犬のためのもの」[6]だ。

権力を掌握したエンジニア

シリコンバレーは技術革新の震源地だとよく語られるが、その歴史の起源はフレデリック・ターマンまで遡る。スタンフォードの工学部教授で、第二次世界大戦後は工学部長になり、最終的には学長に次ぐナンバーツーになった人物である。ターマンは学生にも教員にも産業界で時間を過ごし、チャンスがあれば起業するよう勧めた。シリコンバレー誕生にまつわる有名な伝説のひとつによれば、彼の教え子のなかでも特に有名なウィリアム・ヒューレットとデイヴィッド・パッカードはターマンに背中を押され、自分たちの名前を冠した企業をガレージでスタートさせた。

起業家精神が早くから強調されたこと、そしてビジネススクールの卒業生ではなく研究者やエンジニアが創業者に多かったことは、あとで続々と誕生するテクノロジー企業でエンジニアのマインドセットが重要な役割を果たす土台を築いた。シリコンバレーで立ち上げられたテクノロジー企業の第一波にはフェアチャイルド、インテル、アップルなどが含まれ、いずれも半導体、マイクロプロセッサ、パソコンなどハードウェアを手がける会社であった。しかし物理的実体のある原子ではなく、空気のようなビット（情報単位）が、シリコンバレーの成長に強い影響力を持つのは時間の問題だった。

ここで時間を一九八九年まで早送りして、カリフォルニアから地球の裏側まで移動してみよう。スイスのジュネーブにある欧州原子核研究機構（ＣＥＲＮ）に勤務するティム・バーナーズ＝リーという温厚なイギリス人科学者が、世界中の研究所が調査データを共有する手段となるワールドワイドウェブの創造を提案した。後に彼は二〇一六年、コンピュータ科学のノーベル賞と評されるＡ・Ｍ・チューリング賞の受賞スピーチでつぎのように語った。ウェブというアイデアは当初ほとんど注目されなかったが、上司がプロジェクトを中止しなかったおかげで勇気づけられた、と。

いくつもの出来事が重なった結果、バーナーズ＝リーが開発した技術はデータのやりとりを目的とした単なる物理学の実験の域を超えた。技術やビジネスの世界に、私たちが生涯で経験したことがないような驚異的な変革をもたらす土台になったのである。一九九〇年代初めには、民間の複数のインターネットサービスプロバイダーを介して何百万人もがウェブにアクセスするようになり、ほどなくその数は数十億人に膨れ上がった。郵便で送られてきたＣＤ－ＲＯＭをパソコンに挿入すると、アメリカオンライン（後のＡＯＬ）やコンピューサーブ〔いずれもパソコン通信サービスのブランド〕に勧誘されたことを記憶している人は多いだろう。一九九五年までには、インターネットの商用利用を阻む政府の規制が完全に撤廃され、「ドットコムブーム」到来のお膳立てが整った。この頃、マーク・アンドリーセンとエリック・ビナという二人の若きエンジニアが、イリノイ大学アーバナ・シャンペーン校でモザイクというウェブブラウザの開発に取り組んでいた。そして一九九三年にモザイクがリリースされると、一般の人々のあいだでもウェブの存在は知られ、研究者がデータを共有する手段だったウェブに誰もが簡単にアクセスするようになった。やがてアンドリーセンは、スタンフォード大学の元工学教授であり、シリコングラフィックスの創業者でもあるジム・クラークと共に、ネットスケープ・コミュニケーションズを設立する。そして一九九四年一二月にネットスケープナビゲーターというブラウザをリリースすると、ウェブは大衆のあいだに広まった。ナビゲーターのリリースから一年もたたないうちに、ネットスケープはIPO（新規上場）で大成功を収め、アンドリーセンは二四歳にして五〇〇〇万ドル以上の純資産を手に入れた。数か月後、彼は『タイム』誌の表紙を飾り、椅子に裸足で座る写真の隣には、つぎのような見出しが躍った。「ゴールデンギークたち。発明家であり起業家であり、いまや株式市場の時の人」。

同じ頃にニューヨークでは三〇歳のジェフ・ベゾスが、インターネットがもたらすビジネスチャンスを認識し始めた。ベゾスは一九八六年に電気工学とコンピュータ科学の学位を取得してプリンストン大学を卒業した。当初は分析能力を生かしてウォール街で働き、クオンツ・ヘッジファンドのD・E・ショーではたちまちバイスプレジデントまで昇りつめた［7］。そして、このまま金になる仕事を続けるか、それとも思いきってインターネット関連企業を立ち上げるべきか悩んだすえ、「後悔最小化フレームワーク」に従うことにした。現時点での決断をあとから後悔する可能性が、最小限にとどめられる行動を選んだのである。このフレームワークのおかげで、明確に決断できたと後に語っている。一九九四年にはヘッジファンドのD・E・ショーを離れ、アメリカ大陸を横断してシアトルに落ち着き、そこでアマゾンドットコムを立ち上げた。企業を設立する決断は、精神的な最適化問題を解決したすえにもたらされた結果だった。ここから先は知っての通りだ。ベゾスは二〇一八年には世界一の大富豪になり、個人資産は一五〇〇億ドルを超えた。長者番付には同じような顔ぶれがそろった。二〇二〇年の時点では、世界の大富豪一〇傑のうちの八人が、テクノロジー企業で富を築いた人物だった。

ベンチャーキャピタリストとエンジニアから成るエコシステム

エンジニアがテクノロジーの分野でしばしば成し遂げるブレークスルーは、世界を変える企業を生み出す種のような存在だが、種が成長して企業という花を咲かせるためには、資本にアクセスできなければならない。優れた人材を採用し、機器を購入し、オフィススペースを確保して、ビジネスを成長させるためには財源が必要とされる。多くの企業にとってベンチャーキャピタリスト（VC）は、資金の貴重な提供者である。全長およそ六マイル（九・六キロメートル）のサンドヒルロードには、四〇以上のベンチャーキャピタル企業が拠点を置いている。まずは一九七二年、クライナー・パーキンス・コーフィールド・アンド・バイヤーズ――現在のクライナー・パーキンス――が、サンドヒルで最初のVC企業として開業した。インテルの社内にOKRのコンセプトを根づかせたジョン・ドーアを、一九八〇年にクライナー・パーキンスが引き抜いた。ドーアはグローブが打ち出したOKRのコンセプトをつぎのように説明した。「重要な結果は測定できなければならない。最後に結果を見て、余計なことは考えず、自分は目標を達成したか、達成しなかったか、イエスとノーのどちらかを確認するだけで実にシンプルだ。判断が入り込む余地はない」[8]。OKRにおいては広告のクリック率の増加、ユーザーがウェブサイトに費やす時間の増加、アプリに興味を持つユーザーの増加が、企業の収益性向上の指標として重視される。スタートアップ企業は、こうした測定できる値を急上昇させることで、生き残りに欠かせない資本を確保するのである。

VCの世界で伝説の人物となったドーアは一九九六年、誕生したばかりのベゾスの会社に八〇〇〇万ドルを投資した。当時多くの人たちは、アマゾンドットコムはアマゾンドットオーグに社名を変更すべきだとからかった〔オーグ（org）は、非営利団体などに用意されたドメイン名〕。利益は上がらず、今後改善する見込みもなかったからだ。しかしドーアは長期的な潜在能力を理解していた。そこで積極的な投資を続けたすえ、クライナー・パーキンスはアマゾンの株式の一〇パーセントを保有し、取締役会に名を連ねた。その後一九九九年にクライナー・パーキンスは、誕生まもないグーグルに投資した最初のベンチャーキャピタルのひとつに名を連ねた。当時はクライナー・パーキンスと同様にサンドヒルの巨人だったセコイア・キャピタルが、グーグルの唯一の投資家になるべく張り合っていた。そこで共同創業者であり、スタンフォードのコンピュータ科学の博士課程を中退した二六歳のラリー・ペイジは最後通牒《つうちょう》を出した。共同で投資しなければ、この話はなかったことにする。

そこで両者は共同出資者となり、ドーアは一一八〇万ドルをつぎ込んだ。それは「一九年におよぶベンチャーキャピタリストとしてのキャリアのなかでも最大の賭け」［9］で、その結果として株式の一二パーセントを取得し、取締役会のメンバーに加わった。

それからほどなくドーアは「手土産」を携えてグーグルのオフィスに乗り込んだ。経営のツールとなるOKRをグーグルに持ち込んだのだ。このときのプレゼンテーションについて彼はこう語っている。「パワーポイントの最初のスライドで、OKRをつぎのように定義した。『会社組織全体が同じ重要な課題に集中して取り組むようになるためのマネジメント技法である』」［10］。それから具体的な内容に入り、「目的（OBJECTIVE）とは……これから達成される成果の中身（WHAT）であり、それ以上でも以下でもない……成果指標（KEY RESULTS）の基準であり、目的に到達する方法（HOW）を監視する……そして何より、測定と検証が可能だ」と説明した。

グーグルのエグゼクティブたちは、このアイデアを全面的に受け入れた。何と言っても、経営に対する工学的なアプローチは魅力だった。最適化理論の専門用語まで併用され、目的とは関数値の最適化に他ならないと説明された。全社あげての努力の結果が測定可能だというアイデアは、工学のバックグランドを持つ経営チームにはピッタリだった。

OKRの利用は社内の標準となり、グーグルではほぼ全員の成果がこれに従って測定された。ドーアはつぎのように記している。「グーグルとOKRの融合は、決して成り行き任せの結果ではない。見事なインピーダンス整合〔信号を送り出す側と受け取る側で、インピーダンス〈交流回路における電流の流れにくさを表す量〉の値を同じにすること〕であり、遺伝子がグーグルのメッセンジャーRNAにシームレスに転写された。データを崇める自由奔放な企業にとって、データドリブンで順応性のあるOKRは理想的な手法だ」〔11〕。エンジニア、営業担当、研究者、プロダクトマネージャーは、四半期ごとに成果の数字を既存のOKRと比較したうえで、つぎの四半期の目標となるOKRの目標値を計画する。さらに組織がOKRに関して会社全体で挙げた成果については、全社会議の場で報告される。このようにすれば、個人や会社の成果を測定し、具体的かつ客観的な測定値を手に入れることができる。

ドーアはOKRの伝道者であり、活動の場はグーグルにとどまらない。著書『Measure What Matters』のなかでは、様々な企業や非営利団体が、文化の透明性を確保するとか、進路の修正が必要な時期を判断するとか、大胆なストレッチ目標〔少し高めの目標〕を達成するためにOKRが役に立ったと説明している。実際ラリー・ペイジは、グーグルのとてつもない成功にOKRが一役買ったことを評価して、ドーアの著書に寄せた序文で「私たちにとってこれはかなり効果を発揮したと思う」〔12〕と認めている。

OKRは多くのテクノロジー企業から支持されたが、もちろんこれが唯一の経営理念というわけではない。それでもOKRへの幅広い支持は、測定や最適化にこだわるエンジニアのマインドセットが、技術的問題の解決という範囲に収まりきらないほど膨張したことを象徴する出来事である。エンジニアが企業のリーダーの役目を果たし、自らベンチャーキャピタリストとなったことで、エンジニアのマインドセットはコーポレートガバナンス（企業統治）の最高レベルにまで行き渡った。人間のウェルビーイングや社会の繁栄をテクノロジー企業の意思決定プロセスにどのように取り入れるか――あるいは取り入れないか――という問題を理解するうえで、エンジニアのマインドセットの影響はぜひとも把握しておかなければならない。

最適化のマインドセットは企業の成長を後押しする

ＯＫＲのような管理ツールと最適化のマインドセットが結びつくと企業の飛躍的な成長が実現し、何十億ドルもの株主価値が生み出されるが、その一方で重要な疑問も提起される。測定の対象となる目的はどのように選択するのか。目的の最大化を進めるために、どんなビジネスやテクノロジーを選択すべきか。そして、どこまで決断すればよいのか。

グーグルの子会社となったユーチューブでＯＫＲがどのように利用されているかについては、二〇一一年、その導入に携ったエンジニアリング担当バイスプレジデントのクリストス・グッドロウが以下のように説明している。

マイクロソフトのＣＥＯのサティア・ナデラはつぎのように指摘した。演算能力にほぼ限界がない世界では、「人間の関心が真の希少商品としての価値を強めている」。ユーザーがユーチューブの動画を見て貴重な時間の多くを過ごしているときはかならず、動画を見るほど幸福になる必要があり、それでこそ好循環が生み出される。満足する視聴者の数が増える（視聴時間が増える）ほど、広告件数は増えるので、それがコンテンツクリエーターの活動を促し、さらなる視聴者数の増加につながる。

我々にとって真の通貨と呼べるのは、閲覧数やクリック数ではなく、再生時間である。この論理の正しさには議論の余地がない。ユーチューブには新たに中核をなす測定基準が必要とされていたのだ。[13]

この新しい測定基準を擁護するため、グッドロウはユーチューブのエグゼクティブチームにEメールを送り、ユーチューブを改善するための目標は「再生時間、とにかく再生時間につきる」[14]と強調した。彼は再生時間とユーザーの幸せが本質的に同じものだと見なしたのだ。誰かがユーチューブで動画を見ながら何時間も過ごしていたら、その人は動画を見ることが好きなのだと考える。しかし活動に従事しているからといって、それが幸福感をもたらし、ウェルビーイングに貢献しているとは限らない。皿洗いや芝刈りや喫煙に集中していても、かならずしも幸福ではない。それでも再生時間の増加は、ユーチューブの最も重要な目標のひとつになってしまった。具体的には二〇一六年までに一日の再生時間が一〇億時間に到達することを目指し、最終的にこの目標は達成された。

ひとつ、公平を期すために指摘しておきたい。ユーチューブ社は、ユーザーの利益に適うと確信する場合には、再生時間にネガティブな影響を与えるアクションであっても採用することもあったと、グッドロウは強調している。「たとえば我々は、クリックベイト〔ユーザーの興味を惹いてクリックしてもらえるように、意図的に動画の内容とは関係のないタイトルを付けること〕の動画をおすすめリストから外す方針を決定した」[15]と語っているが、それでもあとからつぎのように補足している。「我々は何事に関しても、かならず再生時間への影響を測定してから行動に移す」。動画を際限なく見続けることが、子供にとって（もちろん大人にとっても）本当に健全な行為なのかという疑問は顧みられないようだ。フラットアーサー〔古い説にこだわる人〕が制作した陰謀論の動画を、もっと無害な動画と同じように勧めてもよいのか。再生時間を増やすための競争が、コンテンツプ制作者のエコシステムに何をもたらすのか考えなくてもよいのか。コンテンツ制作者は制作した動画が再生される回数に応じて、広告主から報酬を支払われる。そうなると、自分のコンテンツがユーザーの貴重な再生時間の中心を占めるようにするため、著しく良識に反する作品を制作する可能性も考えられる。

　ドーア自身、ＯＫＲのような管理システムに欠陥がある可能性を認め、「管理システムの例に漏れず、ＯＫＲは使い方次第で良くも悪くもなる」［16］と書いている。さらに著書には、つぎのような警告も添えている。「ゴールは過熱する」［17］という刺激的なタイトルの付いたハーバードビジネススクールの論文からヒントを得た警告によれば「目標は組織のシステムに問題を引き起こしかねない。なぜなら焦点が狭まり、倫理にもとる行動がまかり通り、リスクをとる傾向が強くなり、協力関係が崩れ、モチベーションが減退するからだ」［18］という。測定可能な目標を追求する際には悪影響について考慮すべきだと、このような形で警告しているが、その一方で、目的そのものに道徳的責任を持つべきだという警告は含まれない。そんなことは、測定可能な目標を追求するついでに考える必要もない。結果が「社会に与える良い影響」は測定できないのだから、測定基準の計算に当てはめて最適化することが難しい。それよりはむしろ、再生時間が増えるほどユーザーは幸せになると仮定するほうが簡単だ。再生時間の測定はわかりやすい。ユーザーが本当に幸せか、事実を学んだか、政治的に過激かは測定できない。

ビジネスに最適化のマインドセットが反映されたケースは以前からあって、ＯＫＲは最近の事例のひとつにすぎない。特定の目的に集中するあまり大切な事柄に悪い結果がもたらされることは、決してめずらしくない。たとえば、かつてアメリカを代表するコンピュータメーカーだったディジタル・イクイップメント・コーポレーションは、カスタマーサービスの改善を考えたすえ、カスタマーサービス担当者がコールセンターへの電話に応じるまでの平均時間を監視するシステムを導入した。割り出された平均時間は、担当者が見える場所に表示された。すると電話がいつまでも鳴り続けると、担当者はとりあえず応答し、「ただいま電話は混み合っております。のちほどおかけください」と言い始めた。おかげで、測定可能な応答までの平均時間は大きく減少したが、測定することができない顧客の苛立ちは増えてしまった。

リサ・オルドネスらは「ゴールは加熱する：目標設定の過剰投与が組織におよぼす副作用」という論文のなかで、つぎのように説明している。目標設定に依存しすぎると、個人も組織も狭い目標ばかりに集中するので、他の重要な事柄について考えられなくなる。実際のところ製品をつくりあげる際には、両方のバランスをとらなければならない。近視眼的な見方からは、ありとあらゆる悪い結果が生み出される。目標の要求に応えるため、必要以上にリスクを冒し、倫理にもとる行動が増えてしまう。狭い目標に専念すると、長期的には組織の文化が蝕まれる可能性がある。大きな関心事は顧みられず、定量的目標の達成が優先されるからだ。この論文には具体例が満載されているが、なかでも最も有名なのはフォード・ピントの悲劇だろう。オルドネスらの論文から、関連個所を以下に引用する。

CEOのリー・アイアコッカは、「重量が二〇〇〇ポンド（九〇七キログラム）未満、価格が二〇〇〇ドル未満の」新車の生産に関する大胆な目標を具体的に発表し、新車の発売開始は一九七〇年に定められた。この納期は絶対に動かせない状況で、目標達成のプロセスは進められた。そのため、様々な立場の管理職が新車――フォード・ピント――の開発を遅らせないことを優先し、安全点検が行なわれなくても見て見ぬふりをした。安全点検が省略された個所のひとつが後部車軸の後ろにある燃料タンクで、クラッシャブルゾーン〔衝突時に潰れることでエネルギーを吸収し、人や機械を保護する〕から一〇インチ（二五センチメートル）も離れていなかった。後に訴訟が起こされると、フォードが設計段階で修正すべきだった点が明らかにされた。実は、ピントは衝突すると発火する可能性があったのだ。フォードは最終段階で危険を発見したものの、経営陣は目標達成にこだわり続けた。そのため設計の欠陥を修正する代わりに、ピントの炎上（五三人の死者と、多くの負傷者を出した）に関する訴訟の費用を計算し、設計の変更にかかる費用を下回ることを確認した。このケースでは、大胆かつ具体的な目標（市場投入までのスピード、燃費、コスト）は達成されたが、数値化されない重要な特性（安全、倫理的行動、会社の評判）が犠牲にされてしまった。[19]

オルドネスがこの論文を一〇年後に書いていたら、テクノロジーの世界の事例を紹介するのに困らなかっただろう。たとえばユーチューブは動画の再生時間を増やすことに集中するあまり、画面にくぎ付けになる何百万もの人々が政治的・社会的影響をこうむり、健康が損なわれる可能性について考える余裕がほとんどない。もちろん、組織は目標を設定する必要がある。しかし組織が成長にこだわりすぎて視野を狭めてしまうと、定量化可能な目標の達成しか頭になくなる。これでは個人や社会や世界にとって何が良いのか、洞察できるはずがない。

フォード・ピントが設計に近視眼的なアプローチで臨んだ結果、何十人もの命が奪われた。今日のテクノロジー主導の世界でも、不適切な目的や誤解を招く測定基準に固執すれば、命にかかわらないとしても、社会的影響の大きさは計り知れない。証拠もないのに選挙結果の正しさを問いただす書き込みや、ワクチンに関する陰謀論を焚きつける虚偽の広告は、収益や時価総額の増加につながるかもしれないが、民主主義はおろか、何億人ものウェルビーイングが被害をこうむる。ところが、企業が責任を問われてつまずいたとしても、大体はすぐ忘れられる。それはフェイスブックの事例からもわかる。同社は二〇一六年、ケンブリッジ・アナリティカ（選挙コンサルティング会社）を巡るスキャンダルに巻き込まれたが、株価は長期的なダメージを受けなかった。むしろその後、株価は大きく上昇している。市場が収益だけを評価するなら、民主主義をはじめ私たちが大切にする価値はどこで守られるのだろうか。

ユニコーン企業の人材ハンティング

いまから五〇年以上前、ノーベル経済学賞を受賞する六年前に、ミルトン・フリードマンは、

「企業の社会的責任は収益の増加である」〔20〕という見解を擁護するエッセイを「ニューヨークタイムズ」紙に寄稿した。企業は所有者に恩義を受けているという大前提に基づいて、彼は以下のような主張を展開している。公開会社の場合は株主が所有者なのだから、株価の最大化に努めるべきだ。コーポレートガバナンス（企業統治）に関する社会的責任は引き受ける必要がない。ひとつにはこのような責任を定量的に評価するのは難しいからだ〔21〕。それだけでなく、株主への還元という一点に集中すべきで、社会的責任を考慮することは、曖昧で不明瞭な社会的利益に株主の金をつぎ込むことに等しい。そう述べてから最後に、すでに出版された著書『資本主義と自由 *Capitalism and Freedom*』からよく引用される以下の部分を紹介した。「企業の社会的責任はひとつ、たったひとつしか存在しない。大切な資源を活用し、利益を増やすための活動に従事することだ。もちろんゲームのルールには従わなければならず、ごまかしや欺瞞は許されない。その制約のなかで、オープンかつ自由な競争を展開すればよい」〔22〕。この見方をするなら、顧客がすべての時間を費やしてソーシャルネットワークで誤情報をスクロールしようとも、オンラインで際限なく動画を見続けようとも、それは企業にとって重要ではない。投資家への利益還元の最大化につながる行動を合法的に手がけているかぎり、企業の行動は正しい。この点についでは、フリードマンの記事が大きな反響を呼ぶはるか以前、社会学者のC・ライト・ミルズが以下のように断定的に述べている。「人間社会を支える可能性のあるすべての価値のなかで、アメリカ人にとって真に最高で、真に普遍的で、真に健全で、全面的に受け入れられる目標はただひとつしかない。その目標とはマネーだ」〔23〕。もちろんミルズは、アメリカ人の生活でマネーが果たす役割について述べただけで、マネーを支持したわけではない。

ベンチャーキャピタル（VC）業界の一部の人たちの見解はフリードマンほど過激ではないが、VCファンドがリミテッドパートナー（LP）、すなわち出資金を提供してくれる人や組織に支えられた投資ビークルであることは間違いない。そのため、VCはリミテッドパートナーに投資収益を提供する受託者責任があり、利益が大きな動機となった行動が促される。

VCの世界で収益が生み出される方法は、珍しい獣にたとえられている。ピーター・ティールとブレイク・マスターズは著書『ゼロ・トゥ・ワン――君はゼロから何を生み出せるか』（NHK出版、二〇一四年）のなかで、つぎのように述べている。「ベンチャーキャピタルを成功させる最大の秘密は、最高の投資先をひとつ含めることだ。そうすれば、同じファンドから資金を提供される他の企業が束になってようやく太刀打ちできるか、かなわないほどの収益が生み出される」［24］。要するに、ファンドの利益の大半はグーグル、フェイスブック、ウーバーのようなひとつの企業からもたらされるもので、その時価総額は他のすべての企業を圧倒するほど大きい。

VCはこの現象に独自の言葉を使っている。巨大な利益の確保という目標を達成するため、将来の「ユニコーン」を発見するのだという。ユニコーンとは、時価総額が一〇億ドル以上のスタートアップのことだ。ただしこの目標の達成は容易ではない。スタートアップの価値の分析結果によれば、「企業がユニコーンのレベルに到達するのはきわめて稀だ。実際、確率は全体の一パーセントを僅かに超える程度でしかない」［25］。正確を期するなら一・二八パーセントである。したがって理想の投資先を見つけるため、ベンチャーキャピタル企業のあいだでは将来の起業家を探し出し、早いうちに関係を築くための激しい競争が繰り広げられる。ランチの場に乱入してくることもあり、大学院卒業を間近に控えたメランも実際に経験した。サンドヒルロードからそう遠くない中華レストランに仲間の大学院生と一緒に点心を食べにいったとき、ふたりとも知らないスーツ姿の男性からアプローチされたのだ。彼は礼儀正しく自己紹介すると、こう話しかけてきた。「検索エンジンについて取り上げているお話が聞こえてきました。会社を始めるつもりなら、ぜひご連絡ください」。そしてテーブルの向こうから名刺を差し出した。

二〇世紀最後の数十年間から二一世紀初めにかけて、多くはサンフランシスコのベイエリアに拠点を置くベンチャーキャピタルは、スタートアップへの資金提供で非常に大きな役割を果たした。特にバイオテクノロジーと情報技術の分野に対する貢献は目覚ましい。かつては政府から補助金を提供されて会社を設立するか、外部からの投資にあまり頼らず自分で会社を立ち上げるモデルが主流だったが、それはあっという間に時代遅れになり、ＶＣから資金を容易に確保できるようになった。資金が提供されるときは、その見返りとして測定可能な形での急成長が期待された。ＶＣ関連企業の数は、一九八〇年代から二〇〇〇年のあいだに一〇倍に増えた。ついにはスタンフォードまでゲームに参加して、学生や職員がキャンパスで立ち上げた八〇以上の会社で早くから一定の出資比率を確保した［26］。もちろんそこには、グーグルのように、中退した学生が立ち上げた会社も含まれる。二〇〇〇年までには、ベンチャーファンドによる投資の総額は一〇〇〇億ドルを超えた［27］。ＶＣに資金提供された企業の割合は、アメリカの上場企業の二〇パーセントに達し、時価総額はアメリカ全体のほぼ三分の一を占めるまでになった。ＶＣから資金援助を受けた企業の大半は失敗したが、ある分析結果によれば、一九七九年以降に設立された上場企業全体のなかで、四三パーセントはＶＣからの支援を受けており、時価総額は全体のほぼ六〇パーセントに達した[28]。

ユニコーンを見つけ出し、資金援助で急成長まで至るケースは極めて稀なので、無理やりにでもその分野のトップ企業に仕立てようとするインセンティブが強く働く。リンクトインの共同創業者であり、ベンチャーキャピタル企業グレイロック・パートナーズの投資パートナーでもあるリード・ホフマンは、これをブリッツスケーリングというコンセプトによってつぎのように説明している。「スピードを優先させるために、セキュリティへの投資を減らし、拡張性とは無関係なコードを書き、ＱＡ（品質保証）のツールやプロセスを構築する前に製品がブレイクするのを期待する可能性もある。こうした決断があとから問題を引き起こしかねないのは事実だが、製品の構築に時間をかけすぎては、何も起こらない」[29]。ただしホフマンはミルトン・フリードマンの流れを汲むわけではないので、つぎのようにも記している。「ブリッツスケーラーの責任は、法律を遵守しつつ株主価値を最大化することにとどまらないと我々は確信している。企業の行動が社会におよぼす大きな影響にも責任を持たなければならない」[30]。しかし製品を完成させて収益を生み出すために押しの一手で突き進んでいるとき、企業が下流にもたらす影響を十分に把握するのは難しい。ジャック・ドーシー（ツイッターの共同創業者）もそれを認め、二〇一八年には（当然ながら）ツイッターでこうつぶやいている。「最近、素朴な質問をされた。ツイッターでの会話の『健全性』は測定可能か、という問いである。これは手ごたえのある質問だとピンときた。問題個所だけに取り組むのではなく、全体的なシステムを理解する必要はある。そして改善するためには、測定できなければならない」〔31〕。そのうえでドーシーは、ツイッターはこの課題に取り組むつもりだと意欲を示した。ただし、二〇一六年にロシアの工作員が大統領選に関する偽情報をツイッターのプラットフォームでばらまき、二〇二〇年の大統領選が偽情報で混乱する事態につながったことを踏まえれば、彼のメッセージは二年遅かった。

私たちはスタンフォードのディスカッションの授業にニコール・ウォンを招いたことがあった。グーグルでバイスプレジデントと次席法務顧問を歴任した後、ツイッターで製品関連法務部長となり、最終的にオバマ政権の副最高技術責任者に任命された人物である。彼女はユーチューブなどのオンラインプラットフォームでユーザーエンゲージメントが強調される点を問題視した。テクノロジーの分野でも「スローフード」の運動を進めるべきで、プラットフォームはスピードやエンゲージメントへの執着を改め、信頼性や正確さやコンテンツの中身の改善に取り組むべきだと訴えた。さらにグーグルでの経験を振り返り、つぎのように語った。ユーチューブなどのプラットフォームに内在する問題は、スケールアップが実現した時点でようやく明らかになる。しかし製品を少しでも早く送り出そうとするプロセスをスローダウンさせれば、潜在的な影響についてじっくり考える余裕が生まれ、実際にはどんな基準が成功の目安になるのか考え直すことができるかもしれない。

テクノロジー関連製品の開発にはもっと時間をかけ、じっくり取り組むアプローチが大切だという見解にはたしかに一考の価値がある。しかしこれはベンチャーキャピタルが投資先の企業に期待するもの、すなわち収益や利益とはまったく対照的だ。「投資家は単純な機械のような存在だ」[32]とYコンビネーターのCEOのマイケル・シーベルは「MITテクノロジーレビュー」に語り、つぎのように説明した。「投資家の動機はシンプルで、支援する企業の将来像も明確に定まっている」。とにかく「速く大きく」なって、「イグジット」すること、すなわち新規株式公開するか、はるかに大きな企業に高額で買収されること。それが、VC企業がポートフォリオに含めた企業に関して優先する大きな目標のひとつである。実際に多くのVCは、「イグジット」の時点で企業にどれだけ高い価値が備わっているかを成功の尺度として利用している。いまでは投資を目的として莫大な金額が動く。VC企業が管理する資金額は、二〇〇五年にはほぼ一七〇〇億ドルだったが、二〇一九年には四四四〇億ドルにまで膨れ上がった。実行のスピード、成果を測定するための指標、投資家への最終的な利益の還元が強調され、「物事を迅速に動かして破壊する」サイクルがその影響を熟慮することなく手遅れになるまで繰り返されるのも不思議ではない。

こうしてベンチャーキャピタルの世界における資金援助は増加する一方だが、資金を配分する方法には、成功した起業家の固定化されたイメージに基づく偏見が反映されるケースが多いことは指摘しておきたい。たとえばジョン・ドーアは、二〇〇八年の全米ベンチャーキャピタル協会における以下の発言で話題になった。それによれば、男性とコンピュータオタクというふたつの条件は、「これまでに出会った世界最高の起業家たちのなかで、他のどの要因よりも成功との関連性が強い。[アマゾンの創業者のジェフ・]ベゾス、[ネットスケープの創業者のマーク・]アンドリーセン、

［ヤフーの共同創業者の］デイヴィッド・フィロ、グーグルの共同創業者たちを見ればよい。全員が白人男性で、ハーバードやスタンフォードを中退したオタクで、社会生活を営めない」［33］。しかしこうしたパターンに基づいて投資先を決定すると、起業家がＶＣに売り込みをかけても、評価に不平等が生じてしまう。

創業者の性別と人種の影響で資金提供に大きな格差があることは、データからも明らかである。たとえば、スタートアップ企業に関する情報の提供で有名なクランチベースは、ベンチャーから提供される資金の配分について毎年分析を行なっている。それによると二〇二〇年には、女性が主導するスタートアップへのベンチャーからの資金提供は、全体のわずか二・三パーセントにとどまり、前年の二・八パーセントよりさらに減少している［34］。一方、資金提供に関するクランチベースの別の報告［35］は、「二〇一九年に最初に資金を調達した世界のスタートアップ企業のなかで、創業者が女性だったケースは二〇パーセントだった」点を強調している。同様の格差は人種にも見られる。二〇一五年から二〇二〇年にかけて、アフリカ系やラテン系の創業者にベンチャーキャピタルから提供された資金は、全体の二・四パーセントでしかない［36］。しかし国勢調査局のデータによれば、二〇一九年にはアメリカの人口の一八・五パーセントがヒスパニック系かラテン系で、一三・四パーセントはアフリカ系だった。ベンチャーによる資金提供の配分が不公平だと、テクノロジー構築のための資金を提供される人材、ひいては誰のために何を最適化するのか決定する人材が偏ってしまう。

新しい世代のベンチャーキャピタリスト

テクノロジーの世界では、エンジニアとして成功を収めた人物は将来ベンチャーキャピタリストになる可能性があり、最近では両方の顔を持つ事例が非常に多くなってきている。スタンフォードでは、教室から出てくる学生をリクルートするためにタピオカティーとビーニー帽〔つばなしの帽子〕を配りながら、ベンチャーキャピタリストがゲイツ・コンピュータサイエンスビルディングの真向かいの芝生で新しく立ち上げた会社について紹介している。一方、工学部の学生は学生主催のビジネスプランコンテストに参加して、ベンチャーキャピタリストに自分を積極的に売り込んでいる。大学を中退して起業を考える学生に資金を提供するピーター・ティールのようなベンチャーキャピタリストは多いが、彼らはしばしば、キャンパスで講義する。テクノロジーの人材と彼らに資金を提供する企業を隔てる境界は風通しがよく、そこから成長の原動力が比類ない規模で生み出される。スタンフォードが二〇一一年に発表した研究結果によれば、スタンフォード出身者が立ち上げ、スタンフォード出身者から頻繁に資金提供される企業全体を独立国と見なすなら、世界で一〇番目の経済大国になるという[37]。スタンフォード大学は、外部の人々の価値観とかけ離れた内向き思考で自己強化型のシステムを生み出しているのだ。

一九九〇年代末のドットコムバブルで裕福になった多くのエンジニアにとって、次なるステップは自らエンジェル投資家やベンチャーキャピタリストになることだ。かつてベンチャーへの投資で活躍したのはウォール街や東海岸の金融関係者だったが、ハードウェアエンジニアが一九七〇年代から八〇年代にかけて変化を引き起こした結果、サンドヒルロードや西海岸のソフトウェアの世界に主役の座は移った。その流れの延長で、今度はドットコムバブルの第一波にうまく便乗したエンジニアの多くが、次世代のテクノロジー企業に資金を提供する準備を整えている。マーク・アンドリーセンは、タイム誌の表紙を飾ったときのジーンズからスポーツジャケットに装いを改め、二〇〇九年には長年の同僚のベン・ホロウィッツと共にアンドリーセン・ホロウィッツというベンチャーキャピタル企業を設立した。同社はツイッター、インスタグラム、フェイスブック、ピンタレスト、リフト、エアビーアンドビーに投資している。

二〇一一年に「ウォールストリート・ジャーナル」紙に掲載された「ソフトウェアはなぜ世界を食い物にするのか」という記事は頻繁に引用されるが、そのなかでアンドリーセンは、テクノロジー企業の資金需要の変化を以下のように説明している。

最終的に、ソフトウェアのプログラミングツールやインターネットサービスが充実したおかげで、多くの業界でソフトウェア関連のグローバルなスタートアップを立ち上げやすくなった。いまや新しいインフラへの投資も、新しい社員の訓練も必要ない。二〇〇〇年に私のパートナーのベン・ホロウィッツが世界初のクラウドコンピューティング企業を立ち上げたときには、顧客がインターネットの基本的なアプリケーションを起動させるための費用は月々およそ一五万ドルだった。今日、アマゾンのクラウドで同じアプリケーションを起動させる費用は、月々およそ一五〇〇ドルになった。[38]

こうしてソフトウェア関連企業の資金需要が大幅に減少すると、全く新しいモデルのベンチャーの創造に最適化のマインドセットは関心を持つようになった。

最適化を複雑な問題に応用するためには、複数の出発点から最適化に取り組む発想が成功の鍵を握る。これをスタートアップの世界に当てはめるなら、資金を提供する企業が少ないと、将来のユニコーンを偶然見つけるチャンスが限定されることになる。逆にたくさんの企業に資金を提供しておけば、ホームランをかっ飛ばす機会はずっと増える。ひとつひとつの投資が、収益を最適化するプロセスの新たな出発点になるのだ。この見解の正しさは、デイヴ・マクルーアというベンチャーキャピタリストの以下の発言が裏付けている。それによれば「ほとんどの投資は失敗する。何とかなる投資は少しある。野心的な夢を上回るほどの大成功はほんの一握りだ」[39]。そのうえで、彼は以下のような結論を出した。「ユニコーンを偶然見つける割合がわずか一、二パーセントだという前提で論理的に考えるなら、ポートフォリオには最低でも五〇〜一〇〇以上の企業を含めなければならない。さもなければ、逃げまわるこの神話上の生き物をうまくつかまえることはできない。」[40]。

スタートアップへの投資を大幅に増やす潜在性を実現させたベンチャー企業として有名なのが、二〇〇五年に設立されたYコンビネーターだ。この社名は計算理論に由来するもので、複数の関数の不動点となる結合子をYコンビネーターという。Yコンビネーターは、複数の企業を創造することを全体的な目標として掲げている。いかにもエンジニア的な社名に注目するなら、四人の創業者のうち三人がコンピュータ科学の博士号取得者だと聞かされても意外ではない。当初、彼らはヴィアウェブという会社を設立し、一九九八年にそれをヤフー!に五〇〇〇万ドルで売却することで、まずはひと財産を築いた。

Yコンビネーター（YC）は、スタートアップの「アクセラレータ」と呼ばれることが多い。誕生したばかりの企業に資金を提供するだけでなく、ベンチャーの立ち上げを目指す起業家のなかから少人数を選抜して「バッチ」というプログラムに登録し、追加投資を保証するプロセスを通じて彼らを指導する。スタートアップ企業の株式を七パーセント取得する見返りに一二万五〇〇〇ドル投資するのが標準的な取引で、このように投資金額が少ないのは、インターネット関連企業にかかるインフラのコストが、近年では大幅に減少している事実が反映されているからだ。

YCでは「リーンスタートアップ」のメンタリティが育まれる。すなわち、顧客に価値を提供できる最低限の製品（MVP）を構築する見込みがありそうなら、それを潜在的ユーザーに提供して反応を確かめる。最初のアイデアが受け入れられなければ、躊躇《ちゅうちょ》なく新しい可能性を探り、そのプロセスを繰り返す。要するに最適化プロセスを応用し、消費者が購入を検討したくなる製品のアイデアや特徴を見つけ出すのだ。アーリーアダプターが現れ、大事な目標である「プロダクトマーケットフィット」〔製品が特定の市場に適合する〕が実現する見込みが出てきたら、今度は潜在的な投資家が喜びそうなものを構築する可能性を最大化し、大胆に投資してもらう環境を整える。こうして資金が調達されれば、最初の製品はレベルアップされ、（それがさらなる資金を呼び込み）さらなるレベルアップが可能だ。

YCが起業家を対象に二〇〇五年に開催した第一回のバッチには、一九歳のアーロン・スワーツも参加した。それをきっかけにインフォガミという会社を立ち上げ、活動に専念するためスタンフォードを中退した。しかしインフォガミを独立したベンチャー企業として継続するための十分な資金を確保できなかったので、YCのエグゼクティブからの勧めに従い、つくったばかりの自分の会社を誕生して間もないレディットというスタートアップと合併させることにした。その結果、スワーツは「レディットの共同創業者」を引き受けることになった。

ベンチャーキャピタル企業の例に漏れず、YCは投資先企業の成功を後押しするために積極的な手段を講じる。一年に二回開催される「デモデイ」では、プログラムに参加する起業家に発言の場が与えられる。数か月間にわたって準備してきたスタートアップを、居並ぶベンチャーキャピタリストやエンジェル投資家の前で紹介するのだ。投資家たちの多くはエンジニアで、かつて経営していた企業で大きな「イグジット」を実現した人物だ。そして事実上の個人銀行口座から新しいベンチャーへの投資を行なう。近年では、一回のデモデイに一〇〇以上のスタートアップが参加して、およそ一〇〇〇人の出席者の前でプレゼンを行なう。出席者の多くは、招待者限定のイベントへの参加希望を事前に伝えている。プレゼンからは有意義な結果が得られる。YCによれば、「バッチではデモデイの後、参加する企業全体でおよそ二億五〇〇〇万ドルの創業資金が調達される」[41]。バッチは年に二回開催されるので、たったひとつの組織から五億ドルの資金がスタートアップに流れ込むことになる。YCは最近、ウェブサイトでつぎのように報告した。

「二〇〇五年以来、Yコンビネーターは二〇〇〇以上のスタートアップに資金を提供し、総額は一〇〇〇億ドルを超える」[42]。資金の提供先のスタートアップには、ドアダッシュ〔フードデリバリーサービス〕、インスタカート〔食料品の即日配達サービス〕、エアビーアンドビーなどのギグエコノミー関連企業や、自動運転車企業のクルーズも含まれる。YCのプログラムはきわめて競争が激しい。そのためスタートアップのアイデアが実現に至らなくても、競争の場に勝ち残ったことが成功のしるしとして評価され、起業家としての未来を期待される。アンドリーセン・ホロウィッツなどは投資のチャンスを失わないため、二〇一一年には別の基金を創設し、YCのプログラムに選抜された企業にそれぞれ五万ドルを投資した[43]。こうして最適化の対象となる複数の出発点を確保しておけば、かなりの儲けが期待できる。

一部の大企業のテクノロジー担当エグゼクティブは米国連邦議会での証言で、利益を挙げても他の社会的価値の実現は可能で、バランスをとる能力に問題はないと強調する。しかし急成長が続くテクノロジー企業の状況を見るかぎり、社会が求める価値の実現にすべての関係者が真剣に取り組む環境を準備するには、統制を強化しなければならない。今日では、マーク・ザッカーバーグを議会に呼びつけて証言させるとか、巨大企業による独占を禁止する行動を起こす可能性に注意が向いている。しかし、世界を変化させ、既存の価値を破壊し、最適化し、社会に悪影響をもたらす製品をつくりだすかもしれない未来の人材は、このあと文字通り何百人も控えている。著名なテクノロジー企業創業者の問題を明らかにしても、問題は解決されない。社会に悪影響をおよぼすかもしれない企業を特定し、行動を制限すればいいという問題でもない。自分たちにとって何が大切な価値なのかをしっかり確認したうえで、将来もっと多くの企業を対象とするルールをどのように設定すべきか、理解する必要がある。

市場支配力を政治支配力に変えるテクノロジー企業

今日のテクノロジー企業は、市場から政治へと活動の場を積極的に広げている。規制を求める声が高まると、企業は対抗策としてロビー活動を展開し、広報活動で世論を動かし、立法府の議員とじかに関わって立法行為に影響をおよぼすようになった。エンジニアは資本家になっただけでなく、今度は自分たちを制約する法律の制定に関与するまでになった。カウンターカルチャーのバックグランドを持つハッカーだった時代と比べると、エンジニアはずいぶん様変わりした。かつては仮想共同体のホールアース・レクトロニック・リンク（WELL）でグレイトフル・デッドについてジョン・ペリー・バーロウとチャットを楽しんでいたエンジニアも、いまでは自分の企業の金銭的利益を膨らませるため、政治の舞台で影響力をふるっている。

二〇〇八年、生体認証情報プライバシー法（BIPA）がイリノイ州議会で可決された。この画期的な法律は、指紋や顔の形状（個人写真から推定できる）など生体認証データの収集や利用を制限するものだ。生体認証データを収集した企業は、ユーザーからの承諾書の提出を義務付けられた。違反すれば、一人当たり一〇〇〇ドルから五〇〇〇ドルの高額の罰金が科せられる。

二〇一五年、フェイスブックはこの法律のもとで訴訟を起こされた。顔認証技術を利用して写真に映っているユーザーの顔を特定するのは、BIPAへの違反行為に当たると判断されたのだ。こうして何十億ドルもの賠償金の支払いにつながりかねない裁判に巻き込まれているとき、フェイスブックは法律そのものの変更を画策した。BIPAを導入した州議会上院議員テリー・リンクその人の手によって、ユーザーの同意を義務付けられるデータから写真の情報を外す修正案が提出されたのだ。この修正案が可決されれば、フェイスブックに訴訟を起こす根拠は消滅する。しかしプライバシー権利擁護団体だけでなく、州司法長官からも強硬に反対され、修正案は最終的に撤回された。この件では原告の弁護団が、つぎのように述べた。「フェイスブックをはじめシリコンバレーの様々な企業が、この修正案のためにロビー活動を行なった」[44]。フェイスブックはロビー活動への関与を否定する[45]が、修正案の支持者に政治献金を行っていたという記録が公文書には残されている。

最終的に訴訟は示談となり、二〇二〇年初めには、フェイスブックは五億五〇〇〇万ドルの和解金の支払いに合意した。これはかなり大きな金額のような印象を受けるが、実際には四七〇億ドルの賠償金を支払う可能性があったのだから、大幅な値引きだ[46]。裁判長も同感で、こう問いかけたと報じられた。「五億五〇〇〇万ドルと言えば大金だが、この場合には本当に大金だろうか」[47]。すると裁判長の懸念に対応し、フェイスブックは和解金を六億五〇〇〇万ドルまで引き上げ、全世界を対象に顔認証をオプトイン方式〔予めユーザーの同意を得る〕にしてデフォルトで提供する形に変更した。二〇二一年二月、和解案は最終的に受諾された。もちろん、罰金が本当に大金なのかという裁判官の問いかけは正しかった。二〇二〇年の最初の三か月間だけでも、フェイスブックの収益は一七〇億ドルを上回ったのだ。罰金を支払いながらでも、通常通り事業を続けることなどわけもなく、ロビー活動や選挙献金にも困らなかった。

大企業の市場支配力は、政治の局面における影響力や金銭的余裕を意味する。新たな規制法案が通過する恐れが出てくると、影響力と資金力を発揮して規制に抵抗し、都合の良い政策が実現するように誘導する。ジョージタウン大学プライバシー＆テクノロジーセンターの設立者アルバロ・ベドヤは、ＢＩＰＡ訴訟の継続中にフェイスブックは「我々を訴えようとしても無理だ。どうしても訴えるつもりなら、法律を変えるまでだ」［48］という姿勢で臨んだと、ある記者に語った。二〇一九年九月にザッカーバーグが首都ワシントンを訪れ、議員たちと非公開の会議を重ねたのも驚くことではない。「アクシオス」の記事には、フェイスブック関係者の以下の発言が引用された。「マークは首都ワシントンを訪れて政策立案者と会談し、将来のインターネット規制について話し合う。公開イベントは計画されていない」［49］。こうして公の議論の場が排除され、監視の目が行き届かない秘密の会議において、企業のエグゼクティブは立法府の議員に対して自分たちのビジネスに都合の良い政策を作らせるように圧力をかけたり、自分たちは「自己規制」できるから、新たな規制など不要だと主張することができるのだ。

企業の最終的な収益への影響が最大化されるように資源を配分するのは、経営の形として合理的である。そして対策のなかには、ロビー活動を通じて政治的影響力を発揮することも含まれる。二〇一九年から二〇二〇年にかけて、フェイスブックとアマゾンは連邦政府を対象とするロビー活動に他のどの企業よりも多くの資金を費やし、その金額はロッキード・マーティンなど防衛関連企業を上回るほどだった［50］。ロードアイランド州選出の下院議員デイヴィッド・シシリーニはつぎのように説明する。「これらの企業はとにかく巨大なので、経済力も政治力も非常に大きい。現状を守るため、何億ドルもの資金を費やしている」［51］。その他にビッグ・テックは、ヨーロッパにおけるデジタル広告を制限しようとする活動に対抗するため、規制機関へのロビー活動に何百万ドルもの資金を費やして、いわゆる「ブリュッセルのワシントン化」［52］を狙っている。ビッグ・テックは反トラスト法に基づく取り締まりを強化されているが、ロビー活動がすぐに収まる気配は見られない。

こうしてテクノロジー企業が規制に対する影響力を強めるなか、最近ではカリフォルニア州で激しい戦いが展開された。発端は、ウーバーやリフトのドライバー、ドアダッシュのデリバリースタッフなどギグワーカーの分類を、個人事業主から社員に変更しようとしたことだった。二〇一九年にカリフォルニア州で可決された議会法案5号（ＡＢ5）は、何千人もの個人事業主を社員に組み入れ、最低賃金、失業保険、病気休暇など様々な手当てを保証することが目的だった。この法案には、営利企業が引き起こす負の外部性の封じ込めを狙った政府の強い意志が反映されている。法案を起草した議員のロレーナ・ゴンザレスは、動機をつぎのように説明した。「企業は納税者や労働者に事業費を押しつけ、ただ乗りを決め込んでいるが、それは立法府議員としての良心が許さない」［53］。新たに様々な手当てを提供するようになれば、ウーバーやリフトのような企業の負担は何百万ドルにも膨れ上がる。この事態に、テクノロジー企業は素早く反応した。まず、新しい法律の差し止め命令によって、発効日を遅らせようと画策したが、失敗に終わった。するとつぎに、カリフォルニア州での事業活動を中止すると脅した。同事にプロポジション

22を発案し、住民投票にかけるために注力した。このプロポジションには、「アプリベースの輸送（ライドシェア）やデリバリーに携わる労働者は独立した請負業者と見なされ、アプリベースのドライバーや企業に固有の働き方や賃金体系が〔適用される〕」［54］と記されており、AB5の要求が実質的に取り消される内容だった。ウーバー、リフト、ドアダッシュなどのテクノロジー企業連合は、プロポジション22が住民投票で可決されるように画策し、有権者に素晴らしさを吹聴した［55］。具体的には何百万人ものユーザーにプッシュ通知を送り、賛成票を投じるように呼びかけ、総費用は二億ドルを超えた。このプロポジションは、採決で八分の七以上の賛成票を獲得できないかぎり、条項の修正を禁じる条項も含む。これはほぼ達成不可能な条件だ。

二〇二〇年一一月三日、カリフォルニア州の市民は二〇％ちかくの差でプロポジション22を可決した。この投票の結果は、AB5をカリフォルニア州で骨抜きにするだけでなく、ギグワーカーに権利を与えようとすれば、金に糸目をつけないロビー活動で反撃されるので、失敗に終わる可能性が高いという明確なメッセージを他の州にも伝えるものだった。住民を賛成票に向かわせた様々な理由を細かく確認するのは難しいが、大事な利益が危険にさらされた企業が大金をつぎ込んだ広告キャンペーンは、間違いなく功を奏した。これらの企業は雇用するドライバーやデリバリースタッフだけでなく、ユーザーともアプリでつながっている。プロポジションの可決で最も大きな恩恵を受けるであろう人々の集団と結びつくことができていたのだ。ユーザーがスマホのアプリを開くたびにメッセージが飛び込んでくるのだから、制限のない政治広告も同然だった。ニューヨーク大学教授のアルン・スンドララジャンは「ザ・ヴァージ」〔Vox Mediaが運営する技術系ニュースサイト〕でこう語っている。「平均的な有権者が、AB5を中心とする労働法とプロポジション22の長所と短所をきちんと比較したかは疑わしい。［テクノロジーの］プラットフォームに肯定的な感情を抱いているので、自分が依存しているものが破壊されるのは困る。だから賛成票を投じた」［56］。実際にリフトは、もしもプロポジション22が可決されなければ、「アプリベースのドライバーの仕事は最大で九〇パーセント消滅する可能性がある」［57］と訴えた。これではドライバーも、配車サービスを利用するもっと大勢の人たちも、法律の詳細には目を通さずに賛成票を投じたくなるし、影響について時間をかけて考えるはずがなかった。

テクノロジー企業に影響をおよぼす法律が制定され、住民投票が行なわれる状況は今後も増える一方だろう。ネットの中立性を巡っては激しい戦いが展開されている。インターネットサービスのプロバイダーは個別のサービスごとにアクセス料金を差別化できないという立場を、ネットフリックス、グーグル、フェイスブック、アマゾンは崩さず、多くの消費者もそれに共感している。しかしいまや連邦政府は、これらの企業の多くに独占禁止法の適用を検討しており、それを歓迎する消費者も増えた。下院のナンシー・ペロシ議長はこう指摘する。「正当な理由もなく一握りの企業に経済力が集中すると、民主主義に危険がおよぶ。特にデジタルプラットフォームがコンテンツを管理している状況は憂慮すべきだ。自主規制の時代は終わった」［58］。いや、まだそれはわからない。ビッグ・テックは、戦わずして規制に従うつもりはない。そうなると、ひとつこれだけは疑いようがない。私たちの現在地は、かつてジョン・ペリー・バーロウが夢見た場所とは大きくかけ離れてしまった。

第三章　破壊的イノベーションVS民主主義

数年前、シリコンバレーではよくあるディナーの席で、リード・ホフマンが、一般市民から激しい怒りを向けられるテクノロジー企業に関する見解を、以下のように率直に語った。もしもあなたがテクノロジー企業のCEOならば、一番の関心事は競争相手だ。テクノロジー企業のビッグファイブ——グーグル、フェイスブック、アップル、マイクロソフト、アマゾン——は、優秀な人材を巡って激しく争い、気を抜いたらすぐに倒されることを肝に銘じている。フェイスブックが新社屋に引っ越したとき、マーク・ザッカーバーグはかつての住人だったサン・マイクロシステムズ社の看板をエントランスに残した。有力企業の運命のはかなさを社員に思い知らせるためだ。

市場における、ある企業の地位が盤石に見えても、中国のビッグ・テックは猛烈な勢いで成長している。インテルの元CEOのアンディ・グローブが、著書に『パラノイアだけが生き残る』(日経BP、二〇一七年)というタイトルを付けたのも、もっともな理由があったからだ。これだけ不安定な世界では、政府に規制される可能性を恐れている余裕はなく、どの会社のCEOも、とにかくイノベーションを継続することを目標に掲げるのだとホフマンは説いている。

政府が果たすべき役割の重要性をホフマンは信じているが、テクノロジー分野の同業者の驚くほど多くが彼とは違う意見を持っている。最適化のマインドセットと利潤追求という動機が結びついた結果、市場における政治や政府の役割にしばしばリバタリアン的なアプローチで臨むのである。市民の要求や優先事項に対応するための法律の制定に注力している政府は、制約を受けずに進行するイノベーションの速いペースについていくのが難しい。ピーター・ティールはいかにも彼らしく辛辣にこう語っている。「首都で政治の仕事をしている人間と話して印象深いのは、実際にどんな仕事をしているのか理解に苦しむことだ」[1]。彼によれば、技術革新の勢いが衰えるとすれば政府に責任があり、そのような危険は回避する必要がある。

こうしたステレオタイプはシリコンバレーに限られたものではない。リバタリアン的傾向は、ジョン・ペリー・バーロウによる一九九六年の「サイバースペース独立宣言」にも、カウンターカルチャーにルーツをもつ、一九七〇年代から八〇年代の多くのコンピュータ愛好家にも見られるものだ。しかし今日では、この傾向が広く普及した。スタンフォードは最近、テクノロジー業界のリーダーのリバタリアン的傾向に関して体系的な調査を行ない、その結果をまとめた[2]。それによると、彼らは社会に関しては進歩的、経済に関しては保守的な見解を併せ持ち、規制に対して一般の富豪よりもさらに敵対的だ。こうしたリバタリアン的な見解は早くから現れ、コンピュータ科学を専攻する大学生のあいだでも見られると調査は結論した。

やたらと干渉する政府を無視したくなるのは、おそらく当然の成り行きだろう。新興テクノロジーに対しては素早く規制を制定しなければならないが、結局のところ政治家にも政策立案者にも、そのために必要な専門知識が欠けていることが多い。物理学者であり、博士号を持つ数少ない国会議員のひとりであるビル・フォスターによれば、二〇一二年の時点でテクノロジーの素養を持つ国会議員は、全体のおよそ四パーセントにすぎなかった。元ニュージャージー州選出の下院議員のラッシュ・ホルトは「科学や技術について十分に理解しない議員がほとんどで、何を質問したらよいのかわからない。だから、質問したところで、回答に何が足りないのかもわからない」［3］と指摘する。つぎに問題なのは、新しいテクノロジーが何に、どのように影響するかが定かではないことだ。規制機関はテクノロジーによる変化を事前に抑止するような規制を行なうのではなく、事態の推移に応じて規制について判断すべきではないかと問われるのも理由のないことではない。このように問題点を指摘しても政府の積極的な役割を擁護する声が鎮まらないと、テクノロジー業界のリーダーからつぎのような発言が飛び出しかねない。「もしもアメリカ政府が干渉してきたら……中国にやられる」。中国がテクノロジーを支配する未来など想像するだけでも恐ろしいので、政府による規制監督を積極的に支持する人たちもおとなしくなる。

こうした反政府的な考え方は、だれかをどこかに置き去りにしていないだろうか？　距離を置いて冷静に考えてみれば、規制という言葉には重要なものを守る意味合いが込められていることがわかる。私たちが選んだ政治家たちは、価値を共有するための（あるいは違いを調整するための）規則を定め、共通の利益に適うような規制活動を行なう。したがって、エンジニアやベンチャーキャピタリストが政府の規制に不満を述べれば事実上、民主主義的な制度の役割を否定することになる。民主主義的な制度は本来フェアプレーのルールを確立し、万人を利する形で協力を促し、新しいテクノロジーが（およぼしかねない）悪影響を食い止めるために貢献するものなのにもかかわらず。

民主政治が何らかの役割を演じられないとしたら、その代わりにテクノロジストは何を好むのだろう。ひょっとしたらマーク・ザッカーバーグのローマ皇帝への執着は、手がかりになるかもしれない（彼はふたりの娘にマキシマとアウグストという名前を付け、ハネムーンの大半をローマで過ごし、アウグストゥス帝の彫刻の前で写真を撮った）。プラトンが理想の国家君主として紹介した哲人王［4］には歴史を超越した魅力があり、いまや新しい世代は独自の形でこの概念を取り入れている。ここでは哲学者ではなくテクノロジストが、テクノクラシーの支配者として君臨する。彼らは正しい事柄に促されて行動し、純粋な目的を持ち、他のみんなに邪魔されないかぎり驚くべき社会的成果を達成できる。

しかしこうした統治形態を、私たちは積極的に受け入れられるだろうか。受け入れられない場合、テクノロジーの自由な発展を犠牲にしてでも、民主主義がイノベーションを監視する状況を受け入れる覚悟ができているだろうか。

イノベーションと規制の対立は新しいものではない

一九一一年三月二五日、ニューヨークシティでトライアングル・シャツウェイストの縫製工場から火災が発生し、一四六人の工員の命が奪われ、アメリカ史上最悪の労働災害のひとつになった。当時の新聞には凄惨な現場の様子が詳しく報じられた。それによると工場は扉も窓も鍵がかかり、避難はしごも十分に使えない危険な状態だったため、炎に包まれた工場に作業員が閉じ込められてしまった。犠牲者のうち一二三人は女性（少女を含む）で、炎に焼かれるか煙を吸い込むか、ビルの一〇階の窓から飛び降りるかして命を失った。フランシス・パーキンスをはじめとする労働活動家は、この火災は「適切な対策が必要な」何よりの証拠だと考えた。パーキンスは、後にフランクリン・D・ルーズベルト大統領のもとで労働長官を務め、アメリカで閣僚のポストに任命された最初の女性である。葬儀の参列者は一〇万人以上に膨れ上がり、労働者の権利を改善するための組織的活動にとって重要な転機になった。

その時点まで、職場の安全を改善するための努力はほとんど進展がなかった。ヨーロッパも北米も産業革命の真っ最中で、機械による組織化された生産方式が様々な形で登場しつつあった。そのなかでも代表例が、まるでディケンズの小説に出てくるような、衣料産業を支える劣悪な環境のスウェットショップ（労働搾取工場）だった。新しい機械を使えば人間だけの労働よりも効率が良くなる。賃金の低い移民に機械を操作させれば、生産性は大きく向上し、工場のオーナーは莫大な利益を獲得することができた。一八七〇年から一九〇〇年にかけて、スウェットショップの雇用者数は倍増し［5］、設備投資は三倍に跳ね上がった。ニューヨークは衣料産業で他の場所を圧倒し、既製服の生産量は全米の四〇パーセントを占めるまでになった。ちょうどこの時期には、一九〇〇年に国際婦人服労働組合（ＩＬＧＷＵ）が設立されたが、抗議運動やストライキはたまにしか起こらない、一時的なできごとにすぎず、世間でもほとんど注目されなかった。工場は働き口を求める若い移民の女性を採用したが、職場環境への配慮は後回しにされた。経営者も消費者も、作業の効率が向上し、急成長の恩恵に浴し、アメリカで台頭しつつある中産階級に多種多様な衣服が低価格で提供されれば満足だった。

しかし火災の発生によって、工場労働者の悲惨な境遇の改善は喫緊の課題になった。「ニューヨークタイムズ」紙と「ワールド」紙は、怠慢で配慮のない会社の行動が火事を引き起こしたと厳しく非難して、すでに進歩的な信条に立って活動していた新聞と協力した。そしてこのような悲劇の再現を防ぐため、何らかの行動を起こすよう政府に要求し、ニューヨーク州知事のジョン・ディックスをはじめとする政治家に圧力をかけた。ディックス知事はかつて、自分は火事の対策を打ち出すには力不足だと語っていた。

怒りの収まらない労働者が団結した結果、組合は一大政治勢力となった。一九一二年までには、ニューヨークシティの縫製工員の九〇パーセント以上が組合に参加した。そうなると政治家は、労働者の権利に「静観する方針」で臨むのは十分ではないと認識し始め、圧力が強まると、事件を調査して関係者を告発するよう命じた。そしてＩＬＧＷＵに縫製工員が参加し始めてから一〇年以上が経過してようやく、ニューヨーク州議会は工場調査委員会を設立し、フランシス・パーキンスが委員長に就任した。委員会は「火災を引き起こす危険だけでなく、工員の福祉に悪影響を与えかねない他の労働条件の調査に関しても幅広い裁量権」［6］を与えられた。

ほどなく労働者の権利に関する進歩的な法律が立て続けに制定された。ニューヨーク州ではわずか三年のうちに、三六本の法律が委員会の後押しによって議会で承認された。そこには火災防止、児童労働や労働時間の制限に関する法律も含まれる。労働条件の他に、労働災害補償という概念も新たに注目された。一九一一年だけでも一一の州で、労働災害補償法案が議会を通過した。一九四八年までにはすべての州で、労働者に福祉手当が提供されるようになった。スウェットショップが登場してから数十年後にようやく、悲劇をきっかけに政策立案者は重い腰を上げ、スウェットショップの危険な労働条件の改善に取り組んだのである。産業活動の社会的影響が目に余れば、政府は行動を起こすものだ。

イノベーションや人類の進歩を自由市場ほど強力に推し進める原動力は、これまで世界に存在しなかったとよく言われる。実際、この発想には多くの真実が含まれる。たとえば起業家や民間企業が主役を務める分散型市場は、経済成長の最高のけん引役だった。しかし、ルールや制約から完全に自由な市場など存在しない。そもそも産業界や大学への公共投資は、科学の発見や技術のイノベーションにとって欠かせない。そこにはマイクロチップやインターネットなど、現代のテクノロジーの基本構成要素も含まれる。そして、変化の激しい市場が健全に機能するためには、政府がフェアプレーのルールを設定して実行しなければならない。知的財産や特許、独占禁止、消費者保護に関する法律は不可欠だ。

そうはいっても、市場が最高の形で機能するのは政府から十分な自由を与えられたときである。ここに厄介なジレンマがある。政策立案者は進歩を妨げる行為に抵抗を感じ、制約のない市場から利益を確保する企業のほうも、変化のペースを鈍化させるような政府の動きには抵抗するという面が一方にある。しかしもう一方では、民主主義には個人の権利を守り、基本的な安全や集団安全保障を確保するという目的があり、その重要性は経済成長よりも勝る。選挙で選ばれた議員たちは、自由市場の恩恵を犠牲にすることなく、さらに権力の拠り所である政治的基盤を損なうことなく、大事な目的を達成する方法を見つけ出さなければならない。

その結果、新しい発見に取り組むテクノロジスト、ビジネスオーナー、規制機関、一般市民のあいだでは、いつも同じような応酬が繰り広げられる。それは次のような順番で起こる。まずは人類の創意工夫と民間資本によって、莫大な経済的利益を生み出すようなテクノロジーの大きな進歩が促される。つぎに、新しいテクノロジーの実験に取り組む新興企業が増殖する。やがて新しいテクノロジーは社会全体に波及効果をもたらし、市場が統合される。そして人々は、イノベーションがさまざまな問題を引き起こしていることに気づくのだ。たとえば市場に支配力が集中しすぎて他の価値がリスクにさらされるといったマイナスの影響である。そうなると政府は圧力を受け、悪影響を食い止めるため新しいテクノロジーや業界を規制し始めるが、そうなるとイノベーションは弱体化して時代遅れになり、効果が薄れる可能性が出てくる。このサイクルを見るだけでも、規制機関の仕事がいかに困難かよくわかる。テクノロジーの進歩はしばしば科学的に複雑で、社会に与える悪影響は予想しづらい。スキャンダルや災害が発生してはじめて、明確に姿を現す。政治の力で有意義な進歩を達成するのは難しい。いったん規制を採用すると、あとから調整するのは簡単ではない。

同じような事例は、政府と電気通信業界との関係の歴史のなかで何度も繰り返されてきた。ここでは電信について考えてみよう。電信とは、一八〇〇年代にイギリスで発明された、二点間でテキストメッセージを送受信する仕組みのことである。商用電信は一八三九年にイギリスで始まり、一八五〇年代にはアメリカで競争の激しい業界となった。複数のキャリア（回線業者）が同一区域でのサービスを競い合った。電信は設置費用が高いが、一八五二年の時点ではすでに二〇社によって、合わせて二万三〇〇〇マイル（三万七〇一四キロメートル）以上の電線が敷設されていた［7］。ただし、この新しいビジネスは利益が少なかった。特に問題なのは、システム全体が統合されなかったため、顧客基盤を拡大するには、どのキャリアもそれぞれインフラに投資する必要があることだった。こうした問題を解消するため、アメリカではキャリアの統合が進み、一八六〇年代末までにはウェスタンユニオンが長距離電信サービスを独占するプロバイダーになった。連邦政府はウェスタンユニオンの力を抑え込むため早くから暫定措置を講じてきたが、実際のところ法律の効果は限定的で、同社の支配的立場を弱めるために積極的に行動する意欲は見られなかった。

コロンビア大学の法学者ティム・ウーによれば、一九世紀後半を通じてウェスタンユニオンは「独占価格を請求し、ニュース速報事業を独占する企業（AP通信）をサポートし、好ましくない顧客を差別するだけの力を持っていた」［8］。そして市場支配力を通じて巨大な政治権力を手に入れ、ニュース速報を利用できる立場をちらつかせて脅したりすかしたりすることで、政治家の行動に干渉するまでになった。議会がようやく本格的に動き出し、電信電話会社は今日の経済学者が自然独占と呼ぶ状態に等しいと明言して、すべての顧客を差別せず、適正価格でサービスを提供することを義務付けたのは一九一〇年のことである。ウェスタンユニオンの市場支配力に伴う問題が最初に表面化してからほぼ五〇年後、立法府の議員はようやくゲームに参加したのだ。二〇世紀初め、議会は不当な差別を防止するため「コモンキャリア」〔サービスを包括的に提供する電気通信業者〕条項を採択した。モノや人や情報の伝達に関わる主要な企業は、この法律によって強力な立場を利用した行動を封じられた。コミュニケーションの手段は時間の経過とともに大きく変化したが、電話業界は今日でも未だにこの法律に基づいた規制を受けている。

こうして議会は大きな勝利を収めたが、技術がどんどん変化すると、政府は新たな展開に追いつけずに苦労した[9]。一九一〇年代には電話が電信から完全に主役の座を奪い、長距離通信市場ではAT&Tが有利な立場を確保した。AT&Tは各地域電話会社を買収して足元を固め、競争相手との相互接続を拒んだ。一九一三年、連邦政府に独占禁止法違反の訴訟を起こされそうになると、長距離電話システムへの地域電話会社の接続を許可することだけは認めた。しかし経済的にも政治的にも大きな影響力を持つAT&Tは、深刻な影響を回避するための対策に怠りがなかったため、取り締まりは徹底しなかった。AT&Tは支配力も利益も拡大し、電話サービスをほぼ独占的に提供していたので、消費者は人質のように言いなりになるしかなかった。連邦政府が規制を抜本的に見直すまでには二〇年ちかくの歳月を要し、一九三四年にようやく通信法が成立した。この法律によって連邦通信委員会（FCC）が新たな政府機関として設立され、電話や無線の州際サービスを管理する権限を与えられた。しかし新しい通信法で何よりも重要なのは、地方の電話会社が州際通信事業を認められ、地域のサービスプロバイダーとして競えるようになったことだ。

その後の数十年間、規制の構造は変わらないまま、技術変化のペースは加速していった。マイクロ波技術の導入によって長距離通信市場に新たなライバルが参入する環境が整った。当時の長距離通信市場は、だれでもどこからでも利用できるようにするために、AT&Tが高い料金を請求することを政府が認めていたため、ライバルからの攻撃を特に受けやすかった。複数のケーブルサービスが登場したものの、ケーブルはFCCの管轄下ではなかったため、規制や基準が地域ごとにバラバラで統一されなかった。しかもケーブルシステムのネットワークは構築費用が高いので、ここでも巨大な企業が市場を支配する懸念があった。一九八〇年代から一九九〇年代にかけて、通信市場には直接放送衛星（DBS）や未来型モデルの「高速」データなど、様々な選択肢が登場した。しかし政府の規制へのアプローチは、トーマス・エジソンの時代や長距離電話サービスが始まった一九三〇年代と変わらなかったため、ひどく時代遅れになってしまった。

イノベーションと民主主義のレースは過酷だ。テクノロジーは猛スピードで進化する。既存の市場を破壊し、まったく新しい産業を創造するのだから、簡単にはその影響を予想できない。どんな問題をどのように解決するか政治的合意に達するのも容易ではない。そして合意に達しても、それを現実に適用する作業は困難を伴う。

この攻防を見るかぎり、従来のような規制には確実に限界がある。ノーベル経済学賞を受賞したポール・ローマーに「良いルールを見つけるのは、一度だけでは十分ではない」[10]という言葉がある。新しいテクノロジーが登場したら、ルールは速やかに進化する必要がある。規模が拡大したら、それに合わせて対応しなければならない。さらに、ルールをつぶそうと目論む個人や企業の日和見的な行動には、毅然と立ち向かわなければならない。ローマーはこれをマイロンの法則と呼んでいる。これはローマーと同様にノーベル経済学賞を受賞したマイロン・ショールズにちなんだ名称だ。マイロンはかつて、あるセミナーでこう語った。「いかなる税法も、徴収できる歳入には限界がある。徐々に減少し、最後はゼロになる」[11]。そこには、利口な人間は制度が変化しないのであればいずれ抜け道を見つけるものだという警告が込められている。要するに、私たちのルールは規制の対象となるテクノロジーと同様、ダイナミックに変化する必要がある。

「規制の不在」には政府が加担している

アメリカでは今日、ほとんど規制を受けないテクノロジー部門が市場支配力を拡大し、個人や社会に悪影響を与え、無視できないほど深刻な事態を招いている。イノベーションが進化するスピードは、実効性のある規制が導入されるスピードを大きく上回る。それがこのような結果を招いたのは間違いない。しかしそれ以外にも、一九九〇年代に民主的に選ばれた政治家たちが意図的に行なった選択が反映されている。

クリントン政権は、未来のテクノロジーに対して積極的すぎるほどの姿勢をとった。南部出身のふたりの若き政治家、すなわち大統領のビル・クリントンと副大統領のアル・ゴアは、在任期間を世代交代の好機と位置づけ、民主党の再編に乗り出すと同時に、始まったばかりの情報通信革命を積極的に受け入れた。特にゴアは、いわゆる「情報スーパーハイウェイ」構想を支持した。

彼が副大統領に就任するのは一九九二年のことだが、それ以前の一九九一年には、高性能コンピューティング法の成立で中心的な役割を果たしている。その結果、産学連携のもとで進められるコンピューティングの研究には六億ドルもの資金が提供されることになった。この法律は様々な成果を上げたが、なかでも特筆すべきは、イリノイ大学でマーク・アンドリーセンらがモザイク・ウェブブラウザを開発する研究の土台を築いたことだ。早くも一九九四年、クリントン政権はホワイトハウスにはじめてウェブサイトを導入した[12]。これはワールドワイドウェブ開発のかなり早い段階で、多くの企業や大学に先駆けて、連邦政府はオンラインでの存在感を世界に印象づけたのである（一九九四年末の時点で、ウェブサイトの数は世界中で一万に満たなかった）[13]。デジタルの未来に目を据えたクリントンとゴアは、情報サービスの爆発的成長を予想したうえで、この新しい空間でイノベーションを促す主な原動力は民間資本と自由主義だと確信した。

ふたりは、この見解と一致する様々な政策を遂行した。インターネットのガバナンスについては政府の意思決定機関ではなく、民間の手に権限を委ねた。携帯電話会社の規制を緩和するだけでなく、周波数帯域を割り当てるオークションを主導し、従来のサービスプロバイダーと競合するワイヤレス通信事業者の成長をサポートした。一九九六年電気通信法の成立は、インターネットのガバナンスにとって重大な分岐点となった。これを土台にして、テクノロジーは今日のような強力ながら問題をはらむ部門へと飛躍したのである。

電気通信法の大きな狙いは、電気通信サービスと情報サービスを区別することだった。今日では、電話とテレビとインターネットは実質的に見分けがつかず、このような区別にはほとんど意味がない。ポケットに忍ばせているスマートフォンには、これらの機能のいっさいだけでなく、他にも多くの機能が備わっている。しかし当時の政府は、ブロードバンドやインターネットなど、まだ誕生したばかりの未来の通信技術の急成長を支える一方、電話会社のレガシーシステム〔時代遅れの古い仕組み〕を管理していた。そのため、ふたつのサービスの区別は何よりも重要だった。古い電話システムは、依然として一九一〇年にはじめて採択された「コモンキャリア」に関する法律のもとにあった。電話市場で競争を促すための措置も講じられたが、どのくらいの市場支配力を持たせるか、ユニバーサルアクセスや価格規制の必要性の決定については政府の監視下に置かれた。

　ところが立法府の議員たちは、情報サービスと呼ばれる新しいフロンティアにはまったく異なる枠組みを採用した。当時この部門では、アメリカ・オンラインやコンピュサーブなどの大手がインターネットにはじめて触れる機会を大勢の人に提供し、民間のデータネットワークがコンピュータとファクシミリ送受信機を結びつけていた。成長を続ける情報サービス部門には、ほどなくケーブルとブロードバンドも含まれる。そこで情報スーパーハイウェイの急成長を目指すクリントン政権は、従来のコモンキャリアへの規制の対象から情報サービスを除外することにした。そのため通信法は事実上、投資家や企業の参加を積極的に呼びかける内容になった。当時、連邦通信委員会（ＦＣＣ）の委員長だったリード・ハントは、競争と規制緩和を促す法案の成立を先頭に立って支援した。新興インターネット業界へのこのアプローチは、以後変わることがなかった。後継者のウィリアム・ケナードは、一九九九年にこう語っている。「私はブロードバンドの世界に、規制からのオアシスを創造したい。そこではいかなるテクノロジーを使ったいかなる企業も、規制がほとんど取り除かれた環境でブロードバンドを意欲的に展開できる」[14]（傍点は著者による）。ケナードはまるで、ジョン・ペリー・バーロウの予想を喜んで実現しているようだ。連邦規制機関の大物が、民間の競争と規制緩和が主な任務だと断言したのである。その結果、開拓時代の西部におけるゴールドラッシュさながらの熱狂がシリコンバレーで始まった。民間市場がいきなり猛スピードで成長し始めた何よりの証拠に、通信法が成立してから早くも一〇か月後、アラン・グリーンスパンＦＲＢ議長は株式市場の「根拠なき熱狂」についてはじめて警告している。

こうしてインターネットのイノベーターは、電話会社を管理する公益事業規制の枠組みの外で活動を許された。この決断が進歩を加速させ、今日のような状況の到来を早めたのである。電話サービスとケーブル通信、データ通信はしばしばひとまとめにされ、いまでは区別など意味をなさない。ただしこのアプローチでは、大事な疑問への回答が後回しにされ、それが再び今日の私たちを悩ませている。特に通信ネットワークにアクセスする手段よりも、ネットワークを駆け巡るコンテンツの中身のほうが注目される現在、回答をいつまでも避け続けることはできない。たとえば、電話会社はコモンキャリアに関する法律のもとで、すべてのコンテンツを平等に扱うことを義務付けられているが、インターネットサービスのプロバイダーやプラットフォームも同様に、どのコンテンツも同じスピードで伝えるべきだろうか。あるいは編集権を行使したり、利益を考慮したり、何らかの動機にもとづいた優先傾向を反映し、好みに応じて決断を下すことが許されるだろうか。これは非常に重要な分岐点だ。「ネットの中立性」という名前で一括されるこれらの問題には結局のところ、市場の集中と市場支配力への対処の仕方が関わっているのだ。ネットの中立性を巡る戦いでは最終的に、インターネットサービスのプロバイダーが収入を増やすため、あるいは特定のプロバイダーが優遇されるため、ネットワークを移動するコンテンツのスピードを変化させる権利を許されるかが焦点になる。

同様に、一九九六年電気通信法に付加された通信品位法二三〇節も困ったもので、その影響から今日の私たちは、厄介で深刻な問題に直面している。二三〇節によれば、ウェブサイトやインターネットサービスのプロバイダーはわずかな例外を除き、ユーザーが投稿したコンテンツに伴う法的責任を免除されるからだ。新聞社やテレビ局はコンテンツクリエイターとして印刷や放送の内容に責任を持つが、インターネットサービスのプロバイダーやソーシャルメディア関連企業の場合、ユーザー生成コンテンツを配信しても法的責任を問われない。コンテンツが忌まわしく、中傷的で、事実と異なり、品位に欠けていても例外ではない。

一九九〇年代に政策を立案した関係者は、自分たちが解き放った大量の民間投資が、驚くほどのイノベーションと同時に極端な市場集中を引き起こすとは予想できなかっただろう。インターネット接続のコストに関するニューアメリカ財団の最近の報告では、今日インターネットサービスプロバイダーのあいだでは市場での競争が欠如している点が強調されている。アメリカは、ブロードバンドの普及率とインターネットのスピードで他の先進諸国に後れを取っているだけでなく、ユーザーが請求される価格がかなり高い[15]。二〇二〇年、アメリカ人がブロードバンドに月々支払う料金の平均は六三・三八ドルだったが、フランス（三〇・九七ドル）、イギリス（三九・四八ドル）、韓国（三二・〇五ドル）は、それに比べてかなり低い。他の国が高品質のサービスを低価格で提供している事実を考えれば、通信テクノロジーのインフラ敷設にかかる高い費用だけが問題ではない。アメリカでの政策の選び方も反映されている。

たとえばフランスではコモンキャリアに関する法律で、有力なサービスプロバイダーはネットワークの「最後の一マイル」をリースすることが義務付けられており、競合他社にも消費者を直接ターゲットにするチャンスが与えられる。しかし規制に守られたアメリカの美しいオアシスでは、情報サービス関連企業はこうした義務を免除される。市場での激しい競争で価格が引き下げられる代わりに、電気通信事業では集約化が進み、大手企業はライバルを追い出すか、若くて有望なスタートアップを買収してしまう。

大手企業の支配力が市場だけでなく政治にもおよび、電気通信法の核心要素を守るためにロビー活動を行ない、独占禁止法の執行を食い止めようとするのも意外ではない。二〇二〇年、大手テクノロジー企業が独占禁止法違反でついに訴えられると、規制を阻止するために談合が行なわれていた事実が明るみに出た。たとえば政府が起こしたある訴訟では、グーグルが中核の広告事業を守るためにフェイスブック、アップル、マイクロソフト、アマゾンと結託し、プライバシー関連の法律の成立を妨害した事実が暴露された［16］。ただしこれはテクノロジーだけの問題ではない。今日私たちを悩ませている市場集中には、政治家も加担している。おかげで電気通信分野ではサービスに統一感がなく価格が高止まりしているが、他の分野も状況は変わらない。Ｅコマースではアマゾン、検索ではグーグル、ソーシャルネットワークではフェイスブックと、いずれも大手企業が記録的な利益を稼ぎ出し、ライバルたちを食い尽くしている。

オバマ政権でFCCの委員長を務めたトム・ウィーラーは、オスカー・ワイルドが最初に確認した難問にテクノロジー企業は直面していると辛辣に述べた。すなわち「この世には二種類の悲劇しかない。ほしいものが手に入らないことと、ほしいものを手に入れることだ」[17]。企業はワシントンでの戦いを「全勝で飾り」、インターネットの成長から莫大な個人的利益を確保できる態勢を整える一方、本来なら公益のために通信を制約する法律を巧みに回避した。しかしテクノロジー企業が悪影響をもたらし、業界で強大な市場支配力を振りかざすことへの懸念が高まってきた結果、ネットワークやプラットフォーム関連の企業が自らルールを作る時代は終わりを迎えようとしている。イノベーションは民主主義よりも進化のスピードが速いというフィクションを、もはや支持することはできない。そして、このような事態を招いたのは民主主義にも責任がある。これからは状況をどのように改善すべきか、私たちは真剣に考えなければならない。

「プラトンの哲人王」の運命

コロナ禍の最中の二〇二〇年の夏、ワシントンでは前代未聞の出来事が起きた。立法府の議員たちがオンライン形式で、巨大な市場支配力を悪用した疑いのある四大テクノロジー企業——アマゾン、アップル、フェイスブック、グーグル——のCEOを証人喚問したのだ。下院の反トラスト・商業、行政法小委員会の委員長を務めるデイヴィッド・シシリーニ議員は、喚問の理由を単刀直入にこう語った。「反トラスト法が作成された当時、独占者として名前を挙げられたのはロックフェラーとカーネギーだった。今日では、ザッカーバーグ、クック、ピチャイ、ベゾスの名前が挙がっている。過去と同様に今回も、独占者たちは市場を支配して好き勝手にふるまい、孤軍奮闘している事業者を叩き潰して自らの権力を拡大している。このような事態は終わらせなければならない」〔18〕

四人のCEOが議会で一堂に会したのははじめてで、ベゾスにいたっては議会を訪れるのがはじめてだった。これはずいぶん衝撃的な話だ。なぜならアマゾンはすでにEコマース全体の四〇パーセント近くを支配しており〔19〕、反競争的な行動には何年も前から懸念が高まっていたからだ。以前の公聴会では、議員たちはこれらの企業の基本的な活動への理解不足を露呈したが、今回の調査委員会は宿題をきちんと済ませてきた。内部告発者の証言や社内のEメールで裏付けをとったうえで、法律違反による告発に踏み切ったのである。質問に立った議員たちの発言からは、これらの企業を支えるビジネスモデルを十分理解していることがうかがえた。すべてを理解したうえで、新しい形の規制を導入する必要性を強く訴えたのである。

CEOたちが経営幹部のなかから最高の人材を集め、批判への対策を練ったことは十分に想像できる。アマゾンのジェフ・ベゾスとグーグルのCEOのサンダー・ピチャイは個人の経歴に焦点を当てるアプローチで臨み、恵まれない環境から立身出世したストーリーを感動的に仕立て上げた。一方、アップルのCEOティム・クックは、アップルと他の企業との違いを強調し、自分たちは「事業を展開するいかなる市場でもシェアを独占していない」〔20〕と主張した。

フェイスブックのマーク・ザッカーバーグはおそらく、巨大な市場支配力を擁護するために最も興味深い方針で臨んだ。彼によれば「フェイスブックはいまでこそ企業として成功を収めているが、アメリカの精神に基づいてここまでたどり着いた。ゼロからスタートし、みんなから評価されるように製品の改善に努めた」[21]。フェイスブックは支配的な地位を汗水たらしながら市場で手に入れたのだから、イノベーションの成功を理由に罰せられるべきでないと、ザッカーバーグは強調した。そしてフェイスブックが今後も競争環境に身を投じる可能性を示唆するかのように、つぎのように明言した。吸収や合併は、フェイスブックが顧客により良い製品を提供するための戦略の一環であり、フェイスブックほどの規模があれば、新製品は極めて価値の高いサービスになる。「私が理解している法律では、企業は大きいという理由だけで悪者扱いされることはない」とまで言い切った。

こうしてCEOたちと議員はオンラインで議論を戦わせたが、ふたつの世界観の対立は見逃しようがなかった。一方の世界観では、テクノロジーは大きな進歩の源と見なされる。世界で善を促進する力であり、経済、技術、地政学の分野で確立された支配力の源である。そして何よりも、これらの企業の市場支配力は、高品質の製品やサービスを消費者に提供することに成功した証である。この視点に立つと、もしも政府が介入すれば、競争とイノベーションの好循環が台無しにされかねない。ところがもうひとつの世界観によれば、ネットワーク効果と規制や監督の欠如が、これらの企業の市場での成功の重要な部分を占める。そして企業の善はもはや、私たち全員にとっての善とは見なされない。あるコメンテーターはつぎのように指摘した。おそらく私たちは「フェイスブックやグーグルのサービスを愛するものの、恩恵を提供すれば悪影響は正当化されるという発想に疑問を抱く」〔22〕段階に入っている。ここからは、私たちが今日直面する核心的な問題が浮き彫りにされる。すなわち、すべての市民の利益を代表する民主主義的な制度を通じ、テクノロジーの長所を守る一方、悪影響を排除または緩和することは可能なのだろうか。

これらの決断を下すために最もふさわしいのは誰だろう。私たちはテクノロジストを信用すべきだろうか。彼らによれば市場支配力は問題ではない。それどころかイノベーションを促す貴重な財産である。たしかに彼らはテクノロジーの専門家なのだから、ワシントンの典型的な政治家よりもふさわしいかもしれない。政治家はテクノロジーに関する専門知識をほとんど持たず、イノベーションにはどんな規制環境が最もふさわしいか理解できない。だから退場してもらうべきだ。これはまったく理にかなった主張であり、そこには政治思想の長い伝統が反映されている。

民主主義は古代ギリシャに深く根差しているが、古代の偉大な哲学者たちは決して民主主義を擁護したわけではない。たとえば対話篇によって西洋哲学の土台を築いたプラトンは、『国家』のなかで理想の社会の青写真を紹介しており、統治が少人数の優秀な専門家の手に委ねられる形態が理想だと見なした。西洋世界で最初の高等教育機関であるアカデミーでの講義で、彼は最高の賢人が支配する政治を賞賛し、見識ある哲人王に権力を付与するべきだと主張した。哲人王とは、「良い政治のやり方の原則を最も賢明に実践できる」〔23〕人物のことだ。そのうえでプラトンは、自由は僭主政治の台頭につながると警告した。なぜなら「〔自由という〕混じりけのないワインを飲みすぎて酔いつぶれた都市は……最終的には成文法や不文法にさえも注意を払う〔意思まで」失うからだ」[24]。人民が支配する民主主義は、政治組織として堕落しているとプラトンは考えた。民主政治でどんな恐ろしい生活が待ち受けているか聞かされた弟子たちが、賢明かつ有能で聡明な少人数の指導者に社会の統治を委ねるアイデアに共感したのも無理はない。弟子のなかで最も有名なアリストテレスは、プラトンの哲学の大半を否定したが、それでも民主主義は逸脱した政治形態だと考えた。

哲学者は何世代にもわたり、ふたつの対照的な統治形態が生み出す緊張に悩まされ続けた。市民に発言の機会や意思決定権を与えるのは魅力的だが、その一方、様々な知識を持つ専門家集団のほうが、社会のために良い判断を下す資質に優れているケースが多いのも事実だ。市民は一時的な情熱に駆られて派閥主義に走り、デマゴーグ（扇動的民衆指導者）に支配される可能性が懸念される。かつてこれは抽象的なアイデアにすぎなかったが、民主主義が腐敗した今日では具体的な形になってあらわれている。経済学者のブライアン・キャプランは、核心的な問題をつぎのような穏やかではない表現で要約している。「私が思うに民主主義が失敗するのは、有権者が望むことを実行するからだ」[25]

最近出版された『アゲインスト・デモクラシー』という扇動的なタイトルの著書で哲学者のジェイソン・ブレナンは、統治に関するプラトンのビジョンの復活を目指し、民主主義をエピストクラシーすなわち知者による支配に変更するべきだと訴えている[26]。ブレナンは市民に対する見方が手厳しい。市民を「ホビット」（政治の知識が欠如している人種）や「フーリガン」とこき下ろしている。そして社会を改善するためには、スタートレックのスポックのような「バルカン人」

に統治を任せるべきだと主張する。そうすれば、厄介な政治問題にも裏付けとなる証拠に基づいて理性的に取り組み、問題を特定して解決策を導き出し、社会に最善の結果をもたらしてくれるので、科学の進歩は最大化される。要するに、最適化に優れた手腕を発揮するオプティマイザーが必要とされる。

専門家集団による支配というビジョンが、テクノロジストにとって魅力的にうつる理由は明らかだ。自分たちはユニークな専門知識にアクセスできるが、ほとんどの市民や政治家は、日常を支えるテクノロジーに関して理解すらできない。だから、先端技術への対処にはエピストクラシーやテクノクラシー（技術家政治）がふさわしいという主張に説得力が感じられる。実際のところ、大衆の「情熱」はテクノロジストが誘導する必要がある。大衆が偶発的にプライバシーを侵害し、不正に加工した口コミ動画に執着すると、テクノロジーがもたらす大きな恩恵から集団の注意がそれる危険がある。だから何も知らないリーダーが支配する議会制民主主義は、道を譲るべきだ、と考える。

ただし専門家に支配を委ねる発想は、いくつかの深刻な問題に直面する。まず、どんな人物が専門家なのか決める必要がある。たとえばプラトンが哲人王について想像したときには、特別の訓練を受け、真実を理解し、優れた統治能力に恵まれ、国内に存在する複数の集団の利益をうまく調整できる人物を思い描いた。あるいはアリストテレスが最高の統治形態について語ったときには、自分だけの利益ではなく共通善のために汗を流す指導者に権力を委ねる点を強調した。では、統治に関する特殊なスキルはどうか。専門家による支配というアイデアを現代に応用すると、特殊なマインドセット、すなわち科学的なマインドセットの持ち主に特権が与えられる。彼らは事実を分析し、提言を作成し、私情をはさまず証拠に基づいて選択を行なうはずだ。

しかしテクノロジスト自らが想像する専門家による支配では、他のことも考える。イノベーションの繁栄に欠かせない特殊な知識を持つ自分たちテクノロジストが、政策立案者として権限を付与されるところを思い描く。あるいはリバタリアンの傾向を強めてケナードのいわゆる「規制のオアシス」に共感し、最善の支配形態は統治が最も緩いと結論する。これならテクノロジー企業は好き勝手に投資を行ない、余計な心配をせずに製品の企画に取り組める。ただし、テクノロジストが持つ専門知識は、プラトンが思い描いた専門知識と大きく異なる。国を治め、競合する価値を調整し、証拠の正しさを評価するために必要なユニークなスキルを、テクノロジストはいっさい持ち合わせない。彼らの専門知識は、テクノロジーの構築や設計に限定される。したがって専門家による支配に彼らが持ち込むのは実際のところ、専門知識を装った価値観であり、その価値観とは、最適化のマインドセットと利潤追求という動機との融合から生まれたものだ。

二番目の問題は合法性である。政府が機能するためには、支配者の決定を人民が受け入れなければならない。そして合法性とは、政府が効率よく機能すれば備わる要素ではない。人民は、自分たちも意思決定のプロセスに関わりたいと願う。透明な環境で決断が下されることを望み、決断を受け入れられないときは異議を唱えたい。自分たちに共鳴し、分け隔てなく利害を計算し、意見に耳を傾けてくれるような政府を望む。しかしいずれに関しても、専門家による支配は間違いなく期待に応えられない。

三番目の問題は、専門家による支配が確立すると、権力や影響力を所有する関係者の権利が厳重に守られる点だ。特殊な教育を受けて影響力を手に入れた専門家集団の見解が優先される構造が定着すると、その恩恵を受ける関係者には現状を維持しようとするインセンティブが働く。テクノロジストが専門知識を持つ政策立案者として、あるいは規制のオアシスで制約から解放された企業として規則を制定すると、その社会的結果として、他人を犠牲にしてまでテクノロジストに利益がもたらされても意外ではない。

私たちが取り組んでいる疑問に正しい答えは存在しない。良い回答と悪い回答のどちらかしかない。私たちが選ぶ回答には、事実や証拠が語る内容だけでなく、私たちの価値観も反映される。国際情勢の専門家トム・ニコルスは、私たちが公の生活に関する専門知識を身に着けるよう強く勧め、こう語っている。「専門家は代替案を提供するだけで、価値に関する選択ができない……これは有権者が関わるべき問題で、最も評価するものは何か、ひいては何を実行してもらいたいのか、自分たちで決断しなければならない」[27]

企業にとって良いことが健全な社会にとって良いとはかぎらない

そうなると、つぎのような疑問について考えなければならない。私たちはテクノロジーに、ひいてはテクノロジストに支配されるべきだろうか。それとも民主主義的な制度を通じ、テクノロジーを支配するべきだろうか。そしてテクノロジーを規制する場合、民主主義は何を提供する必要があるのか。いまやアテネの名高い発明品である民主主義は衰退している印象を受ける。そんな時代には、いま述べた疑問が特に重要になる。

どの書店の本棚にも集団の不安を煽るようなタイトルが並んでいる。死に絶える民主主義社会、民主主義の終焉、生き残る専制政治、僭主政治などのタイトルが付けられた本は、売れ行きが良い。二〇二〇年のジョージ・フロイド殺害をはじめとする、警官による多くのアフリカ系アメリカ人殺害をきっかけに社会は流動化し、有色人種のコミュニティは法の下での平等な扱いを期待できるのかという長年の懸案が表面化した。新型コロナウイルス感染症のパンデミックに対する一部の国の政府のおそまつな対応も、民主主義制度の失敗と切り離して考えられないようだ。アメリカ、ブラジル、インドはパンデミックによる死者が世界でも特に多く、ヨーロッパの民主主義も結果はあまり芳しくない。そして自由を最も積極的に受け入れる集団のはずの若者でさえ、いまでは民主主義に反対する。ある調査によれば、一八歳から二九歳までのアメリカ人の四六パーセントが、選挙で選ばれた議員よりも専門家による支配のほうが好ましいと考えている[28]。さらに別の調査からは、ミレニアル世代の四分の一が、「自由選挙でリーダーを選ぶのは意味がない」[29]と考えていることが明らかになった（傍点は著者による）。

民主主義はふたつの形で擁護される。ひとつ目は、意思決定における独特の手順に価値がある点である。すべての人民が基本的権利と自由を有し、平等に扱われるべきだと信じるなら、様々な意見に配慮した意思決定の方法が必要になる。たしかに、平等を徹底させる努力は何世代にもわたって続けられてきたものの、世界の主要な民主主義国家の多くで、性別、人種、社会的地位に基づく差別が深く根付いているのは事実だ。それでも一九世紀イギリスの哲学者ジョン・スチュアート・ミルをはじめ手続き的民主主義を熱烈に支持する人たちから見れば、困難な課題に挑んで不平等を克服する資質を備えた民主主義は最善の制度だった。なぜなら民主主義は、万人の関心に目を向けるように構築されているからだ。ミルはつぎのように語った。「共同体のすべての集団に対し……主権が与えられている形こそ、最も理想的な統治形態である。その証明は難しくない」[30]。もしもハーバード大学教授ダニエル・アレンが主張するように、自由と平等は民主主義的文化の構築に欠かせない要素であり、切り離して考えられない[31]ことを認めるなら、この主張にはなおさら真実味が出てくる。

なかにはさらに踏み込んで、民主主義が公開の場での審議や議論を優先する点を賞賛する人たちもいる。著名な政治哲学者であり、学者の世界からテクノロジーの世界に転じ、現在はアップル大学に勤務するジョシュア・コーエンは、民主主義は個人の意見を主張する場にとどまらないと指摘する。関心や価値観の多様性を出発点としたうえで人々に自由を与えれば、誰もが異なる生き方を選択し、異なるものに傾倒するので、最善の生き方を巡って合理的な意見の不一致が生じる。ミルはこれを「生きるための実験」と呼び、こうした多様性は自由の大きな長所のひとつだと考えた。では、個人が生きるための最善の方法を巡って合理的な意見の不一致が生じるのはよいが、ひとつのコミュニティで共に生きるために必要な共通点をどのように見出せばよいのか。コーエンは政治問題を議論する際の心構えについて、つぎのように説明する。「他人が魅力を感じる理由にも注目し、他人は自分と平等な人間であることを認め、自分とは異なるが妥当な考え方の持ち主である可能性に注目し、その内容を具体的に理解しなければならない」[32]。この視点に立つなら、まさに話し合いのプロセスが重要になる。なぜなら他人を説得して自分の意見を認めてもらえば、私たちを統治する集団に一丸となって献身する条件が整うからだ。

一方、もうひとつの見解によると民主主義は、代わりとなる非民主的な政権の台頭を食い止めてくれる。それはプロセスがきわめて公平だからではなく、イノベーションや経済成長など良い結果が生み出されるからだ。個人の自由が保証され、すべての人民の利益が平等に扱われる民主主義社会は、支配者の専門知識ではなく、人民の集合知がその礎となる。そのため民主主義的な制度のもとでは、市民の知識を集めて統合することが可能だ。アイデアが自由に行き交い議論が戦わされてこそ、民主主義は機能する。なぜなら自由がなければ、科学の進歩はあり得ないからだ。イノベーションが定着するためには、個人が現状に異議を唱え、新しいアイデアを試すことができる環境が必要だとミルは主張している。

ロシア大統領のドミートリー・メドヴェージェフが二〇一〇年にスタンフォードを訪問したときの逸話は、この点を浮き彫りにした。シリコンバレーをあちこち見学しながらメドヴェージェフは、イノベーション経済を動かすものの正体を知りたいと考えた。それは世界クラスの大学が近くにある立地だろうか。ベンチャーキャピタルにアクセスできる環境だろうか。それともこの地域の物理的なインフラだろうか。ただし、これならロシアの独裁者も再現できるが、シリコンバレーの成功はここに引き寄せられる人たちに支えられているのだとメドヴェージェフは説明された。当然ながらロシアにとって、最も優秀で才能ある科学者の多くがモスクワの抑圧的な環境よりも、シリコンバレーの自由のほうを好むことは深刻な問題である。ちなみにミルは、自由の価値をつぎのように的確に表現した。「一般社会の繁栄は、それを促すためにつぎ込まれる個人のエネルギーの量が多くて多種多様なほど、規模が膨らみ広く普及する」［33］

そして、民主主義に経済成長を促す傾向が備わっているのは、資本の保有者やイノベーターの経済的利益が効果的に守られるからだ。もしも政府が何らかの役に立つためには、社会での協力と競争を支える公平かつ安定したルールを定めるだけでは十分ではない。少なくとも、複雑で多様化した経済の成長を促す投資を呼び込めるようなインセンティブを提供することが求められる。経済成長がなければ、繁栄を実現して拡大するのは困難であり、教育、保健医療、社会保護に必要な資源の確保も難しい。独裁者が抱える問題のひとつは、国の経済を自分個人の貯金箱と見なしたがることで、支配者としての地位を守り、自分や家族が私腹を肥やすために必要な資金を国庫から引き出そうとする。二〇世紀の目覚ましい経済成長の一部が中国、インドネシア、チリなどの独裁政権下で実現したのは事実だが、非民主主義国家は北朝鮮、ザイール、ジンバブエなど、ほとんどが悲惨な経済状態から抜け出せない。

ただし民主主義の抽象的な美徳は、テクノロジーを導入するたびに表面化する厳しい現実とうまく調和しない。そもそもテクノロジーの監督と規制に関わる立法府の政治家は、テクノロジーの知識が足りずに信用できない。つぎに、データ機密性、言論の自由、コンテンツモデレーション（投稿監視）、コンテンツの自動化、仕事の未来などにおいて、どんな価値を重視すべきで、どんなトレードオフが適切か、意見が統一されない。あるいは法律を制定しようとすれば、様々な議員の名前を冠した競合する法案がいくつも提出され、成立までの道は厳しく時間がかかる。そして二極化が進んだ政治環境では、大きな進展が期待できない。最後に、民主主義的な制度は現状維持バイアスが強いので、政策が変化するスピードは遅い。これではテクノロジーの新しい進展に対し、規制機関が柔軟に適応するのは難しい。

テクノロジーに関してどれだけの権力を政治家の手に委ねるべきかという疑問への回答は、私たち全員に現実問題として関わってくる。たとえば二〇一五年にカリフォルニア州サンバーナーディーノでテロリストの攻撃が一四人の死者を出すと、かねてより政府内で激しく戦わされてきた議論がいきなり世間で注目された。携帯電話に収められた個人データにアクセスする権限を政府に与えるべきか。この事件では政府は加害者のアイフォンにアクセスしてもよいかという点が問題として浮上したのである。こうした事件で、個人情報へのアクセスが警察や連邦当局に大いに役立つことは明白だった。ところがテクノロジー企業の見解は異なり、プライバシーの価値を何よりも優先する。そのため、暗号化の技術などを開発し、誰も、令状を持った政府さえ、個人情報にアクセスできない環境を整えるべきだと考えた。本書の共著者のひとりジェレミーは、個人情報に関する政府での議論を長年にわたって目撃してきた。ホワイトハウスのシチュエーションルーム（状況分析室）は社会の大きな分断を映し出す鏡のようなもので、テクノロジストが暗号化の素晴らしさを賞賛する一方、国家の治安を守る警察は、アメリカ人をテロリストから守ることにテクノロジストが無関心な理由がわからず困惑した。同じ問題を巡る議論は未だに継続している。本書の第四章以降では、複数の競合する価値が対立し、いま述べたような問題が私たちのシステムを混乱させている多くの領域について紹介していく。今日の世界では、いくつも存在する民主主義的な制度が分極化を深めて機能不全に陥っている。そんな状態でイノベーションの進歩が妨げられるリスクは我慢ならないので、実際にテクノロジストはルールなど無視して前進するだろう。

ガードレールとしての民主主義

民主主義は自由、平等、公正、話し合いを保証するが、こうした魅力的で聞きなれた理想の実践までには時間がかかり、十分な情報も手に入らず、結局のところ制約を課される可能性がある。テクノロジーを制約しようと決断しても、具体的にどうすればよいかわからず、実際にはとまどうケースがほとんどだ。なぜなら、言論の自由はどこまで許されるのか、どのような決断をロボットから取り上げるべきか、思慮分別のある人たちの意見は食い違うからだ。何が良いことなのか、競合する価値をどのように折り合わせるべきか、意見を調整して何らかの明確な見解を共有することなどできない。特にいまの世界では、新しいテクノロジーがつぎつぎ誕生している。そんな時代、実績のない政治家にテクノロジーの規制を任せ続ける理由があるだろうか。

その答えは、新しいテクノロジーに干渉しない姿勢がもたらす結果をどこまで憂慮するかによっても左右される。「速やかに行動し破壊せよ」というモットーへのシリコンバレーの傾倒は、プライバシーが許される範囲、仕事の性質、デジタルな公的領域での活動に現実的な影響をもたらした。このようなテクノロジーの変化やイノベーションに伴う副産物は外部性と呼ばれるが、それに対処するための行動の準備は政府の役割である。

我々の見解では、影響は時としてテクノロジーの開発者の予想をはるかに超えるほど大きくなる。だから予想外の結果を実際に経験するまで待たず、影響を緩和して問題に取り組む方法を予め真剣に考えなければならない。誤解に基づいた発想に執着し続け、手遅れになってはじめて政府に行動を期待するよりも、もっと良い成果を上げることは可能だ。

ウィンストン・チャーチルは、民主主義は「最悪の政治形態である。ただし、これまでに試された他のすべての政治形態を別にすれば」と語ったが、この指摘が正しいとすれば、些細ではあるが民主主義の長所と言える基本的なタスクに注目する価値がある。民主主義は壊滅的な結果を回避することが可能で、予想外の衝撃を受け止める安定性と回復力に優れているのだ。具体的にどんな社会に暮らしたいか意見が分かれたとしても、回避したい最悪の結果についてはおおむね意見が一致するものだ。個人に危害を加えたり、社会的弱者につらく当たったり、二級市民〔差別を受けている人々〕をつくりだすことは、誰も望まない。

ノーベル経済学賞を受賞したハーバード大学教授のアマルティア・センは、今日の民主主義は、社会を悪い結果から守るガードレールとして本領を発揮していると主張する。その証拠として彼は、民主主義国家が飢饉《ききん》を経験していない点を指摘する[34]。飢饉は天気や気候の変化が引き起こす天災なのだから、これは何とも解せない。しかしセンによれば、飢饉は実際のところ人間が引き起こす政治的災害なのである。十分な食糧を準備して、異常気象の影響を受けた地域に配給する能力が政府に欠如している場合に発生するのだ。その点に注目すると、民主主義の長所は明確に見えてくる。センによればある意味、選挙で選ばれた指導者が市民の要求に応えて責任をとることを求められる点に、民主主義の真の価値は備わっている。もしもあなたが飢え死にしそうなら、政治家の耳に届くように声を上げればよい。あなたが黙っていれば、他の誰かが代わりに声を上げる。そして食糧の確保が何よりも重要な世界では、飢饉を回避できなければ選挙で負けるという現実を、政治家は理解している。だからこの最悪のシナリオを回避するため、非民主的な政権の政治家よりも一生懸命に努力する。そのように考えると、民主主義は、飢饉を取り除くために人間が作り出したテクノロジーと言ってもよい。

ただしアメリカをはじめとする民主主義政府は、コロナ禍への対応がしばしば十分ではなかった。その点を考えれば、センの結論に疑問を抱きたくなるかもしれない。しかしアメリカの選挙運動期間中に展開されたコロナ禍への対応を巡る議論からもわかるように、政策が決定される舞台は競合する価値が争う戦場のようなものだ。経済と公衆衛生のどちらを優先するのか、最も弱い集団だけ守ればよいのか、それともアメリカの全国民を対象に感染リスクを減らすべきなのか決断を迫られる。政治家はどちらのビジョンを選択するか決断したうえで、有権者の票の確保に努める。

民主主義は実際のところ最悪の結果の回避に役立つというアイデアは、政治思想の歴史で古くから存在していた。おそらく最も積極的な支持者は、二〇世紀オーストリアの哲学者カール・ポパーだろう。彼はプラトンが政治哲学に「執拗な混乱を」引き起こした点に不満を募らせた。「誰が支配すべきか」という疑問ばかりに注目したプラトンは、答えにとって有利な条件を創造した。最も優秀かつ最も賢明で、支配する術をマスターしている人物は、彼が好む世界観にピッタりだった。しかし、他のことについても議論する必要があるのではないかとポパーは問いかけた。最悪の支配についても取り上げるべきではないか。

ポパーが考える正しいアプローチでは、悪い政府が誕生する可能性を考えて最初から準備を整え、つぎのように問いかける。「悪い支配者や無能な支配者が大きな危害を加えることを防ぐ政治制度は、どのように構築すればよいか」[35]。つまり、十分な専門知識を持つ優れた指導者を探すことに専念する代わりに、悪い指導者を取り除き、良い指導者が登場したら成果に報いるような形でルールや制度を創造するのだ。要するに良い指導者というよりも、良いルールが必要とされる。そして良いルールは、いったん決めたら変更が不要なわけではない。社会や経済の状況に応じて変化させる必要があり、テクノロジーのイノベーションにも目を光らせていなければならない。つまり民主主義は、利害の対立を歓迎し、政策に関する問題について何度も検討し、現状では明らかに有害なルールを変更する必要がある。人民が不当に苦しんでいるときや、スウェットショップの火事が長年の懸案をあぶり出したときには、ルールを見直すのである。

そうなると、自分たちが望むような結果を手に入れるために制度を機能させるのは、私たち全員、すなわち市民の責任になる。ポパーは簡潔にこう語っている。「民主主義国家の政治的な欠点の責任を民主主義に押し付けて非難するのは間違っている。むしろ自分たち、すなわち民主主義国家の市民を非難すべきだ」[36]。

ここではテクノロジーのガバナンスは顧みられない。なぜなら、ソーシャルエンジニアリングのユートピア的な概念――社会にひとつだけ最善の結果がもたらされる政治の実現は可能だというアイデア——は厳しい批判にさらされるからだ。こんなものは非現実的であるばかりか、独裁主義に結びつく危険もある。

政治に何を望むかについては、別のモデルが必要になる。プラトンが想像したユートピア的なソーシャルエンジニアリングではなく、ポパーは「ピースミールエンジニアリング」〔小さな問題を少しずつ解決しながら目的を達成する〕を提案した。あるいは、やはり二〇世紀の哲学者のジュディス・シュクラーによれば、すべての政治的主体が追い求める最高善〔37〕には目を向けず、誰もが存在を知っているができれば回避したい共通悪に対処する民主主義社会が必要とされる。達成できないものに注目し続けても、最終的に落ち着く場所の青写真は描けない。それよりはむしろ、回避したい危害や困難を特定したうえで緩和するほうに専念するべきだ。このようなタスクに関して、民主主義は概して優れた手腕を発揮する。深刻な飢餓を回避し、核戦争を食い止め、極端な貧困や苦しみを取り除くことができる。

これは民主主義の長所に関してかなりミニマリスト〔民間の活動に関して政府の介入を最小限にとどめようとする人〕的な視点で、いっさいの弁解がない。飢饉と同様、テクノロジーが社会におよぼす影響は人災である。私たち人間がテクノロジーを創造し、ルールを設定するのだから、何が起きようとも、それは結局のところ集団的選択の結果だ。

元FCC委員長のトム・ウィーラーは、本章の最初の部分で紹介した革新主義時代〔一八九〇年代から一九二〇年代にかけて、社会と政治の改革が著しく進んだ時代〕に現時点をたとえ、つぎのように記した。「技術の変化が急速に進む時代に革新的な資本家は、自分たちの活動に都合の良いルール作りに力を入れる。しかし自分勝手なルール作りに精を出しても結局は、民主主義のもとでは集団の公益が保証されるため、共通善を守るための新しいルールが作られる」[38]。

その共通善は何を伴い、その達成のために民主主義をどのように役立てるべきか決断するのは私たちの課題である。従来と異なる道に踏み出すためには、未来のテクノロジーとそれが私たちの目の前にもたらす機会に注目しなければならない。

第二部

「テクノロジー」の分析

この数百年で、人類の発明の才は素晴らしい成果をもたらした。もしも人類の計画能力がこの技術の進歩と歩調を合わせて向上していたら、人類には自由で幸せな生活がもたらされたはずだ……ところが実際には、私たちの世代は機械時代の成果をほとんど生かせず、三歳児の手にカミソリを持たせるような危険な状況が生み出された。〔1〕

アルバート・アインシュタイン
ネーション誌への寄稿、一九三二年

第四章　アルゴリズムの意思決定は公正か

　アマゾンのCEOジェフ・ベゾスは一九九八年に複数の企業を買収し、IPOを控えめに果たした後、会社の五つのコアバリューを明確に打ち出した。そのひとつが「最高の人材の確保」[1]だった。アマゾンはまだ揺籃期だったが、エブリシング・ストアという壮大なビジョンの実現には優秀なチームの存在が欠かせないと理解していた。当時のアマゾンは「世界最大のオンライン書店」と認識されていたが、はるかに大きな夢の実現を目指したのである。それから二五年のうちにアマゾンは、あらゆる予想を上回る成果を上げた。数えきれないほどたくさんの新しい市場に参入し、ネット通販での顧客体験を様変わりさせた。時価総額は一兆ドルを超え、アメリカ第二の上場企業に成長した。評価額が膨れ上がると従業員数も急増した。一九九八年には六一四人だったが、今日ではフルタイムとパートタイムを合わせて七五万人以上を抱えるまでになった。どの日にも平均すると三三七人を新規に雇用しており、補充が必要な欠員は三万人ちかくにのぼる。

　ここまで組織が拡大すると、当然ながらつぎのような疑問が浮かぶ。ベゾスは会社の揺籃期に最高の人材の確保を目指したが、それを維持し続けるのは可能だろうか。人事部門のシニア・バイスプレジデントのベス・ガレッティは可能だと確信している。会社の急成長の原動力となったイノベーションを利用すれば、人材の問題に大胆なアプローチで臨めると信じて疑わない。「年間に何万人、いや何十万人も採用するのに、人間が手続きや処理をしている余裕はない」［2］と語った。

アマゾンはこの精神に基づいて二〇一四年、最高の人材の募集と採用という新たな挑戦を成功させるため、テクノロジーの力を借りることにした。同社のエンジニアは、最も有望な候補者をアルゴリズムで特定する新しいツールを構想した。強力な機械学習のテクノロジーを使えば、飛びぬけた才能の発掘も夢ではない。過去数十年分の履歴書などの社内データを使って訓練を施し、新しいシステムの精度を上げていけばよい。訓練を受けたシステムは、応募者がアマゾンで成功するために必要な資質、スキル、経歴、経験を認識できるようになる。これらの項目に関して候補者は五段階での評価を受ける。ちょうど、消費者が小売業向けプラットフォームで製品をランク付けするのと同じだ。

このツールは非常に有望で、目的にも説得力があった。アマゾンがスマートな自動化ツールを通じて雇用プロセスを劇的に改善できれば、求人活動の効率は向上し、コアビジネスの急成長を維持しつつ「最高の人材の確保」というかねてよりの公約を守ることも可能だ。そもそも一年に何万人もの応募者が履歴書を送ってくるので、人間がいちいち目を通すのは手間暇がかかる。アマゾンは顧客に提供する製品の価格低下に努めているのだから、人事にアルゴリズムを導入すれば、かなりのコスト削減が実現する。同社のある情報源はつぎのように語る。「誰もがこの聖杯を望んだ。これに成功すれば、一〇〇人分の履歴書のなかから上位五人をすぐに選び出して採用できる」［3］。

人間の判断に頼るプロセスからアルゴリズムとデータに頼るプロセスに移行すれば、効率が向上するのはもちろんのこと、他にも素晴らしい可能性がアマゾンに提供される。人間の偏見とは無縁の求人システムが構築されるのだ。少なくとも、偏見にとらわれた人間の意思決定は改善される。研究者はかねてより、採用には人種や性別による差別が日常的にある程度関わっていることを、そして人間の意思決定には意識するとしないとにかかわらず、他にもたくさんの偏見が影響していることを明らかにしてきた。たとえば、採用を検討している複数の企業に中身は同じでも名前を変えた履歴書を提出すると（一方はアフリカ系アメリカ人を連想させる名前、もう一方は白人を連想させる名前）、結果には人種による差別が常に大きく反映される［4］。白人を連想させる名前のほうが、面接まで進む応募者の割合は五〇パーセントも多かった。しかしアマゾンには、人間が長年かけて蓄積してきた偏見にとらわれず、社会正義を貫く可能性が開かれた。以前よりも正確で効率がよく、客観的に採用を決断できそうだった。これはいかなるときも重要な結果目標だが、当時はガレッティが従業員数をさらに三倍に増やす準備を進めていたので、なおさら重要だった。

ところが新しいシステムが勧める候補者に目を通したリクルーターは戸惑った。というのも五段階評価は女性への偏見がなぜか強く、男性をかなり優遇しているように感じられたからだ。そこでチームが結果をさらに詳しく調べたところ、アルゴリズムが学んだのは、応募者が将来仕事で成功する可能性を中立的な立場から予測するパターンだけでなかったことがわかった。雇用関連の過去のデータから男性の応募者を優先するパターンも学び、その傾向を強めていたのだ。実際にアルゴリズムは、「女性」という言葉が含まれる履歴書を不当に差別していた。「女性のサッカーチームのキャプテン」から「働く女性」に至るまで、女性という言葉を含むあらゆるフレーズに反応し、女子大学からの応募者を低く評価していたのである［5］。エンジニアは決して性差別主義者ではなかった。意図的に偏見を挿入したわけでも、「性差別主義的なアルゴリズム」を冷酷にプログラムしたわけでもなかった。それでもジェンダーバイアスは入り込んでしまった。チームはコードを調整して偏見の解消を目指したが、差別の可能性をツールからすっかり取り除くことはできなかった。数年間努力したすえ、アマゾンはこのツールの構想の実現をあきらめ、担当チームは解散された。

このアマゾンの事例には重要な意味が込められている。ここで浮上する問題は、自動意思決定ツールの台頭に直面する私たちにとって決して他人事ではない。世界有数の企業が偏見にとらわれないアルゴリズムをツールとして構築できないなら、誰にそれができるだろうか。人間による意思決定を支えるため、あるいは人間から役目を引き継ぐために新しいテクノロジーが導入されるとき、自動化ツールにはどんな客観的な基準が必要とされるのだろうか。アルゴリズムが問題のある決断を下したり勧めたりしたとき、誰が責任を持つのか。そしてそもそも、このような新しいツールを利用するか否か、誰が決断すべきなのか。

機械学習の時代の到来

アルゴリズムによる意思決定モデルを構築するために使われる機械学習は、基本的にはデータのなかにパターンを見出すプロセスである。たとえば誰を採用面接まで残すか決めるためには、第一段階として、すでに面接を行なった応募者の履歴書からたくさんのデータを集め、最終的に誰が採用され、誰が不採用になったか確認する。つぎにデータを機械学習のアルゴリズムに入力すると、最適化を通じて一定のパターンが見出される。たとえば応募者の採用と不採用を決定づける重要なフレーズが、履歴書のなかから特定される。このようにパターンを特定するプロセスは「トレーニング」と呼ばれるが、このトレーニングを通じてアルゴリズムがモデルを生み出すと、モデルによって意思決定が行なわれる。モデルは与えられた基準の最適化を進めながら、データから特徴的なパターンを学んでいく。たとえば予測精度の基準ならば、過去の応募者の履歴書を渡されたとき、ふさわしい人材が選ばれる頻度の増加を目指す。アルゴリズムが機械学習モデルをトレーニングするときは、誤差を減らすように調整を行なう。ただし、最適化が何を目指すのか決断するのはプログラマーだ。たとえば、明らかにふさわしくない応募者の履歴書をアルゴリズムに排除させるのも、採用に関する微妙な決定をアルゴリズムに任せるのもプログラマーである。

こうしたモデルの調整作業を通じ、履歴書のなかでどんな単語やフレーズを雇用可能性の指標として使うべきか決められる。たとえばプロダクトマネージャーの応募者を選別するトレーニングをモデルに行なうときには、「MBA」、もっと具体的には「ウォートン」「ハーバードビジネススクール」といった単語は評価が高い一方、「トラック運転手」という単語は評価が低く、マイナスになることを教える。もっと複雑なモデルになると、アルゴリズムは複数の単語やフレーズを探して組み合わせ、詳しい内容を学習させようとする。たとえばモデルは、同じ履歴書のなかから「創業者」「資金調達」「ミリオン」という単語を見つけ出す。

モデルの予測正解率が一定の基準に達すると、実践の準備が整う。モデルは新しい履歴書を渡されて予測に取り組み、対象となる人物が採用にふさわしいか決定するための信頼度スコアを提供する。こうしてアルゴリズムが採用に値すると判断した応募者のリストを受け取り、それをさらにアルゴリズムの信頼度スコアによって選別すれば、誰を面接して採用するか、アルゴリズムが決定してくれる。すでに一部の企業はこれを実施しており、人間による面接をすっかり回避することも可能だ。

もちろん、プログラマーはモデルに制約を加えることができる。たとえばジェンダーバイアスを回避したければ、モデルが「男子サッカーチーム」や「女子エンジニアリングクラブ」など、「男性」や「女性」という単語を含むフレーズについていかなる判断も行わないようにすればよい。これはきわめて妥当なように感じられる。ところが、モデルは「野球」や「ソフトボール」といった単語も応募者の性別と強く関連付ける可能性があり、そうなると、ジェンダーバイアスが強い決断を下す恐れがある。アマゾンが履歴書の選別に利用したツールは、まさにこの状況に陥った。

一方、履歴書の選別に自動化ツールが使われている現実に注目した応募者は、システムの抜け穴を利用する方法を際限なく考え出す。たとえばあなたが応募者で、履歴書が機械によって分析されることを知ったとしよう。そんなときは電子コピーを提出する際、ページの下の部分の白い余白に白いフォントでメッセージを追加しておくと役に立つ。メッセージの文字は白いので、人間が履歴書を読む場合、オンラインでもプリントアウトでも認識できない。ところが履歴書の選別を任された自動化ツールは、まるですべての文字が白いページに黒いインクで書き込まれているかのように読み取り、処理を進めていく。だから選別作業で有利に働きそうなフレーズを「余分な」メッセージのなかに含めておけば、効果が期待できる。たとえば、求人情報で応募者に必要かつ望ましい特質とされているものを一通り含めてもよい。あるいはもっと目立ちたければ、ハーバード、オックスフォード、バークレーなど、名門大学の名前を並べておくのも効果的だ。社会的地位を強調するため、「乗馬クラブ」や「スカッシュチーム」などの課外活動を加えておくのもよい。そんなことはあり得ないと思うだろうか。いや、どの事例も、過去にも現在にも学生が実践したものばかりだ。このような姑息な手段は、テクノロジーに精通する学生のあいだで何年も続けられてきた。アルゴリズムの意思決定ツールがもっと広く利用されれば、事態は悪化する一方だろう。

最近では、機械学習のおかげでコンピュータがいかに人間よりも「賢く」なりつつあるかをメディアがさかんに報じるようになった。ただし、以前からそのようにもてはやされてきたわけではない。学問分野としての機械学習は一九五〇年に始まった。当時アーサー・サミュエルという研究者が、ボードゲームのチェッカーに秀でたコンピュータプログラムを作成した。彼はコンピュータにゲームを行なわせ、どのような行動が勝ちや負けにつながるのか観察させた。するとコンピュータはみるみる上達し、プログラマーを打ち負かすまでになった。しかしこのテクノロジーが注目され、しばしば人工知能という一般的な名前で世間に注目されるようになったのは、この数年のことだ。では、半世紀以上前に誕生した学問分野が、テクノロジー企業やメディアのあいだでいきなり大きな注目を集めるようになったのはなぜだろう。

この一〇年で機械学習は学術研究の領域を飛び出し、ロシア大統領のウラジーミル・プーチンに「［人工知能の分野で］リーダーになれば誰でも、世界の支配者になるだろう」と言われるまでになった。そのあいだには、三つの出来事が起きた。まず、コンピュータの演算能力が向上し、飛躍的に速くなった。しかも「クラウド」でネットワーク接続されるので、一台のマシンが孤軍奮闘する必要はなくなった。何千台ものコンピュータが集まって、オーケストラがシンフォニーを奏でるように協力しながら、とてつもなく大きな問題を解決する。つぎに、手に入るデジタルデータの量が一気に増加した。オンラインで買い物をすませ、広告をクリックし、友人のソーシャルメディアの投稿に目を通し、家族の写真をアップロードし、健康診断の結果をオンラインで確認し、インターネットで愉快に過ごす人はどんどん増えている。するとあとには大量のデータが残され、人々の関心や行動や嗜好について学ぶ手がかりとなる宝の山が提供される。そして三番目に、機械学習に取り組む研究者は強力なアルゴリズムを開発した。その結果、演算能力と大量のデータをうまく利用しながら、以前よりもはるかに正確で複雑なモデルを構築できるようになり、お気に入りの映画からメンタルヘルスの問題まで、ありとあらゆるものの予測が可能になった。たとえば、顔が写っている画像とそうでない画像を学習アルゴリズムに与えて訓練させると、新しい画像で顔を確認できるようになる。ガンが発現した領域とそうでない領域を専門医が確認したエックス線の画像で学習アルゴリズムを訓練させれば、新しいエックス線画像にガンが存在しているかどうか予測できるモデルが構築される。可能性は無限に広がる。

こうした進化に加え、新たに便利な技術が開発された結果、従来よりもさらに大量のデータを集めて機械学習アルゴリズムに提供することが可能になった。従来の方法で機械学習が有力な応募者を見分けるためには、モデルの訓練に使われる履歴書が、特定の職種で採用された応募者と不採用になった応募者のどちらのものか、人間がいちいちタグ付けする必要があった。同様に顔認識の場合にも、写真のなかに顔が存在しているかどうか、存在しているなら場所はどこか、人間が監督する必要があった。こうしてラベル分類されたデータは「教師あり」データと呼ばれる。ここではモデルの予測能力を訓練するため、人間がデータをタグ付けしてラベル分類する必要がある。しかしもちろん、オンラインにはタグ付けされていない履歴書が何百万も存在するし、オンラインフォトアルバムやソーシャルネットワークにも、タグ付けされていない家族写真が何十億枚も残されている。

最終的に研究者は、このようにラベル付けされない「教師なし」データの潜在能力を解き放つ効果的な方法を発見した。すなわち、少量の教師ありデータを含むモデルを構築したうえで、大量の教師なしデータのラベル付けの予測にこのモデルを利用するのだ。こうして新しいラベル付きデータを一気に手に入れられるようになったプログラマーは、このプロセスを何度も繰り返した。おかげで、以前はできなかったデータのラベル付けが可能になった。オープンなウェブに存在する大量のラベルなしデータポイント、あるいは私たちがオンラインで実行するほぼすべての事柄をグーグルやフェイスブックなどが追跡して集めたラベルなしデータポイントを対象に、同じ手順を繰り返すだけでよい。何千台ものコンピュータがプロセス全体を猛スピードで進める。こうして能力は飛躍的に向上し、未だに成長が続いている。

もちろん、ラベル付きデータがこのような形でどんどん蓄積されると、モデルが重大な間違いを犯す可能性が出てくる。プロセスの初期段階で予測を間違えれば、あとからの予測に悪影響がおよぶ。たとえばアフリカ系アメリカ人のソフトウェア開発者ジャッキー・アルシンがグーグルのフォトアプリに写真をアップロードすると、ガールフレンドと一緒の写真が「ゴリラ」とラベル付けされた［6］。グーグルのエンジニアはすぐに謝罪文を公表し、ツイッターでは「これはひどい……一〇〇パーセント間違っている」［7］とつぶやいた。しかしすでに手遅れで、しかも問題の修復は簡単な作業ではなかった。グーグルは解決策として以後数年間、イメージバンクからゴリラとチンパンジーをすべて削除した［8］。機械学習は複雑な問題を解決するだけでなく、致命的な間違いを犯す可能性も秘めている。

一九五〇年代に機械がはじめてチェッカーのゲームを学習してから、ずいぶん大きな進歩を遂げた。コンピュータがアマチュアのチェッカープレイヤーを打ち負かすことができると聞いても、いまでは誰も驚かない。しかし、研鑽を積んだ医師よりもガンの見立てが確かなコンピュータはメディアで大きく報じられるし、実際にこの数年で登場している。コンピュータの演算能力がどんどん上がり、人間の活動の多くがデジタルの領域に移行すれば、機械学習の台頭という結果は多くの面で避けられない。人間による意思決定は偏見が強く一貫性に欠けて間違いを犯しやすいが、この新しいテクノロジーが最適化のマインドセットと組み合わされれば、従来の意思決定プロセスが改善されると考えるのは無理もないだろう。もちろん、アルゴリズムのトレーニングに使われるデータのソースが、偏見が強く一貫性に欠けて間違いやすい人間だという点はかなり気がかりだ。機械学習アルゴリズムに提供される履歴書に人間の判断で「採用」または「不採用」のフラグが立てられていたら、それが正しいか否かを問わず、そのデータを生み出した人間の意思決定パターンをアルゴリズムはそのまま学習する。

機械学習モデルが人間の決断を模倣するだけならば、ほんとうに人間よりも優れた意思決定を下せるのだろうかと疑問に思うのは自然なことだ。しかしいまでは多くの領域で、データに人間の判断が関与しなくなった。たとえば刑事司法制度のもとで裁判を待つ被告に保釈を認めるかどうかの判断について考えてみよう。この場合には、人間の裁判官が下す判決をアルゴリズムに模倣させることが目標ではない。なぜなら、人間の裁判官による判断は人によってばらつきがあり、間違いやすいことが研究で明らかにされているからだ。むしろアルゴリズムの訓練に使われるデータには、保釈された被告があとから出頭したかどうか（あるいは保釈中に別の罪を犯したかどうか）に関する過去の情報を含めるようにする。こうしてアルゴリズムは、被告の前科や現在の容疑、他にも多くの要因に基づいて被告の特徴について学ぶ。仕事があるか、結婚しているか、子供はいるかといった点にも注目し、保釈中に別の罪を犯す可能性はないか判断を下す。ここでは人間の判断は必要とされない。いや、むしろ望まれない。

しかも、こうして創造されたアルゴリズムは一貫した判断を下してくれる。もしもニューヨークの裁判所とアラスカの裁判所が同じアルゴリズムをツールとして利用すれば、同じリスクスコアが採用される。これは、リスクの高い意思決定から人間の偏見を取り除く方法として優れており、刑事裁判に限らず他にも多くの領域で役に立つ。誰に住宅ローンを提供すべきか、患者にどんな医療措置を行なうべきか決定する際にも応用可能だ。

公正なアルゴリズムを設計する

もしも失敗に終わったアマゾンの実験が、アルゴリズムによる失敗の一度限りの事例ならば、心配する理由はない。しかし、アマゾンの採用ツールが抱えた問題は例外的なものではないので、こうした失敗例には注目する必要がある。いまやアルゴリズムは、私たちの生活の実に多くの部分で利用されており、私たちが気づかないケースも多い。企業の採用活動以外にも、オンラインデートサービスで使われ、恋愛生活の充実に役立っている。保健医療を受けられるか（受けられないか）、価格はどれくらいかを予測し、ローンを組む資格があるか、住宅手当や生活保護を受けられるかを判断し、オンラインで何を見るか、学校で何を学ぶか決定する際にもアルゴリズムは関わっている。他には、メンタルヘルスの問題について早いうちに警告し、脱税の可能性を見極め、被告が収監されるか保釈されるかの判断に関わり、懲役刑の期間を決定し、仮釈放の資格があるかどうか判断する。これらはいずれも、人生の最も重要な領域、すなわち愛情、仕事、健康、教育、融資、機会と関連している。さらにアルゴリズムは、ネットに登場するターゲティング広告を背後で操り、その反響によって多くのテクノロジー企業のビジネスモデルが決定される。そうなるとアルゴリズムが正しく機能しているときでも、予測精度という技術的な問題以外にも、多くの重要な問題について考えなければならない。

ここで、自分が三四歳のエリック・ルーミスの立場になったところを想像してほしい。ウィスコンシン州出身の彼は二〇一三年二月、銃撃に使われた盗難車を運転しているところを逮捕された。彼は逮捕回避の罪状を認める一方、所有者の同意なく車を運転したことに対して不抗争の答弁〔被告人が有罪を認めないが、起訴内容について争わない主張〕をした。どちらの罪も懲役刑には当たらない。ところが判決の段階で、アルゴリズムが作成したＣＯＭＰＡＳというリスクアセスメントを裁判官が参考にしたところ、ルーミスは再犯の可能性が高い人物だと判断された[9]。そのため保護観察を希望しても裁判官から認められず、懲役六年を求刑された。この場合、裁判官も弁護士も、そして間違いなくルーミスも、ＣＯＭＰＡＳがどのように機能しているのか理解していなかった。アルゴリズムからアウトプットされたリスクスコアを受け取っただけだ。この技術を開発してウィスコンシン州に売却したノースポイント社はこれを知的財産と見なし、アルゴリズムモデルの公開を拒んだ[10]。そのためルーミスの弁護士が判決を不服として上訴を決断し、リスクスコアに関する説明を求めても、誰からも説明はなかった。そこでルーミスは、適正な法の手続きを受ける権利を侵害されたと判断し、ウィスコンシン州を相手取って訴訟を起こした。法廷で使われた不利な証拠には、異議を唱える権利があると確信していた。ところがウィスコンシン州の最高裁は彼の異議申し立てを却下した[11]。結局のところウィスコンシン州では、ルーミスの他にも複数の被告が理不尽にも、刑務所送りという重大事に関する説明を拒まれたのである。アマゾンのアルゴリズムの雇用ツールに公平性が欠如していたように、COMPASのリスクアセスメントにも公平性は欠如していた。

アルゴリズムの公平性が保たれ、できれば世界をもっと公平にするため役立つようにエンジニアが設計することは、以前にも増して重要になっている。実際、この問題に注目する動きも出始め、新たな方針に沿った学術研究も進められている。たとえばスプリディットというウェブサイトは、様々な問題についての「確実に公正な解決策」を提示している。これは具体的に、賃貸料の分担、集団作業の正当な評価、相続人のあいだでの遺産の分割、グループ内での家事の分担やワークシフトの決定などに利用されている。この非営利ベンチャーは、「自分たちのやり方なら公平性が確実に保証される」と自画自賛する。サイトに傾倒するクリエーターはこう説明する。「公平性という特性が保証されるのは、それが数学的事実だからだ」。こんな発言をするコンピュータ科学者は、公正性は数式に変換できると信じているようだが、そんなに簡単なら世話はない！

別の結論に達した学者グループもある。こちらはアルゴリズムの意思決定に伴う問題に注目し、FAccT/MLというグループを立ち上げた。この名称は、機械学習の公正さ、説明責任、透明性を略したものだ。ここでは、様々な人種、性別、宗教によって構成される集団に対し、アルゴリズムの決定が差別を引き起こしたり、不当な影響をおよぼしたりする事態を確実に食い止めることが目標として掲げられている。

これは前進のように感じられるが、深刻な問題はすぐに表面化した。そもそも公平性をどのように定義するのか。グループはこの点に注目し、二〇一八年に開催された年次会議のプレゼンテーションでは、公平性に関する二一の定義が紹介された〔12〕が、どれも公平性という概念を様々な数学的方法で定式化したものである。ある定義によれば、アルゴリズムに対してジェンダーは伏せられなければならない。すなわち、ジェンダーに関して公正だと見なされるためには、ジェンダーを特定できるいかなる言葉も入力データとして利用されてはならない。ところが別の定義によれば、アルゴリズムはジェンダーを入力データとして利用してもよい。なぜなら、女性に対する歴史的な偏見を克服する必要があるからだ。さらに別の定義によれば、公平性を維持するためには、プログラミングモデルの女性に関するエラーの割合が、男性と同じでなければならない。つまりこのモデルが履歴書の選別に使われるならば、間違って「不採用」と確認される女性の割合が、男性と同じでなければならない。それから、公平性に関する一般的な基準の一部に互換性がない点を指摘する研究者もいる〔13〕。つまり、ひとつの基準を最適化すれば、別の基準の価値が低下する。要するに公平性は、時代を超越した普遍的なものではない。全員の意見が一致するわけではないし、簡単には理解できない。むしろ、特定の社会的状況で公平性がどんな意味を持つかという点に注目する必要がある。

公平と不公平に関しては共通の理解があると大体の人は考える。しかし公平性は簡単には定義できない。つぎのような事例を考えてほしい。ある学区がすべての子供に最高の教育を与えるため、区域内の学校に補助金を提供する方法を決定することにした。ある人物は、公平を期すならばすべての子供を同じように扱うべきだと発言した。この定義に従うなら、すべての子供が同じ金額の補助を受けなければならない。配分が不平等で、たとえば男の子、白人、信仰を持っている人、アメリカ生まれの人に対する一人当たりの支給額が多くなると、女の子、少数民族、不可知論者、移民が差別される。これでは公平とは言えない。

すると誰かが、学校に通う子供の一部は特別な教育的ニーズを抱えている点を指摘する。失読症の子供、あるいは目や耳に障害を持っている子供がいるし、認知力や身体能力に問題のある子供もいる。こうした子供たちが学習するために必要な特殊教育を提供するには、他の子供たちよりも支給額を多くする必要がある。目や耳に問題のない子供に匹敵する教育の機会を与えるためには、それが不可欠だ。専門の教員を雇い、特殊な装置を購入し、教室の環境を調整しなければならない。そうなると、特別なニーズを抱えているかどうかを基準にして、生徒一人当たりの支給額を決定するのが公平ではないだろうか。

では、どちらが正しいのだろう。全員を同じように扱うべきか、それとも状況に応じて待遇を変えるべきだろうか。実際のところ、公平性に関するどちらの見解にも理にかなった長所がある。

公平性に関して意見が分かれるのは、個人の生活のなかでも日常的な現象だ。親として、あなたは子供たちを公平に扱おうとするだろう。ではそれを実践すると、どうなるだろうか。たとえば、どの子供にも楽器の演奏を学ぶチャンスを与えようとしたとき、ひとりはギター、もうひとりはピアノを希望したとしよう。そこでピアノはギターよりもずっと高価なことを思い出し、希望を叶えるのは不公平だと考えるだろうか。あるいは、子供たちへの小遣いの金額は同じほうがよいか、それとも違うほうがよいか。おそらくその判断は年齢によって異なるが、大人になったらどちらがよいのだろう。このようなケースでは、公平性の基準は明確に定まっていない。

さらに厄介なのは、公平性というアイデアは個人にも集団にも適用されることだ。雇用アルゴリズムの場合、公平性は個人の特性として解釈することができる。そうなると、スキルや経験が同じ応募者は、アルゴリズムによって同じ予測スコアを与えられる。一方、公平性は集団の特性としても解釈できる。そうなると今度は、採用に値すると判断される応募者の割合が、マジョリティの集団とマイノリティの集団で同じでなければならない。公平性に関しては、個人と集団のどちらの概念も重要で理にかなっている。しかしアルゴリズムを設計するとき、どちらも同時に採用するのは簡単ではない。

こうして考えると、アルゴリズムをどのように設計するのが公平なのか定義するのも、公平な形で実践するのも簡単ではない。状況によって異なるし、社会が集団をどのように解釈するかにも左右される。

それでも希望がないわけではない。公平性は常に数式で簡単に表現できるわけではないし、社会的状況の違いに左右されるかもしれないが、だからと言って主観的なものでもない。簡単ではないが、この哲学的理想を現実に役立てることは可能だ。実際、人類の進化の過程を通じ、公平性は交流に欠かせない要素として組み込まれてきたので、利用しないわけにはいかない。たとえばテーブルのまわりに座っている幼稚園児に対し、シールやキャンディを配るところを想像してほしい。もしも一部の子供たちに与える数が多ければ、数が少ない子供たちから文句が出るだろう。数が多い子供たちはもらったものを手放さないかもしれないが、それでも不公平な状況を認識するだろう。多くの国で行なわれた研究からは、子供は生後一二か月ですでに公平性を理解しており、同年齢の幼児や親や研究者から不当な扱いを受けると気分を害することが明らかにされている。不平等な結果に強い嫌悪感を示すし、公平な方法でシェアすることを拒む子供を威嚇《いかく》したり制裁を加えたりする。

さらに、いわゆる最後通牒ゲームからは驚くほど一貫した結果が生み出される。これは十数か国で様々な参加者を対象にして行なわれているが、ゲームそのものはシンプルなので友人と試してみてもよい。先ず、ひとりの人物が提案者となり、たとえば一〇〇ドルを受け取って、それを二人目の人物すなわち応答者と好きな方法でシェアするように言われる。五〇／五〇、五五／四五、一〇〇／ゼロなど、どんな割合を選んでもよい。一方、応答者には拒否権があるので、提案された取引を受け入れても拒んでもよい。もしも受け入れれば、双方が提案通りの配分で現金を受け取る。そして拒めば、どちらにも現金はまったく手に入らない。だから提案者は、どのような割合なら応答者は受け入れてくれるか、じっくり考えなければならない。経済学の通念によれば、応答者はどんな提案でも受け入れるのが理にかなっている。まったく現金を手に入れずに立ち去るよりは、一ドルでも受け取っておくほうがよいからだ。ところが、どこで実験しても応答者は不平等な提案を拒絶する傾向がある。きわめて不平等な場合は特にその傾向が強く、不当な金額を提示した提案者を罰するためには、自分の物質的な恩恵を犠牲にするのも厭わないケースがほとんどである。この研究からは、人間には公平に扱われたい本能が深く根付いているという結果が導き出され、広く受け入れられている。

他の生物種でさえ、公平性に関しては厳格な基準を持っているようだ。サラ・ブロスナンとフランス・ドゥ・ヴァールによる有名な研究では、オマキザルを使ってこのアイデアが試された。ここでは二匹のサルが隣り合った檻に入れられ、どちらも単純な作業をこなせば、飼育係からご褒美にキュウリをもらえる。まず、作業をこなした二匹のサルのどちらにも飼育係がキュウリを与えると、どちらも喜んで受け取りおいしそうに食べた。ところが一方のサルにもっと甘くておいしいブドウを与え、もう一方のサルにはキュウリを与えると、不当に扱われたサルは反発し、檻をガタガタ揺らして飼育係にキュウリを投げつけた。そこからブロスナンとドゥ・ヴァールは、霊長類には一定の不当な扱いに反抗する本能が備わっているという結論に達した［14］。

アルゴリズムの意思決定について考えるときには、公平性には中身の公平性と手続きの公平性の二種類があることを認識し、区別して考えるとよい。中身の公平性では、決断がもたらす結果に注目する。一方、手続きの公平性では、結果を生み出すプロセスに注目する。もしもプロセスが公平だと判断されれば、結果について悩む必要はない。ただしアルゴリズムが公平であるためには、どちらの公平性についても考慮しなければならない。

公平性にとって最も重要な問題は、意思決定プロセスでどのような道徳的配慮を行なうべきか決断することだ。公平性の最も古い定義はアリストテレスにまで遡るが、そこでは似たようなケースには同じような形で、異なるケースには異なる形で対処するのが公平だと見なされた。たとえば雇用アルゴリズムがあなたの採用を勧めるかどうか判断するとき、あなたには保護観察ではなく懲役刑がふさわしいと刑事司法のリスクスコアが判断するとき、あるいは生徒一人当たりの補助金を学区内ではすべて同額にすべきか決断するときには、あなたの髪の毛の色は道徳的に配慮すべき要素として明らかにふさわしくない。いずれのケースも簡単でわかりやすい。では性別や人種や宗教はどうか。雇用、刑事司法、教育の機会といった重大な懸案事項について考えるとき、これらの特徴は判断材料として道徳的に適切だろうか。こうした疑問に回答するときは、正義論や法律、あるいは私たちの道徳意識を参考にすることができる。そして、理解は時代と共に進化するものであり、社会的状況によって異なる可能性を忘れてはならない。たとえばアメリカ合衆国憲法は当初、奴隷を白人ひとりの五分の三とカウントし、女性には選挙権を与えなかった。黒人と白人、あるいは女性と男性の差別は、道徳的に問題ないと考えられた。法律における処遇の違いを覆すまでには長い社会的闘争が必要とされ、一般市民の心のなかでは未だに差別が残っている。その証拠にアメリカでは今日、人種は弁護士から「根拠のない分類」と呼ばれ、差別的な処遇を生み出す特徴と見なされている。こうした特徴が適切か不適切か判断しなければならないのだから、公平性は達成が難しい理想である。

そうなると、むしろ手続きに関する公平性のほうが有望に感じられる。公平な結果の内容については議論の余地があるが、公平なプロセスについてはおそらく意見が分かれない。たとえば、バースデーケーキを平等に切り分けてみんなに配るところを想像してみよう。この場合、誰かひとりがナイフでケーキを切り分け、その人物が最後に残ったケーキを選ぶのが公平なアプローチになる。ただし、これならいかにも公平な印象を受けるが、中身の公平性を完全に無視するわけにはいかない。ダイエット中の人は小さなケーキのほうを選びたいだろうし、一日中何も食べていない人は大きなケーキがほしい。このような点に注目するのが適切な配慮だとすれば、公平なプロセスさえあれば理想的なレベルに到達できるわけではない。

それでもやはり、アルゴリズムなどによる意思決定のプロセスの正当性について考えるときには、手順の公平性に注目すると非常に重要な点がクローズアップされる。今は亡き哲学者ジョン・ロールズは正義論のなかで「公正としての正義」を訴えた。それによれば公正な意思決定プロセスのもとでは、強者が弱者を利用すること、金持ちが貧者を支配すること、多数派が少数派よりも多くの票を与えられることは許されない。この発想に基づいて、ロールズはつぎのように提言している。社会に影響を与える決断は「無知のベール」をかぶった状態で下されるべきだ。ベールをかぶった意思決定者は、自分の社会的状況や社会経済的立場に関してわからなくなる。これならば、自分の個人的な立場を利するような形で決断する動機を持たない（そもそもわからないのだから）。むしろ、社会全体に役立つような形で決断することが唯一の目標になり、決断の悪影響を最も受けやすい人たちに特別の注意を払う。なぜなら彼らもまた、自分の弱い立場についてわからないからだ。

アルゴリズムに関しては、無知のベールと公正な手順を強調したロールズの見解が役に立つ。たとえば、アルゴリズムがあなたを対象にした意思決定の手順を進めるところを想像してみよう。あなたが医療を受けるに値するか、あるいは何千人もの応募者のなかから採用するのにふささわしい人物か評価するとき、アルゴリズムにどのような点が備わっていれば自分は公平に扱われているると確信できるだろうか。不適切な事柄に関する人間の偏見に満ちたデータで訓練されたモデルでないことは、ぜひ確認しておきたい。モデルがどんな要素を考慮するのか無視するのか、どのように機能しているのかも理解しておきたい。そしてアルゴリズムのプログラマーが、何が道徳的に適切か判断する際に自分の直感だけに頼らず、広い社会に関する理解に基づいたうえで、コード化に取り組んでいることも確かめておきたい。高度な機械学習アルゴリズムがブラックボックスで下す決断については、プログラマーでさえも簡単に説明できない。だから公平性に関して疑問を抱くのは当然であり、あなたには回答を求める資格がある。

試されるアルゴリズム

アルゴリズムの意思決定能力は、このシステムを用いて何を達成したいのか意見を統一できない私たちを置き去りにして急速に進歩しつつある。アマゾンの雇用アルゴリズムの問題は、ビジネスの世界で氷山の一角にすぎない。さらにアルゴリズムに対する熱狂は、民間部門に限定されない。いまや政府さえも、機械が立ち入るべきでないと思われるような領域にまでアルゴリズムを取り入れようとしている。重要な社会福祉事業の配分方法、子供を家から連れ出すべきかの決断、学校で子供に教える勉強の中身にまで機械は関与している。そしていずれのケースでも、アルゴリズムが何を最適化し、公平性という目標をどのような形で達成するかについて誰かが決断しなければならない。ところが、こうした決断は実質的に見えない場所で下される。

なかでも公平性に関する議論が最も激しいのが刑事司法の領域である。ここでカリフォルニア州の事例を紹介しよう。二〇一八年八月、ジェリー・ブラウン知事は同州の保釈制度を抜本的に見直す法律を成立させて大いに賞賛された。この法律はブラウン知事いわく「富者も貧者も等しく公平な処遇を受けられる」ように、保釈金の支払いを禁止した［15］。この新しい法律のもとで地方裁判所は、逮捕され犯罪に問われた人物を拘留するか釈放するか、公判を待っているあいだに決断しなければならない。暴力行為を伴わない軽犯罪のケースでは、被告は一二時間以内に釈放される。しかしそれ以外のケースでは、それぞれの司法管轄区で裁判所が作成したアルゴリズムに基づいて判断が下され、各被告が開廷日に出頭する可能性、犯罪の程度、再犯の可能性が評価対象になる。

この法律の成立に奔走した関係者の原動力は、公平性に欠ける従来の保釈金制度だった。彼らの言い分は理解しやすい。保釈金制度は、貧者や恵まれない立場の人々を構造的に差別しているのも同然だった。公判を控えた人物を拘留するか否かの決断は、その人物がコミュニティにおよぼすリスクに基づいて下されるべきであり、保釈金の支払い能力に左右されてはならない。下院議員のロレーナ・ゴンザレスはつぎのように語った。「何千人もの性犯罪者、レイピスト、殺人者が金を持っているだけで釈放される。［しかし］そんな制度を維持し続けるのがはたして安全だろうか」［16］。この法案の共同提案者であるロバート・ヘルツバーグ上院議員は「個人の資産を高く評価する制度から脱却し、公共の安全を重視する制度へと大きく舵を切る」［17］点を強調した。

法案の熱心な支持者は、公判前拘留の判断に関しては実際のところ裁判官より、アルゴリズムを利用するアプローチのほうが優れていることを裏付ける証拠にも勢いづいた。アルゴリズムを利用すれば、有罪判決を受ける前から拘留される犯罪者の人数が減少しても、公判を待つあいだの犯罪率は下がるという。でも、どうしてそれがわかるのだろう。コーネル大学のコンピュータ科学者ジョン・クラインバーグらは、アルゴリズムによる予測と人間の裁判官の判断の有効性を比較するため、一〇〇万件以上の保釈裁判の事例を詳しく調べた。その結果からは、人間の裁判官が判断を誤る可能性に対する不安には根拠があることがわかった。アルゴリズムの予測を利用して判断すると、公判前に拘留される被告の人数を増やさなくても、公判を待っているあいだの犯罪率は下がった。釈放された被告の犯罪率は二五パーセント低下したのだ。さらに、公判前に釈放された被告の再犯率を維持するための拘留は、四二パーセント減少した［18］。要するに、公判前に拘留されなければ被告の幸福度が増し、それでも社会の安全が脅かされるリスクは拡大しない。人間の意思決定ではなくアルゴリズムの判断に全面的に頼るのは、ウィンウィンの提案だった。クラインバーグらによれば、アルゴリズムが特に高いリスクを確認した被告の多くを、人間の裁判官は釈放する傾向が強い半面、きわめて厳格な裁判官はリスクのレベルにかかわらず被告を拘留する傾向が強い。アメリカでは毎年一二〇〇万人が逮捕されるが、アルゴリズムが導入されれば、それが数十万人減少する可能性が最も高いと推測される。しかも、信じられないほど安上がりな点も魅力だ。優れた事務データと裁判の記録を集め、それに多少の統計分析を加えれば、魔法のような効き目を発揮する！　それに人間の裁判官とは違って疲れないから、真夜中でも早朝でも働き続ける。実際、刑事司法における人間の意思決定を不服とする申し立ては増える一方だ。最近の調査では、外が暑いとき人間の裁判官は、入国審査で申請者を受け入れない可能性が高くなることがわかった[19]。そのうえ、人間による意思決定は道徳的に不適切な事柄に左右されることも一般的な証拠によって裏付けられた。たとえばひいきのサッカーチームが週末に勝利を収めたかどうかは判断に影響する（選挙の場合には、現職が選ばれる可能性に影響する！）。

しかし、理論的に非の打ち所がなさそうなアイデアは、重大な障害にぶつかった。主要な公民権擁護団体の多くが、土壇場でこの法律への支持を撤回したのだ。なぜなら、改革によって差別が減るどころか、増える可能性が懸念されたからだ。たとえばACLU（米国自由人権協会）は、提案された法案は「公判前の正義と人種的平等のモデルではない」[20]と懸念を表明した。一方、地元の支援団体シリコンバレー・デバッグの指導者は、「保釈金制度の終了という我々のスローガンを横取りし、今度はそれを我々に［向けて］、我々の最愛の人たちを脅し、有罪判決を下して拘留する」[21]つもりの議員たちを非難した。さらにあり得ないような同盟も結成される。一部の公民権活動家がカリフォルニア州の三〇〇〇人の保釈金請負業者と手を組み、新しい法律に反対するために団結したのだ。その結果、無謀な保釈スキームに反対するカリフォルニア人（Californians Against the Reckless Bail Scheme）という連合体が結成され、僅か七日間で五七万五〇〇〇人の署名を集め、その提案に基づいて二〇二〇年一一月に住民投票が行なわれることになった。法律の賛成派は保釈金制度の不当性を指摘する一方、反対派はアルゴリズムの人種的偏見の恐ろしさを強調し、激しい非難の応酬が続くなか、住民投票で新しい法律は拒絶された。そのため少なくともカリフォルニア州では保釈金制度が継続され、アルゴリズムによるリスクスコアの実施は凍結されている。

批判派は大事な点に気づいた。アルゴリズムのリスクスコアによって公判前拘留に関する決断を下すほうが、一定の基準によれば優れているかもしれないが、はたしてこちらのほうが公正かという点を巡り、激しい議論が戦わされたのだ。たとえば、フロリダ州ブロワード郡の公判前拘留に関して「プロパブリカ」〔ニューヨーク市マンハッタンに本拠を置く非営利の報道組織〕が行なって大々的に報じられた調査結果〔22〕によれば、このような状況下で使われるアルゴリズムは「著しく信頼性に欠け」、コイントスも同然のケースがほとんどだった。アルゴリズムは、被告が公判前に釈放された場合の再犯の可能性を予測するために使われ、一見すると、黒人と白人の被告をある程度平等に処遇しているようだった。白人の被告は五九パーセント、黒人の被告は六三パーセントが悪事を繰り返すと予測した。これはどちらかと言えば、白人の被告への偏見が強いように感じられる。しかしアルゴリズムの予測をさらに掘り下げて調査してみると、厄介なことに、黒人にきわめて不都合な人種的格差の証拠が明るみに出た。再犯の恐れがなさそうな黒人の被告が将来の犯罪者の烙印《らくいん》を押される割合は、白人の被告のほぼ二倍だったのである（黒人は四三パーセント、白人は二三パーセント）。さらに、再犯の可能性がありそうな白人の被告がローリスクと判断されるケースは、黒人の被告より七〇パーセント高かった。「プロパブリカ」の調査結果をきっかけに学者のあいだでは活発な議論が始まり、「プロパブリカ」は公平性を正しく解釈し、適切な統計的尺度を採用したのかという点が（ノースポイントなどによって）指摘された。あるいは、罪を軽減する他の証拠に比べ、「プロパブリカ」の主張は厳しすぎるという意見もあった。議論は未だに続いているが、それでもアルゴリズムの意思決定に人種的偏見が備わっているという説は定着している。

その後の研究結果はさらに懸念を深めた。ケンタッキー州ではアルゴリズムの意思決定が制度として導入される以前、白人と黒人の被告が保釈金なしで釈放される割合はほぼ同じだった〔23〕。ところがアルゴリズムに基づいた判断を裁判官に義務付ける法律がケンタッキー州議会を通過すると、裁判官が白人の被告を保釈金なしで釈放するケースのほうがずっと多くなったのだ。このような結果を見れば、細部に目を向けないわけにはいかない。アルゴリズムのトレーニングにはどんな種類のデータが使われるのか、モデルはどのように構築されるのか、裁判官は結果をどのように解釈するのかといった点が気になってくる。いまやそれは深刻な悩みの種となり、ウィスコンシン州最高裁はエリック・ルーミスの一件の後、アルゴリズムのリスクスコアに警告ラベルを添付して、一定の「限度を守って警戒する」〔24〕よう裁判官に注意を促している。

カリフォルニア州の保釈金制度改革では、最終段階でも詳細が詰められていなかった。アルゴリズムによる意思決定ツールの開発は、同州を構成する五八郡のそれぞれに任せられた。州最高裁の監督のもとで、どんなデータを使い、どんなモデルを構築し、リスクスコアを司法手続きにどのように導入するか各郡が決定することになった。郡はアルゴリズムを自前で開発してもよいし、アルゴリズムツールを企業から調達してもかまわない。そして新しいアプローチは、あとから詳しい監査が行なわれるので、開始から四年後の二〇二三年までは十分な評価が出ないことになっていた。二〇二〇年の住民投票の結果、カリフォルニア州ではこれらの問題が当面は棚上げになった。それでもアルゴリズムによる意思決定を利用する機会は増え続ける一方なのだから、他の領域でも同様の課題に取り組む必要は出てくるだろう。

実際のところ、私たちの日常生活の多くの側面にアルゴリズムは入り込んでいるが、刑事司法制度でアルゴリズムから判断を下される人はほとんどいない。しかし刑事司法制度でアルゴリズムの評価を受けるのは社会の底辺に属する弱者であり、歴史的不正義や体系的不平等の犠牲者であるケースが多い。数学教授からデータ科学者に転じたキャシー・オニールは、大きな反響を呼んだ著書『あなたを支配し、社会を破壊する、AI・ビッグデータの罠』(二〇一八年、インターシフト)のなかでこの点を強調している[25]。すなわち、アルゴリズムによる意思決定モデルは「社会の貧しい人たちや虐げられた人たちを罰する傾向が強い一方、富裕層をますます裕福にさせている」という。オニールは刑事司法制度のこうした現象以外にも、信用スコアリング、大学入学、雇用決定など、他の多くの領域の現象についても詳しく取り上げている。一方、プリンストン大学教授のルハ・ベンジャミンはこうした力を「新しいジム・クロウ法」[26]という言葉で表現し、アルゴリズムモデルが人種間に存在する階層構造を悪化させている点を強調した。もしも未来においで自動意思決定モデルが採用される機会が増えるとすれば、誰もがそんな未来の素晴らしさを確信できなければならない。アルゴリズムによる意思決定が公約を達成し、しかも社会の公平性が損なわれないためにはどうすればよいのか。

アルゴリズムの説明責任の時代

まずは、正しいツールを確保しなければならない。それには具体的にどんな結果を予測させるのか決めておく必要があり、実際にこれは、アルゴリズムモデルのデザイナーが最初に直面する重要な決断である。アマゾンでは、同社で「成功する」社員の定義に関する決断がベス・ガレッティのチームに任せられた。ただしこの採用試験において、成功を明快に定義するのは難しい。一部の職種では、社員が作成するコンピュータコードの効率や品質が成功の尺度になる。しかしプロダクトマネージャーや上級管理職として採用される人材には、この基準は意味をなさない。あるいは、高い勤務評価を受けて昇進する可能性に注目してもよいが、これは実際の職務遂行能力との関係が希薄で、こちらは面接時の評価との関連性がない。グーグルの元人事担当副社長ラズロ・ボックは、当時の社内調査についてつぎのように回想している。何万人もの応募者の面接結果に目を通し、誰が面接を行なってどんな点数で評価を下したのか確認したうえで、最終的に採用者の職務遂行能力をチェックしたところ、「関係はゼロだった」[27]。

公共部門では、最適な結果についての定義がさらに曖昧になる。ここで刑事司法制度に立ち返ってみよう。アルゴリズムは、個人が公判日に出廷しない可能性を減らすために最適化されるべきだろうか。それとも公判前に罪を犯す可能性を減らすため、あるいは将来の再犯の可能性を最小限にとどめるために最適化されるべきだろうか。これだけはっきり異なる複数のシナリオが最適化の対象になれば、保釈を拒まれる犯罪者のタイプも統一されない。さらに、カリフォルニア州がアルゴリズムの開発をそれぞれの郡に任せれば、郡のあいだで被告の処遇に不平等が生じるのはほぼ確実だ。しかも、裁判所、議員、市民の誰が決断を下すのかについて、指針はほとんど与えられていない。カリフォルニア州の事例からは、優れたツールに欠かせない第一の要素が浮き彫りにされる。すなわちツールからは明確に測定できる結果が生み出され、それが合法的な目的として人々から受け入れられなければならない。

どんな結果を目指すのか決めたら、つぎはモデルの正確さと妥当性を確認する必要がある。ただし現実の世界では、予測の正確さを確認するだけでは十分ではない。現存する最善の代替案と比べ、モデルがどれだけ正確か確認する必要もある。アマゾンの事例ならば、従来の面接プロセスよりもアルゴリズムのほうが、才能の発掘に優れた手腕を発揮するか確認しなければならない。刑事司法制度ならば、保釈中に行方をくらますリスクや、公判前に別の罪を犯すリスクが最も大きい被告を裁判官が特定できることが、必然の結果として求められる。

現実の世界での観察結果に予測が満足できる程度に対応していれば、モデルは妥当だと見なされる。ここで厄介なのは、ある状況で予測の正確さが確認されても、別の状況でそれが通用する保証がないことだ。もしもアマゾンの補充センターで従業員候補者が成功する可能性を予測するモデルを開発するつもりなら、アマゾン本社の社員から集めたデータで訓練されたモデルを使っても意味をなさない。あるいは二〇一九年にアメリカで被告が保釈中に罪を犯す可能性を予測するモデルを開発するなら、スウェーデンから集めたデータは意味をなさないし、同じアメリカでも、カナダと国境を接する州の四五歳以上のアメリカ人という小さな集団から集めたデータは役に立たない。そしてもうひとつ、不完全で質の悪いデータも厄介な存在で、再犯の可能性を予測するうえで深刻な問題になり得る。なぜならいかなる個人に関しても、データが不完全では、実際に罪を犯したのかどうか確認できないからだ。罪を犯した容疑で逮捕され、有罪判決を受けたことしかわからない。そうなると優れたツールは二番目に、正確で根拠が確かでなければならない。

正しいツールを手に入れたら、バイアスのリスクへの注意を怠ってはならない。実際にバイアスの問題は、正確さや妥当性と簡単には切り離して考えられない。予測のバイアスは、データが不完全で質が悪く、代理変数の予測値が信用できず、サンプルが問題を抱えているなど、他の要因が引き起こした結果でもある。たとえばアマゾンの事例では、男性優位の環境で良い成績を残した社員が優先的に昇進した記録が残されていると、モデルが性別に特にこだわらなくても、女性が面接まで進む割合が低くなる可能性がある。同様に刑事司法の文脈ならば、居住地域の特徴、たとえばどんな所得階層が暮らし、友人に逮捕歴はあるかといった要素が人種と密接に関連付けられてしまう。そのため人種とは明確な関わりのないモデルであっても、人種集団ごとに異なる結果が体系的に導き出されてしまう。バイアスに取り組むエンジニアにとっては、バイアスを体系的に測定したうえで緩和するための措置を講じ、公平性に関するどんな概念の最適化を目指すのか明確にすることが唯一の現実的な戦略である。

アルゴリズムの決断に含まれる人間の要素

正しいツールを手に入れるだけでは十分ではない。ツールと人間との関わり合い方にも注目する必要があり、できればカリフォルニアの事例のように、ツールが本格的に採用される前に予め確認するべきだ。人間がアルゴリズムの提言を顧みず、自動化システムを悪用できるようでは、コンピュータ科学者がラボで予測に懸命に取り組んでも素晴らしい成果は達成されないからだ。

ツールの正確さは、現実の世界での効力とかならずしも相関関係を持たない。なぜならほとんどの状況では、意思決定機関は最終段階で未だに人間に頼っているからだ。したがって効力を確認するためには、人間がアルゴリズムの予測とどのように関わり合っているか観察する必要がある。何らかの実験を行なうのはひとつの戦略で、できればランダム化比較試験が望ましい。たとえばいくつかの郡を選び出し、そのうちの半分ではアルゴリズムの予測に基づいて保釈の決断を下し（実験群）、残りの半分は裁判官の決断に委ねられることにする（対照群）。十分な数の郡が対象になれば、個人が出廷する可能性を追跡し、ふたつのグループそれぞれで被告の犯罪率を確認できる。もしも実験群の被告のほうが出廷する割合が高くて犯罪率が低ければ、ツールの効力を裏付ける有力な証拠になる。

そうなると当然ながら、カリフォルニアの議員たちもこのような実験を行なってから、アルゴリズムの意思決定ツールを採用すればよかったと思うかもしれない。実際には、何もせずに前進してしまった。本書の執筆時点でもこうした実験はいくつか進行しているが、まだ完成されたものはない。そのため少なくとも司法制度においては、アルゴリズムによる意思決定は効力を体系的に裏付ける証拠がないまま、採用される機会が飛躍的に増え続けている。アルゴリズムを利用する決断は、ＡＩ言語で脚色された場合は特に、何も知らずに熱狂する人たちからしばしば魔法のように見なされる。しかしこれは希望的観測にすぎない。

ただし実験を行なわなくても、事態が間違った方向に確実に進む可能性のある段階を把握することはできる。それは人間の意思決定者がアルゴリズムの提言を受け取り、何をすべきか決定する局面である。一部の観測筋は、人間は自動意思決定の正確さを素直に受け入れる傾向がある[28]点を懸念しており、これは自動化バイアスとして知られる。しかし現実には、人間はしばしば提言を拒み、一部の集団に体系的に危害を加え、別の集団には加えないような形で決断を下す。ケンタッキー州で、司法の意思決定にアルゴリズムのリスクスコア導入を義務付けたことを思い出してほしい。すると公判前に保釈される割合は、黒人よりも白人の被告のほうが高くなった。ここでは、白人と黒人を平等な割合で保釈するよう提言するアプローチに裁判官は従ったが、アルゴリズムのリスクスコアはリスクレベルの違いを正確に読み取ったからだと考えられる。しかし別の研究結果によれば、裁判官は審査対象となるグループ全員がローリスクだと評価されても、白人よりも黒人の被告への提言を覆す可能性が高い[29]。さらに、こうした影響は白人の人口が多い郡に特に集中している。そこからは、裁判官がシステムを信用しないだけでなく（実際、三分の二のケースでは提言を拒んだ）、自らのバイアスを強化する形で提言に反応したことが推測される。

裁判官が自動意思決定ツールを全面的に受け入れたとしても、実際のところツールは、現実の世界では研究室での予測ほど効果を発揮しない可能性がある。大きな理由は、人間は環境の変化に予測通りに反応するだけでなく、意外な行動をとる可能性があることだろう。たとえば、どの履歴書が選ばれて面接まで進むか自動化アルゴリズムが決定する場合、アルゴリズムの仕組みを理解している人物がシステムを悪用し、将来の応募者に助言する事態は考えられるし、ひょっとしたら料金を請求するかもしれない。アマゾンのスタッフが友人や同僚を採用してもらいたければ、履歴書の自動選考ツールをうまく通過する方法を考え出すかもしれない。個人的なネットワークを通じて気に入った候補を積極的に推薦し、ツールの全体的な有効性を損なうかもしれない。同様に刑事司法制度では、被告が自動意思決定ツールを悪用するため、情報を提供（または隠蔽）しようとするかもしれない。公判前拘留を回避するために雇われた弁護士から、警察にどんな情報を提供し、どんな情報の提供を控えるべきか忠告を受ける可能性もある。

ここでまったく異なる文脈に注目してみよう。米国空軍士官学校は、新入生を対象にアルゴリズムを使ってバディを組む実験［30］に取り組んだ。このような決定をしたのは、機械学習アルゴリズムが過去のデータを分析した結果、成績が悪い学生でも、優秀な試験群の生徒とバディを組ませれば、成績が向上することが明らかになったからだ。ところがその情報が伝えられると、士官候補生は優等生も劣等生もどちらもお互いにバディを組みたがらず、劣等生が取り残された。グループ内での組み合わせの最適化を狙う戦略を採用しても、能力の違いがクローズアップされ、集団の輪が乱れるという事実をアルゴリズムは見落としたようだ。

これらの事例からは、ツールを本格的に導入する前に、きちんと機能するか予め確認しておくことの大切さがわかる。アルゴリズムの意思決定が「危害をおよぼさないことを確認する作業」を原則として採用しなければならない。ただし、アルゴリズムの提言への人間の対応に関する体系的な研究が始まっても、アルゴリズムに夢中な人たちの熱意はまったく衰えない。

アルゴリズムを管理する方法

ここまで、公平性に関してみんなの意見が一致することの大切さを取り上げてきた。では、民間部門にせよ公共部門にせよ、アルゴリズムの意思決定ツールの利用をどのように管理すべきだろうか。現時点では、生活に影響をおよぼす決断が下されるとき、自動化ツールが使われていてもほとんどの人が気づいてさえいないが、これは看過できない問題である。なぜなら理解できない意思決定プロセスに対しては、当然ながら不公平な印象を抱くからだ。どのような形にせよ不公平だと認識されると――公共機関の意思決定の場合には特に――正当性が大きく脅かされる。

いまでは世界中の民主主義国家が、自動意思決定アルゴリズムの利用方法を管理するための措置を導入している。先頭を走るのはカナダ政府で、アルゴリズムの影響に関する評価を全国で採用した。同様の規定は、ヨーロッパの新しい指令にも盛り込まれている。一方アメリカでは数年前、ニューヨーク市議会の人気者の議員が、この問題に正面から取り組む決心をした。ジェイムズ・ヴァッカは議員としての最後の任期を務めているあいだ、公共政策に関する決断の実に多くが不透明なアルゴリズムシステムに基づいて下されている現実に不安を抱いた［31］。たとえば、自分の地元の複数の地区で警察官の人数が十分ではない点を指摘すると、ニューヨーク市警察からはつぎのように言われた。市内全域での人員の配置は、一定の方式に基づいて決められている。あるいは、ある人物の訪問を受け、自分の子供は第六希望の公立学校に割り当てられたと訴えられても、教育部門が採用する不可解な学校割り当てアルゴリズムについて言及するしかなかった。

ヴァッカは、市内でのサービス提供を改善するため、ニューヨークがデータの利用に率先して取り組むことには熱心だった。しかしその一方、サービスの受託者である市民が決断のプロセスを理解できず蚊帳《かや》の外に置かれ、決断が間違っていると思っても抗議する方法がわからないことにひどく心を痛めた。そこで、市の各機関にすべてのアルゴリズムのソースコードの公表を義務付け、市民が自分のデータを提供すれば自己診断テストの結果が手に入る環境を整えるための法案を提出した。二〇一七年の委員会での公聴会で、彼は自分の法案をデジタル時代の民主主義に欠かせない要素として位置付け、つぎのように発言した。「我々の市では、市の機関がアルゴリズムをいつ使っているのか、なぜ採用しているのか、かならずしも明確ではない。しかもアルゴリズムが採用されているとき、どんな前提に基づいているのか、どんなデータが考慮されているのか、明確でないときが多い……政府機関がどんなアルゴリズムを利用しているのか不明瞭なままでは、民主主義のもとでの説明責任という原則が損なわれてしまう」。

こうした内容をアメリカで提案したのはヴァッカが最初だった。やがて法案が委員会で審議されると、成立までの作業は単純ではないことが明らかになった。アルゴリズムの透明性はどのくらいのレベルが適切なのか。ソースコードが簡単に手に入るようになったとき、アルゴリズムが悪用されるリスクを市はどのように防ぐのか。ソースコードのテストや質の評価には、誰が責任を持つのか。こうした問題が浮上した。ところが何と、市長直属のデータ分析室に所属する上級職員は、ヴァッカや同僚議員が特定のアルゴリズムに関して質問をしても答えられなかった。

ニューヨーカーの生活について重大な決断を下すアルゴリズムに関する情報が、選挙で選ばれた議員の手にも入らないのが現実だったのである。

最終的に、ソースコードの開示を義務付けたヴァッカの提案からは厳しい内容が取り除かれ、自動意思決定の利用法について検討する作業部会が設置された。二年後、作業部会は最終勧告を出した。このときは市の調査結果と並行して、地元の非営利団体と人権擁護団体が連携して「影の報告」を発表した。そこでは厳しい対応を市に迫り、アルゴリズムの説明責任に関してニューヨークがリーダーシップをとれば、「現在世界で展開されている政策論争で大きな影響力を発揮できる」[32]と主張した。

どちらの報告でも、アルゴリズムの意思決定を政府が管理するうえで欠かせない三つの重要な要素が指摘された。まずは透明性だ。これは、食品包装に関する情報開示要件に匹敵するものだと考えればよい。生活に直接的な影響をおよぼす決断に自動意思決定システムが使われていると きには、人々はその事実を知らなければならない。ただしアルゴリズムが使われていることを知るだけでは十分ではない。アルゴリズムの予測がどのように使われているのか理解することも必要だ。アルゴリズムの設計や実際の機能、さらには影響力に関する評価を確認するため、政策面でも技術面でも適切な情報にアクセスできる能力が必要とされる。

もちろん、開示の価値を信じきるのは禁物だ。多くのアルゴリズムでは、コードさえ手に入れば特定の決断についてすべてが明らかになるわけではない。さらに、自動化ツールの詳細を監視する役割を公共機関のメンバー、あるいは人権擁護団体や政府系監視機関に全面的に任せるのも現実的ではない。それでもジョン・クラインバーグらが指摘するように、情報が適切に開示されれば、人間の差別的行動と比べた場合、アルゴリズムシステムの差別的傾向は見えやすくなるので、公平性と正義という目標に向けた大きな前進も期待できる［33］。

二番目に重要な要素は監査可能性だ。アルゴリズムは可能な限り、第三者によるテストを受けて検証され、結果は公表されなければならない。ここではバイアスもきちんとチェックされる。監査可能性の実行は、民間部門では非常に難しい。なぜならアルゴリズムそのものが所有物と見なされる可能性があるからだ。差別的効果に関する申し立てがないかぎり、企業の意思決定ツールが監査を受けて結果を公表される義務は生じない。しかし公共機関の場合には、第三者の監督機関に監視の権限や能力や資源を与えるのは当然の決断だ。市民にはチェックを全面的に任せられないが、市の職員も議員も監査にふさわしい立場でないことはニューヨークのケースから明らかだ。ここでは専門知識が必要とされる。アルゴリズムシステムの効率を向上させるためには、専門知識を整理してうまく活用する労を惜しんではならない。

意思決定の管理に必要な最後の要素は、デュープロセス（適正手続き）である。個人も集団も、自動化ツールの決断やそのための手続きにどのように異議を唱えればよいか理解するだけでなく、要請や苦情を出してから応答されるまでの時間が適切か確認できなければならない。これもやはり公的機関にとって特に重要で、裁判所、学校、警察署、福祉事務所、税務署員などが対象になる。しかし、企業も自動化ツールを利用するなら、当然ながら適正手続きのメカニズムを導入すべきだ（たとえばローンの決定や保険率の設定などのケースが考えられる）。このようなメカニズムは、自動意思決定ツールが女性や有色人種のコミュニティなど、特定の人口集団におよぼす不当に大きな影響が問題になるとき、特に重要になってくる。

アルゴリズムシステムを管理するうえで、透明性、監査可能性、適正手続きという三つの原則が必要なことは大筋で合意されているが、細かいところに落とし穴があるのは意外ではない。細部の問題に取り組むのは一般市民ではない。それは議員の役目で、刑事司法制度のように細心の注意を要する新しい領域にシステムが導入されるときは、実際の導入よりもずっと前に取り組むべきだ。ヴァッカの選挙区の住民のほとんどは、彼が何を目指したのか見当がつかなかったかもしれないが、従来の民主主義制度をうまく利用しながら、新しいアルゴリズムの時代に公平性を保つために必要なルールを定着させる方法が、ヴァッカの活動からは明らかになった。

実際、ニューヨーク市議会の他の議員たちは、ヴァッカがやり残した課題への取り組みを積極的に継続している。二〇二〇年にローリー・コンボが提出した法案は、雇用決定に使われる自動化ツールに特に注目した[34]。法案では、自動化ツールを利用する雇用者が求職者にその事実を伝え、選考過程でツールがどのように利用されるか応募者に説明することが義務付けられた。さらに、ツールは毎年バイアスに関する監査を受けることも要求される。いまのところ反応は様々である。幸先の良い第一歩であり、アルゴリズム意思決定ツールについて一般市民が会話で積極的に取り上げるきっかけになると一部では評価されている。一方、監査義務についての詳細が十分でない点を憂慮する声もある。それによれば、このままではツールが厳格な評価を受けないまま「公正なもの」として認可され、そのようなソフトウェアがベンダーによって販売される恐れがあるという。議論は果てしなく、この法案だけで終わる気配はない。

「ブラックボックス」を開ける

アルゴリズムの透明性などそもそも可能なのかと、一部では疑問の声が上がっている。今日構築される「深層学習」モデルの多くには、何百万ものパラメータが含まれる。そのひとつひとつがモデルの意思決定にどう影響しているのか理解することなど、あまりにも複雑すぎて不可能だ。しかしモデルを構築したエンジニアは、解決を目指す問題を理解したうえでアーキテクチャを設計し、それに基づいてモデルを構築する。それを考えれば、モデルのエンコード（符号化）に関する詳しい記述の作成を、エンジニアに要求することは可能だ。それを様々なタイプの感度解析によって増強すればよい。ジェンダー、人種、社会経済的集団ごとにテストを行ない、意思決定プロセスに悪影響はおよんでいないか、一定の方針に沿って平等な扱いを心がけているかどうか確認する。このように監査を行なえば、公平性の概念が様々な領域にまたがっていても、信頼性に関する情報は手に入る。

研究者は、もっとシンプルで人間が理解しやすいモデルを構築するよう提言している。そうなると、モデルを理解しやすくするため、多少の正確さを犠牲にする方針が選択されるが、予測精度と透明性のバランスは改善されるだろう。

そして、人間の意思決定プロセスが不透明なことを忘れてはいけない。人間が決断するとき、頭のなかで何が進行しているのか調べるのは不可能だ。それでも、人間は決断を下す。そうなると目標は、アルゴリズムの意思決定を信頼するための前提条件として、完全な透明性や信頼性を確保することではない。むしろ意思決定プロセスやモデルの結果が生み出す評価を十分に理解したうえで、代わりの選択肢よりも公平で優れた決断が下されているかどうか確信することが大切になる。

もちろん、集団レベルだけで透明性を確保しても十分ではない。もしもアルゴリズムモデルがあなたは保釈を許されるべきでないと判断し、しかもそのモデルが性別や人種に関して全体として「公平だ」と評価されても、あなたは個人として決定に異議を唱える権利を持っている。個人が異議を唱える権利は古くからのもので、特に刑事司法のケースでは、たとえ意思決定がアルゴリズムによるものであっても、権利を認められなければならない。そのためには、アルゴリズムが与えた回答を正当化する責任、あるいは回答に何の利点もない場合に決定を覆す責任を、人間に持たせるのもひとつの方法だ。そうすればモデル制作者は、モデルをできる限り透明で理解しやすく作るように誘導される。さらに自動意思決定ツールの制作者に法的責任を問う機会が与えられれば、モデルの監査を徹底し、さらなる透明性の確保に向けて努力する気持ちが強くなる。公平な意思決定システムを構築する責任は、判断の対象となる個人が負うものではない。むしろ規制を強化して、開発者が少しでも理解しやすいシステムを制作するように仕向けることが必要だ。

いまのあなたは、アルゴリズムの意思決定システムに透明性と監査を要求するなど現実離れした発想だと思いたくなるかもしれない。でもここで、アマゾンの履歴書選考の事例に立ち返ってみよう。この場合、アルゴリズムは何百万人もの応募者の履歴書を選考するために広く採用されたが、その結果はどうだっただろう。世界有数の規模を誇る企業の採用プロセスで、最終的にジェンダーバイアスが定着してしまった。しかも内部監査の結果、モデルには実際のところジェンダーバイアスが含まれていることが判明した。その後は欠陥を理解して修復する努力が続けられたが、結局は修復が不可能だとわかり、アルゴリズムを公開する計画は棚上げにされた。

履歴書選考のモデルは失敗に終わったが、モデルを分析して修正を試みたうえで、最終的に断念するまでのプロセスは失敗ではなかった。実際、アルゴリズムの意思決定システムはこのように扱うべきだ。さらに、アルゴリズムを監査するプロセスは、従来の雇用慣習でジェンダーが抱えてきた問題の根深さを明るみに出すために役立ち、その結果、システムを訓練するためのデータに存在するバイアスにスポットライトが当てられた。本当に恐ろしいのは、モデルが開発されても監査を受けず、何も要求されずにそのまま導入される選択肢である。エンジニアがアルゴリズムの意思決定システムの開発に熱中するあまり、アルゴリズムのバイアスをチェックせず、そのままシステムを導入していないか、多くの状況で改めて考えてみるべきだ。

アルゴリズムの監査や修正は大変な作業であり、それを企業や政府機関の善意に頼り、一般市民から見えない場所で進行する状況を許してはいけない。新しい時代のアルゴリズムは説明責任を求められる。企業や政府機関はその一環として、透明性を念頭に置いて作業に取り組まなければならない。私たちの生活に影響をおよぼす決断の多くが成功するか否かは、その点にかかっている。

第五章　プライバシーに価値はあるか

テイラー・スウィフトがグラミー賞を受賞した歌手であることは、ほとんどの人が知っている。魅力的な音楽性と数え切れないほどの失恋がヒットシングルの売上を押し上げたことも知っている。しかし、彼女がストーカーからの脅威に絶えずさらされていたことはほとんど知られていない。本人の話では「自宅に現れ、母の家に現れ、〔それから〕私を殺してやる、誘拐してやる、いやなら結婚しろと脅迫した」［1］。二〇一八年、ニューヨークでスウィフトが所有する別宅にひとりの男が押し入り、シャワーを浴びてから彼女のベッドで昼寝をした。家宅侵入罪で懲役刑を言い渡された男は、刑期を終えて釈放された直後、保護観察期間中にトライベッカにあるスウィフトの自宅に舞い戻り、窓を破壊して侵入した後、警察に逮捕された。男は合わせて三回、スウィフトの住居への侵入を試みた。

「ISMコネクト」で検索すると登場する会社の業務は、最新の顔認証テクノロジーを利用して「セキュリティを強化すること、そしてブランドのために人口統計データの提供や収集を行なうこと」［2］である。スウィフトは二〇一八年のツアーのあいだ、ストーカーから身を守るため

ＩＳＭコネクトと契約を交わした。ＩＳＭは商標登録されたファンガードというテクノロジーを利用することにして、スウィフトのコンサート会場で「自撮りステーション」に指定されたキオスクの後ろにカメラを設置した。自撮りステーションは、コンサート参加者がスウィフトの思い出の品や舞台裏のビデオ映像と触れ合う場所だ。ファンがコンテンツと触れ合っているあいだ、隠しカメラが顔の画像を撮影する。あるセキュリティ請負業者が『ローリングストーン』誌に語った話によれば、そのあとデータはナッシュビルの中央本部チームに送られ、スウィフトのストーカーとして知られる人物たちのデータベース［3］と照合される。こうして収集したデータを、別の目的に利用するチャンスをＩＳＭは見逃さない。スマートスクリーン（警告画面表示）を使って集めた人口統計に関する情報や指標は、ブランドプロモーターのマーケティング活動のためにも提供されている。

ＩＳＭの業務も、顔の画像の撮影も、まったく合法的である。しかし、この新しいテクノロジーで何が危険にさらされているか考えてほしい。ファンは、顔の正面をカメラに向けるように巧みに誘導され、画像は記録され保存されて、セキュリティとマーケティングを手がける会社に送られる。会社は、「撮影される可能性」を群衆に伝える表示がある点を強調するが、同意を得ているわけではないし、コンサート参加者は自分の画像の使い道をコントロールできない。しかも、テイラー・スウィフトのコンサートにはたくさんの子供やティーンエージャーがやって来て、大人と同じように顔写真を撮影されることも問題である。

ストーカーだとわかっている人物からテイラー・スウィフトを守るという発想は理にかなって

いる。しかし、すでに自前でセキュリティチームを抱えているセレブに限らず、安全は誰でも強化したいと願う。いまでは世界中の都市がコンピュータ接続されたカメラ、空中監視、顔認証テクノロジーなどを織り交ぜて、犯罪者を逮捕する可能性を高め、将来の犯罪行為の防止に努めている。その一例がボルティモア市だ［4］。ここは犯罪率が高く、しかも地元の警察は人種偏見や権力の濫用や腐敗が目に余るため、地元住民グループは空中監視システムの導入に向けてロビー活動を展開した。このテクノロジー導入の背景にあるアイデアはいたってシンプルなものだ。市の上空に飛行機を飛ばし、そこから画像を連続撮影してつなぎ合わせれば、地上での活動が毎秒ごとに確認されるので、警察の活動に革命がもたらされる。もはや警察官は容疑者を割り出してアリバイをチェックしてから、立件して逮捕に踏み切るために、断片的な証拠だけに頼る必要がなくなる。その代わり、画像を使って犯罪の瞬間をピンポイントで確認し、その前後に写っている人間や車両を追跡すればよい。航空画像やライブカメラから集めたデータを利用すれば、現場にいる容疑者を特定して見つけ出すことができる。

もちろん顔認識テクノロジーも、第四章で取り上げたケースと同じようなアルゴリズムのバイアスに影響される可能性がある。アルゴリズム・ジャスティス・リーグの創設者であり、MITの研究者でもあるジョイ・ブォロムウイニ［5］と、ブラック・イン・AI共同創設者であり、倫理とAIの分野で先端を行く研究者のティムニット・ゲブルは、マイクロソフト、IBM、中国のプラットフォームのフェイス・プラス・プラスの顔認証システムには、性別や人種の扱いにかなりの問題が見られると指摘している。ふたりの研究によれば、これらのシステムは女性や肌の色が濃い人たちへの偏見が強く、肌の色が黒い女性への偏見は特に深刻だった。この調査結果を各企業に伝えると、どの集団にも平等なシステムを実現するための対策が講じられたが、それでも若干の偏見は残されたままだ。いまでは法執行機関の取締官が、犯罪行為に関わった人物を特定するため顔認証システムの導入に関心を持っている。したがってシステムにエラーがあると、無実の人が法的に厄介な状況に巻き込まれる恐れがある。しかも、肌の色が濃い人たちへの偏見が強いシステムだと、人種的不平等が助長される可能性もある。

それでも監視テクノロジーには、犯罪防止の他にもいくつかの恩恵がある。二〇二〇年の初めに新型コロナウイルスがいきなり大流行すると、デジタル疾病監視体制の刷新を早急に進めるべきだと、テクノロジストが一斉に声を上げた。従来のマニュアルによるコンタクトトレーシング(接触確認)では、感染者の動きを医療従事者が監視しなければならない。しかしデジタルテクノロジーに頼れば、GPSデバイス、携帯電話の中継塔、ブルートゥースの接続、インターネット検索、商取引などを介して感染者の動きを大がかりに追跡できるのだから、古いやり方にこだわり続ける必要はなくなる。テクノロジーに楽観的な向きは韓国の成功について指摘した。韓国では検査が広範囲で実施されたうえに、市民の動きの追跡にデータ分析による意思決定のアプローチで臨んだ結果、コロナ感染率が急激に低下したのである。コンタクトトレーシングへの現代的なアプローチの実現を目指し、グーグルとアップルは前例のないパートナーシップを組むことを発表した。共同で開発されるコンタクトトレーシング・アプリではブルートゥースの低レベルの信号が使われ、過去二週間のうちにコロナに感染した人物に近づくと、アプリを搭載したモバイル機器が警告する仕組みである。パートナーシップは実現したが、データアクセス、所有権、保護対策などに関する問題が表面化している。

一八世紀イギリスの哲学者であり社会改革主義者だったジェレミー・ベンサムは、望ましい社会統制のツールとして、囚人の一望監視施設すなわち「パノプティコン」を提唱したが、いまやそれは、もはや哲学者の空想の範囲に収まらない。誰でも自分が刻一刻と監視されているとは思わないし、ましてや望まないけれども、自分の生活の全貌が事細かく明らかになり、政府や企業によって絶えずチェックされているのだ。カメラが近くで起動していると教えられても、自分の生活に関するデータの収集に同意しているわけではないし、データがどのように使われるのか十分には理解できないというのに。

監視テクノロジーのケースからは、緊張関係が広範囲におよぶことがわかる。データのプライバシーと個人の安全、国家の安全、研究とイノベーション、利便性など、複数の要素が関わり合っている。この一〇年間というもの私たちのほとんどは、あらゆるアプリやデジタル製品の利用条件を日々承認する世界を受け入れるようになった。しかも、ろくに条件を読まずに受け入れたため、私たちのデジタル活動からつぎつぎ生み出されるデータをテクノロジー企業が無制限に吸収する環境が整った。テクノロジー企業は石油会社と同様、採取産業である。このプロセスがデータマイニングと呼ばれることには理由がある。

しかし正直に言えば、私たち自身もデータの集約と分析によって、驚くほどたくさんのデジタルのツールや製品から情報を提供されていることは認めなければならない。大量のデータは道路交通情報を提供し、速いルートを提案してくれる。キーを何回か叩くだけで、検索した内容について予測してくれる。さらに、私たちがつぎに視聴したいものを、驚くほど正確に選んで勧めてくれる。データを提供する見返りに、私たちは便利なサービスを無料で受けることができる。グーグルの検索は、インターネットにアクセスできれば誰でも利用可能で、しかも料金はかからない。アップルウォッチはあなたの心拍数を記録して、そのデータをかかりつけ医と共有するだけではなく、研究者が人間の健康について学ぶための大量のデータの中にも組み込まれる。

そうなると、ジレンマに直面する。私たちがどこに行くか、誰と会うか、何を読んで何を観るか、誰とコミュニケーションを交わすか、どのくらい眠るかといった情報、あるいは顔認証、指紋、心拍数などのデータポイントは、プライベートなものだと考えられる。ところが同じ情報が他人の手に渡ると、それに基づいて驚くほど多くの可能性が提供される。サービスは個人化されて利便性が高まり、医療のイノベーションによって将来は多くの命が救われ、市民は国内外の脅威から守られる。どれも素晴らしいことばかりだが、実現するためにはプライバシーが著しく侵害される。さらに、データは思いがけない方法でも利用可能だ。クリアビューＡＩという企業はインターネットから何十億もの画像をかき集め、ほとんど誰でもリアルタイムで特定できる顔認識システムを構築した（あなたが含まれている可能性は非常に高い）。同社への投資を予定している億万長者のジョン・カチマティディス［6］はこのアプリを使い、自分の成人した娘とデートしているところをたまたま見かけた男性の身分を特定した。さらにこれは、二〇二一年一月にアメリカ国会議事堂の襲撃に参加した暴徒の身元を確認するため、警察によっても利用された。

今日の私たちが「国家」として考えるものが誕生したときから、政府と市民はデータを巡って常に主導権争いを続けてきた。今日何が新しくなったかといえば、個人データのほぼ無制限な収集を市民が民間企業に許可するようになったことで、新しい政治経済学の分野も創造された。ハーバード大学教授のショシャナ・ズボフは、これを「監視資本主義」［7］という的確な言葉で表現した。対照的に民主的な政府は、個人のプライバシーを守る傾向がずっと強い。それは個人の自由を尊重するからで、自らデータを集めて利用する能力に制約を設ける。テイラー・スウィフトはコンサートを訪れるファンを対象に、顔認証システムを導入してくれと警察に頼まなかった。民間企業に依頼したのは、データの収集や利用について、制約がはるかに少なかったからだろう。

私たちは新しい現実に直面しており、プライバシーに関して慎重に判断しなければならない。私たちにはプライバシーを守られる権利があるのだろうか。いつどこで守られるべきか。どんな条件ならば、安全やイノベーションや利便性を提供される見返りに、プライバシーを積極的に手放してもよいのだろうか。あるいは、政府のためにプライバシーを犠牲にする場合は、考え方を変えるべきだろうか。株主総利回りの最大化を目的とする民間企業と異なり、政府には公益を守る任務がある点を考慮するべきだろうか。

データ収集の無法地帯

アメリカで一九九〇年代半ば、ホワイトハウスがクリッパーチップの導入を発表すると、それをきっかけに、デジタル時代におけるプライバシーの権利を巡る論争は大きく報じられるようになった。当時は、国家の安全を脅かしかねない電話の盗聴に法執行機関が利用する暗号化技術が、効力を失う恐れがあった。そのため政府は、盗聴能力の「消滅」を防ぐ目的で、クリッパーチップというデバイスを開発した。これを家電製品に埋め込めば、暗号化によって通信の秘密が守られる一方、法執行機関には、裁判所命令で個人的な会話を盗聴する「バックドア」〔正規の経路や手段を経ずにシステムへ侵入するために設けられた経路〕が政府から提供される。このクリッパーチップには、直ちにものすごい反応が起きた。個人も業界団体も、市民社会も学界も、密かに開発されたプログラムを一斉に批判した。このプログラムには社会的にも技術的にも安全対策が不十分で、政府や消費者の期待に見合った安全やプライバシーが提供されない可能性が指摘された。賛同者の顔触れはユニークで、アメリカ自由人権協会や、タカ派のトークショーのホストとして著名なラッシュ・リンボーの名前もあった。批判は高まる一方で、クリントン政権はわずか数年でクリッパーチップの導入を撤回した。

九・一一テロ攻撃をきっかけにアメリカ政府は、電気通信の監視を早急に強化する必要があると危機感を募らせた。ただし、法執行機関が強化を求めただけではない。テロリストの攻撃はあらゆるコストを払って食い止めるべきだという思いが、広く共有されるようになったのである。米国愛国者法が制定されると、アメリカのほぼすべての国民を対象に、通話やデジタル通信の記録を関係機関が収集する権限は拡大された。しかも司法当局による認可は必要とされない。ところが、国家安全保障局の請負業者だったエドワード・スノーデンがリークした公文書によってプログラムの実態が明らかになると、プライバシーを過度に侵害する政府への非難が世界中で高まった。問題となったプログラムは中身を詳しく確認され、目に余る方法でのデータ収集を廃止するため多くの改革が採択されたが、すんでしまった過去は取り戻せない。個人のプライバシーを基本的な権利として守ってくれるはずの政府の背信行為に、国民は怒りをおぼえた。

　こうして政府の監視プログラムに一般国民は不安を募らせ、より強い規制を求めたが、対照的に民間企業による情報収集は、ほとんど野放し状態だった。実際、つい最近まで民間企業は、製品やシステムがユーザーから集めて処理する情報に関して、わずかな規制しか受けなかった。グーグルやフェイスブックなどの企業は、ユーザーの交流に関する情報――検索クエリ、プラットフォームを通じて訪れるウェブページ、友だちとのつながり、「いいね！」など――を大量に集め、広告のターゲティング能力の向上に役立てている。グーグル一社だけでも、機械学習アルゴリズムを大々的に採用し、広告のターゲティング能力を飛躍的に向上させた結果、二〇一九年の広告収入は一三〇〇億ドルを上回った［8］。

　対照的に、同じような広告ターゲティング能力を持たない企業は、テクノロジー部門で「落伍者」の烙印を押された。たとえば、インターネット草創期のパイオニアだったヤフーは、グーグル共同創業者のラリー・ペイジとセルゲイ・ブリンがまだ大学院生だったとき、グーグルの検索テクノロジー買収の提案を拒んだが、二〇一九年にはベライゾン〔米国通信大手〕に売却された。その売却価格は四五億ドルで、同じ年にグーグルが生み出した広告収入の九五〇億ドルと比べると、二〇分の一にも満たない。

では、政府による監視は厳しく批判されるのに、民間部門はなぜ大目に見られるのだろう。どちらも大量の個人情報を利用している点は同じなのだから、これは不可解である。政府は私たちの安全を守る責任があるのだから、多少のことは許されてもよいのではないか。特に海外のテロリズムなど外的脅威から、国民を守ってもらわなければならない。ただし、政府による監視の多くは見えない場所で進行する。もしもテロリストの計画が阻止されても、それについて何も聞かされなければどうだろう。計画を阻止するためにあなたのプライバシーが侵害された可能性があったとしても、その事実を知るのは難しい。

一方、民間企業が私たちのデータを集める方法は、はるかに目につきやすい。テクノロジー企業は私たちのコミュニケーションを監視するだけでなく、私たちの交流に関するデータを集め、何が検索され、クリックされ、お気に入りに含められたかに基づいて、私たちが関心を持つ事柄を特定する。そして見返りとして、ほとんどの場合は費用を請求せず、目に見える利益を直接的な形で提供する。そのおかげで私たちはEメールアカウントを取得し、情報にアクセスし、友人と簡単につながり、たくさんの情報を共有し続けるためのアプリを手に入れる。そして、プラットフォームの範囲が拡大するにつれて、インスタントメッセージ、Eメール、画像、動画、ボイスコマンドを通じて共有される個人情報は増えていく。もはや私たちは、情報を受け取ってからメッセージをひとつかふたつ、直ちに送るためだけにプラットフォームを使わない。いまやプラットフォームは、私たちの主要なコミュニケーション手段としての傾向を強めている。家族や友人、さらには赤の他人とのあいだで情報を生み出し、伝達し、消費するためにプラットフォームは使われる。

他人との直接的な交流の多くがテクノロジーによって可能になったことを認識したら、自分たちが積極的に提供する情報はどのように守られているのか考えてほしい。「アメリカの消費者の守護神」としての存在をアピールする連邦取引委員会は、「通知および選択」というドクトリンを掲げている（「通知および同意」と表現されるときもある）。このドクトリンの基本理念のもとで、データを集めた企業はその事実を消費者に通知することを義務付けられる。すなわち潜在的ユーザーに対し、彼らに関するどんな情報が収集され、それがどのように利用され、情報の保存に関してどのような指針で臨んでいるか伝えなければならない。こうした通達は往々にして、製品の複雑な「サービス利用規約」や「プライバシーポリシー」に組み込まれる。それを読んだユーザーが同意するほうを選べば、定められた条件のもとで製品を利用できる。一方、条件を拒めば、大体は製品へのアクセスやアプリのインストールが不可能になる。

もちろん、これはあなたも身に覚えがあるだろう。ウェブサイトのアカウントを申し込むときや、アプリをインストールするとき、難解な説明がずらりと並んだ法律文書を読んだうえで、合意しなければならない場面を経験しているはずだ。これで、あなたは通達されたことになる。そして、実際には難解な説明を読んで全体を解読する手間を省き、喜んで――あるいは仕方なく――「同意」ボタンをクリックすれば、それで選択は完了する。もちろん、あなたは例外ではない。二〇一七年にデロイトがモバイル端末のユーザーを調査した結果によれば、モバイルアプリを利用する消費者の圧倒的多数は、「利用規約や条件を快諾しても、実は中身を読んでいなかった」

［9］。

最初に疑問が浮かぶのは、私たちは見返りに何を手放しているのかという点だ。以下に、二〇二一年春の時点でのフェイスブックのサービス利用規約からの抜粋を紹介する。

具体的には、利用者が、我が社の製品上で知的財産権の対象となるコンテンツをシェア、投稿、またはアップロードするときには、（あなたのプライバシーやアプリの設定と矛盾のない形で）コンテンツの派生著作物を提供、利用、配信、修正、実行、コピー、公表または公開、翻訳、創造するためのライセンスが、非独占的かつ譲渡可能、なおかつ第三者への使用許諾が可能で、しかもロイヤリティフリー〔追加の使用料の発生が免除される〕の状態で、全世界で我々に与えられたものと見なされる［10］。

たとえば、あなたがフェイスブックに写真をアップロードしたら、フェイスブックは第三者に使用許諾を与えることができるので、加工されたり、二次的著作物として使用されたりする可能性がある。つまりあなたが投稿した家族写真は、家庭崩壊に関するニュース記事のストックフォト（写真素材）として利用される可能性がある。もちろんそれは、あなたのプライバシーやアプリ設定と矛盾しないことが条件になるが、オリジナルの利用規約と同様に、ユーザーがその条件設定をきちんと理解していない可能性は高い。ただしここで問題なのは、写真の再利用が実際に行なわれているかどうかではない。アプリの使用を「選択する」ときには、自分が思っているよりもはるかに多くのものを手放している可能性を考えてほしい。通知および選択の枠組みでは、プライバシーに対する責任はすべて消費者が引き受けなければならない。法律用語がずらりと並んだページを解読し、奇妙なプライバシー設定を理解する作業を伴うが、結局のところ内容は、プライバシー保護にとって不利な形でほぼ常にデフォルト設定されている。それでも、情報へのアクセスを失わず、ソーシャルコミュニティから取り残されないためには、厄介な利用規約を受け入れなければならない。

私たち著者が二〇一九年にスタンフォードで主催したパネルディスカッションでは、プライバシーへの懸念を巡る状況の変化がはっきりと表れた。電子フロンティア財団（EFF）で監視に関する訴訟を担当するジェニファー・リンチは、国家安全保障局（NSA）の元副局長リック・レジェット・ジュニアの見解をほぼ全面的に受け入れた。民間企業はデータ収集に対する説明責任が徹底されずお粗末だが、それに比べて政府の説明責任メカニズムはうまく機能している点を賞賛したのだ。クリッパーチップの時代には、政府の規制がプライバシー問題を取り扱う方法に関して、EFFとNSAは見解が異なる可能性のほうがはるかに高かった。ところがふたつの機関のあいだに意見の相違は残されたものの、いまやテクノロジー企業の方針に関する懸念の多くを共有するようになった。このディスカッションにはテクノロジー企業を代表して、フェイスブックのプライバシー部門の副責任者ロブ・シャーマンがパネリストとして参加していた。フェイスブックはユーザーのプライバシー問題をどのように考えているのかと尋ねられると、彼は「ユーザーのプライバシーを最優先する」のが我が社の方針だと発言し、会場の笑いを誘った。

フェイスブックは唯一の事例ではないし、最悪の事例でもない。なかには、ユーザーのプライバシーに関する決断を下すソフトウェアエンジニアやプロダクトマネージャーが、自分たちの決断が広範囲におよぼす影響を理解しないまま、ユーザーの利益にかなうものだと確信しているケースもある。実際には自らの見解に基づいて世界との関わり合いの最適化に取り組んでいるだけで、多様なユーザーベースのプライバシー問題はかならずしも考慮されない。そんな近視眼的な見解は、二〇一〇年にグーグルバズが開始されたときに表面化した。これはソーシャルネットワークとEメールの連動を目指したもので、ユーザーが様々なメディアからの情報を共有する手段になるという触れ込みだった。グーグルバズでは、ユーザーが最も頻繁にEメールを送り、チャットした人物のリストが公開されるように初期設定された。相手がよく知っている人物なら、つながる機会は増えたほうがよいという発想だ。少なくとも製品の構築に携わった関係者にとっては、以前にコンタクトしたことのある人たちのリストが手に入り、それによってつながる機会が増えるのは素晴らしいとしか思えなかった。ところがあるユーザーのリストには、暴力を繰り返した元夫が含まれた。そのため彼は元妻が現在のボーイフレンドに投稿したコメントにアクセスすることが可能で、そこから現在の住居や職場の所在地を突き止めた。彼女はおそらく圧倒的多数の人たちと同様、「同意する」にチェックを入れる「選択をする」前に、利用規約に一通り目を通して理解する手間を惜しんだ可能性が高い。あるいは、自分の情報がどの範囲まで、あるいは誰に提供されるのか、明確に理解していなかったかもしれない。いずれにせよ、現在採用されている通知および選択の枠組みでは、私たちにとって不可欠であり、なおかつオンラインの世界で必要とされるプライバシーの保護が十分に提供されないことは、この事例からも明らかだ。

デジタルのパノプティコン?

ユニバーシティ・カレッジ・オブ・ロンドンのパブリックロビーに足を踏み入れると、非常に風変わりな光景が目に飛び込んでくる。ジェレミー・ベンサムの防腐処置を施した死体が、お気に入りの黒いスーツに身を包んで杖を持ち、椅子に座っている。前面がガラス張りの木の箱に収められ、オート・アイコン(自己標本)と呼ばれる死体は、日々目の前を通り過ぎる何百人もの人たちをじっと見つめているようだ。このようにミイラ化されたのは、一八世紀イギリスを代表する哲学者を悪趣味な形で偲ぶためではない。本人が一八三二年に作成した遺言に記した希望[11]に沿って実行されたものだ。自分の死体をオート・アイコンにするための細かい手順が遺言には書かれているが、それ以外にもうひとつ、彼は生前の意思を明確な形で伝えた。友人や教え子が大学に集まって功利主義について論じるときには、自分の死体をその部屋に持ち出し、あたかも議論に参加しているように配置するよう指示したのだ。哲学者は、死んだあとも変人のようだ。

ベンサムは功利主義の提唱者として広く知られる。功利主義とは、最大多数の最大の幸福の実現を目指す哲学で、その本質は、倫理を道徳的な数学の体系と見なすことだった。さらにベンサムは、功利主義の抽象的な記述に熱心に取り組むだけでなく、社会改革主義者としても重要な人物だった。功利主義のアイデアを効果的に利用して、多種多様な政策に進歩的な変化をもたらす必要性を訴えた。当時の政策論争にも積極的に参加して、未来の世代に貴重な遺産を伝えた。その結果、彼が提唱した道徳的枠組みは二〇世紀の経済学者や二一世紀のエンジニアに採用された。過激な内容を含む一連の政策提言は、社会に大きな恩恵をもたらすことを目指した。

おそらく数ある提言のなかで最も有名なのは、パノプティコンというアイデア[12]だろう。パノプティコンとは刑務所の建築設計の様式で、中央に監視塔を設け、その周囲に独房が円状に配置される。監視塔は、中央から外側の独房に光が射すので、看守はすべての独房のなかを監視できる。なぜこれがパノプティコンと呼ばれるのか。これはベンサムによる造語で、全（パン）展望（オプティック）メカニズムのパンとオプティックをつなぎ合わせたものだ。この斬新な建造物においては、看守は収容者に気づかれることなく監視することが可能である。

刑務所は危険で汚い場所だった。ベンサムは、刑務所をパノプティコンとして建設する提案が認められれば、環境改善に向けて大きく前進し、従来よりも清潔かつ安全で、効率の良い収監システムが出来上がると考えた。監視が簡単になるので、看守の人数を減らしても安全性は高まる。ひいてはコストが下がり、良い結果が生み出されるはずだ。ただし、安全性の改善という名目で、収容者全員のプライバシーが犠牲にされる。ベンサムは「パノプティコン」というタイトルの短い論文でこのアイデアを世間に紹介したが、その序文のなかで、巧妙に設計された「インスペクションハウス」から得られる社会的恩恵を目録にして紹介している[13]。それによれば、モラルが向上し、健康が維持され、収容者は勤勉になり、公的負担が緩和されることが期待された。

パノプティコンが大きな力を発揮することをベンサムは疑わなかった。実際、一方向からの監視という新しい形態は、収容者の心理を統制する手段として革命的だった。彼は「精神が精神を支配する能力を獲得するための新しい様式であり、かつてないほど大きな力が手に入る。同様に、誰でもこれを虐待行為への対策として採用すれば、かつてないほど大きな効果が発揮される」[14]と説明している。監視が改善されれば、収容者を統制しやすくなり、看守のリスクは少なくなる。「いかなる場合でも、監視される人物が監視する人物の目にさらされる時間が増えるほど、制度の目的は完璧に達成される」という。

二〇世紀、刑務所の改革者はベンサムの提案を採用し、パノプティコンの設計に基づいた刑務所が数多く建設された。そんな放射状のパノプティコン型刑務所のひとつで、最後に建設されたのがイリノイ州ステートビル刑務所のFハウス[15]で、つい最近、二〇一六年に閉鎖された（二〇二〇年には、コロナ感染者の隔離施設として一時的に再開される）。それでもこのコンセプトは、他の刑務所の設計に未だにインスピレーションを与えている。アメリカ国内ではロサンゼルスのツインタワー刑務所、国外ではフランス、オランダ、キューバでパノプティコンの影響を受けた刑務所が建設された。

しかし今日では、パノプティコンというアイデアからは、進歩的な刑務所の改革ではなく、ディストピア的な社会統制や監視国家が連想される。フランスの哲学者ミシェル・フーコー[16]は一九七〇年代、見張りが日常化した現代の監視技術の発達について説明するため、ベンサムのアイデアを引き合いに出した。いまでは、雇用者や警察や国境警備員が絶えず目を光らせており、市民は自分の身分や活動や所持品を登録しなければならない。車や運転免許証を登録し、学校、裁判所、公園に立ち入る許可や、抗議運動を行なう許可を得る必要があり、しかも申請する機関はひとつではない。そして矛盾するようだが、監視は強化されるほど見えない場所で密かに進行する傾向を強める。フーコーによると現在の監視体制には、社会統制がかつてないほど強化されたパノプティコンが遍在している。常に監視されている状態に私たちは慣れてしまい、権力におとなしく従う。実際のところ、監視は常に行なわれているわけではないが、永続的な効果を発揮する。なぜなら市民は常に監視される可能性があり、いままさに監視されている可能性があると信じて疑わず、その確信を内面化するからだ。そして最終的に、プライバシーが侵害されて私たちの自由は制約されてしまう。

そうなると、つぎのような疑問が確実に思い浮かぶ。現代のテクノロジーの進歩を考えれば、今日の私たちはデジタル版パノプティコンに収容され、プライバシーをほぼ完全に侵害されているのだろうか。デジタル技術が登場する以前と比べ、いまでは何百万倍も観察される機会が増えて、ベンサムの時代には不可能だったことが想像を絶するほどたくさん実現されるようになった。現代の基準では、刑務所のパノプティコンは良い意味で古風な趣がある。

すでに見てきたように、テクノロジー企業による行き過ぎたデータ収集は、かつての悲観的な社会評論家の想像をはるかに上回る勢いで進行している。クリック、「いいね！」、ウェブ検索などが行なわれるたびに情報が自動的に収集されるのはよく知られるが、これらは氷山の一角で、他にも私たちの行動はデジタルによる監視を受けている。音声認識サービス（「アレクサ」や「ヘイ、シリ！」）は、私たちが話す情報を収集する。顔認証システム（あなたや友人や家族がタグ付けされたすべてのデジタルフォトサービス）は、顔や生体認証によって収集される情報（網膜、親指の指紋、歩き方）を分析するので、空港のセキュリティを速やかに通過することも、デジタルデバイスにアクセスすることも可能になる。そしてスマートフォンに搭載された位置追跡を使えば、運転中、あるいはウーバーやリフトを呼び出すときのナビとして役に立つ。あるいはデジタルカードを読み取り機に通せば、職場や自宅に入ったことが追跡されるし、他にもモニター付き呼び鈴、デジタルサーモスタット、フィットネストラッカー（活動量計）などが利用される。こうしたテクノロジーの素晴らしい成果のほとんどは、この一〇年間で広く普及したが、いずれも演算能力、機械学習、データの入手可能性の大きな進歩がきっかけだった。どれも自己強化型循環だが、それが好循環になるか悪循環になるかはあなたの視点に左右される。収集されるデータの量が増えれば、アルゴリズムが正確な予測を行なう能力はさらに向上し、するとそれが新しいアルゴリズムモデルやデジタルツールの開発へとつながり、それが様々な領域で様々な目的のために使われ、さらに多くのデータが収集されるようになる。

この状況をどこよりも巧みに応用したのが、ユニバーシティ・カレッジ・オブ・ロンドンの学生が最近企画した巧妙で愉快なプロジェクトだ。学生たちは現代のテクノロジーが搭載されたウェブカメラを二か所に設置した［17］。ひとつはパブリックロビーでベンサムのオート・アイコンのほうに向けて設置され、もうひとつは、箱に収められたミイラを見ようと通りかかる人たちに向けて設置された。この「パノプティキャム」は、ベンサムのミイラを眺める人たちと、それを眺めるベンサムのふたつの視点から成る世界の様子を、あらゆる人にライブストリーミングし続けた。これなら、ベンサムが通りかかる人たちを眺めている様子を、どこからでも観察することができる。自宅でくつろいで観察することも可能だ。

デジタル版パノプティコンについて考えると、あらゆるものが観察対象になる世界で何が失われるか驚くほど鮮明に理解できるようになる。私たちのプライバシーが失われ、それと共に自由が制限され、親密な交流を楽しむ可能性が低くなり、他人の干渉をコントロールする能力が衰える。ベンサムが明確に理解していたように、監視とは社会統制の手段であり、他人が私たちに対して力を行使する機会を提供するものだ。

なかには、プライバシーの喪失がなぜ悪いのか、理由がはっきりしているときもある。他人に寝室を覗き込まれたくないのと同様、寝室での会話をアレクサに聴かれたくない理由にも納得できる。自分の病歴を医療従事者が他人と共有するのは許せないのだから、フィットネストラッカーが健康に関するデータを他人と共有するのも許せないではないか?

一方、プライバシーの喪失がなぜ気になるのか、理由がはっきりしないときもある。そもそもプライバシーは大騒ぎする問題なのか、不思議に思うかもしれない。後ろめたいところがなければ、他人に何かを隠す必要はないはずだ。あるいは、プライバシーは家のなかのもので、公の場にプライバシーは存在しないという考え方もある。

しかし、不正な行動や他人に知られたくない事柄を隠すためだけに、プライバシーは尊重されるわけではない。たとえば自分の病歴を公にしたくないのは、雇用主や医療保険会社や製薬会社に既往歴を知られたら、悪影響がおよぶと考えるからだ。

プライバシーが尊重されるべき範囲は広く、寝室や住居など身近な場所に限定されない。公の場でもプライバシーは重要だ。一例として、学生のひとりから聞かされた話を紹介しよう。その女子学生の母親は学校教師としての功績を認められて賞を受賞し、他の教師と一緒にホワイトハウスでの授賞式に招待された。ところがホワイトハウスのゲートで証明書を提示すると、入館を拒否された。そこで理由を尋ねると、トランプ大統領への抗議行動の参加者のデータベースに彼女の顔写真が交じっており、抗議行動の参加者は歓迎されないと説明を受けた。

母親は何も悪いことをしていないし、何も隠すことはなかった。公の場で合法的に行動しているあいだに顔写真を撮られ、それが政府のデータベースに入力されたのだ。このストーリーからは、様々な場所が様々な形で監視されると、抗議する自由や表現の自由など、民主主義社会に欠かせない自由が失われる可能性があることを理解しやすい。二〇一九年に香港で抗議運動への参加者が、マスクをしていたのも偶然ではない。それはまだ流行していなかった新型コロナウイルスから身を守るためではない。あちこちに設置された監視カメラから顔を隠すことが目的だった。顔が撮影されると中国政府によって活動を記録され、国家の敵として登録される可能性があった。

基本的に、プライバシーは自分自身や自分に関する情報をコントロールするために欠かせない。合衆国憲法にはプライバシーに関する明確な記述がないが、複数の州の憲法、さらに最近では国際人権文書の多くで取り上げられている。それは決して偶然ではない。監視技術を通じた社会統制が強くなった結果、プライバシーの価値が脚光を浴びたのだ。私たちはプライバシーの重要性を認めているが、プライバシーを犠牲にすることを厭わないときもある。それは安全（ティラー・スウィフトを思い出してほしい）、利便性（あなたのスマートフォンの無料アプリについて考えてほしい）、イノベーション（個別化医療について考えてほしい）など、他の恩恵を手に入れるためだ。しかしそれでも、プライバシーに価値がないわけではない。ところがデジタル版パノプティコンの時代には、プライバシーがどの時代よりも軽んじられている。

こうした見解の持ち主は、二〇年以上前にも存在していた。サン・マイクロシステムズのCEOスコット・マクネリーは一九九五年、記者にこう語った。「結局プライバシーなど存在しないのだから、あきらめるしかない」。この発言は長いあいだ注目され、マクネリーにはテクノロジーの世界で真実を語る預言者、もしくは漫画の悪役のような評価がついて回った。しかし、彼の実際の見解は微妙に異なり、それに気づく人はほとんどいなかった。実は、消費者のプライバシーは過大評価されており、無きに等しいと確信していたのだ。二〇一五年に彼はこう語った。「グーグルやAT&Tが私についての情報を集めようとしてもかまわない。いつでも別のプロバイダーに取り替えればよい。ウーバーが私のデータを勝手に利用するなら、リフトに乗り換える」[18]。ただしプライバシーという価値は、民主政治に不可欠な要素だ。そして国家があなたのプライバシーを侵害しても、簡単に別の政府に乗り換えることはできないとマクネリーは指摘して、こう補足した。「私の個人的な生活や投票の傾向についてNSAやIRSが理解する可能性を考えると、死ぬほど恐ろしくなる」。

ほかならぬワールドワイドウェブの創始者、すなわちティム・バーナーズ＝リーも、マクネリーの見解を繰り返している。しかし彼の場合、監視テクノロジーの構築を目指す政府に積極的に協力した企業にも、責任の一端があると考えている。そして、ウェブが自分の当初のビジョンから大きくかけ離れてしまった現状を嘆いた。ウェブの立ち上げから二八年目を迎えた二〇一七年、エドワード・スノーデンが内部情報を暴露した後、インターネットへの公開状にバーナーズ＝リーはつぎのように書き記した［19］。

企業と協力しながら、あるいは企業を脅しながら、政府はネット上での我々のあらゆる動きへの監視を強めるばかりか、我々のプライバシーの権利を踏みにじるような行き過ぎた法律を成立させている。抑圧的な政権の場合は、危害が引き起こされる可能性を理解しやすい……しかし、市民の最善の利益に政府が配慮していると思える国でも、あらゆる国民が常に監視される傾向はエスカレートしている。それは言論の自由に委縮効果をもたらし、ウェブは重要なトピック、たとえばデリケートな健康問題や性的指向や宗教について、探求するスペースとして活用される機会を奪われている。

もしもデジタル時代が私たちに提供するテクノロジーが、デジタル版パノプティコンを支えるために活用されているなら、プライバシーの価値が完全に犠牲にされたと信じてもおかしくない。では、そこから抜け出す方法はあるのだろうか。

パノプティコンからデジタル・ブラックアウトへ

二〇〇九年、スタンフォードの卒業生のブライアン・アクトンと友人のジャン・コウムはワッツアップを開発し、いまでは世界中で最も人気のあるメッセンジャーアプリになった。ワッツアップの中心的な信条のひとつが、ユーザーのプライバシーの保護だ。そのために、アプリを介して送られたすべてのメッセージは暗号化される。根本的に暗号化とは、メッセージの受信者に指定された人物を除き、誰もメッセージを読めないようにするためのプロセスである。その起源は古代ローマの独裁者ユリウス・カエサルにまで遡り、彼は私信の伝達に単純な形の暗号化を利用した。それ以後、クリプトグラファー――暗号化など、情報を保護する手段の研究者――は、数学やテクノロジーの分野で大きな進歩を実現し、コミュニケーションのプライバシー保護に貢献した。実際、一九九〇年代の一時期、アメリカ政府は特に強力な暗号化技術を軍需物資に分類した。一部の数学は武器と見なされ、海外への輸出を禁じられた。

従来の暗号化プロセスでは、メッセージを送る人物が暗号化「キー」を使ってメッセージ（クリアテキスト〈平文〉）を操作して、解読キーを持っていなければ読めない形に変換する（暗号文と呼ばれる）。解読キーの持ち主だけが、それを使って暗号文を読み取り可能な平文に復号できる。カエサルの時代には、カエサルの名前を冠した「カエサル暗号」が、メッセージの暗号化に使われた。これは、メッセージのなかのアルファベットを（aからzまですべて）三つ後ろにシフトさせて暗号化を行なうシンプルなものだ。逆に解読するときは、暗号文のアルファベットを三つ前にシフトさせれば、平文が復号される。今日では小学生が、友だちに「秘密の」メッセージを伝える手段としてこのような形を利用している。しかしデジタルコミュニケーションの世界では、もっと強力で安全な技術をテクノロジストが開発し、複雑な数学に基づいた暗号化を進めている。この技術はコンピューティングの分野にとって非常に重要なもので、最近では多くのクリプトグラファーが暗号化テクノロジーの進化への貢献を認められ、A・M・チューリング賞を受賞している。

ワッツアップは、エンドツーエンド暗号化として知られるシステムを利用してメッセージを送る。この場合、メッセージの中身は送信者のデバイスで暗号化され、受信者のデバイスに送り届けられてはじめて解読される。その結果、送信者と受信者以外は、誰もメッセージを読むことができない。ワッツアップも、インターネットのサービスプロバイダーも、さらには通信ネットワークの盗聴を試みる誰もが、読み取りは不可能である。なぜならメッセージは、暗号化された状態でインターネットやワッツアップのサーバーを通過するからだ。ワッツアップは、メッセージの解読に必要な解読キーについても何も知らない。メッセージはユーザーのデバイスだけで解読され保存される。したがって、法執行機関がワッツアップに対し、システムを行き交うメッセージの解読を依頼しても、アクセスすることはできない。なぜなら、そのように方針が決定されているからではなく、技術的な障壁が設けられているからだ。

二〇一四年、フェイスブックは前代未聞の一九〇億ドルという大金でワッツアップを買収した[20]。この買収はフェイスブックにとって、オンライン・メッセンジャー・プラットフォームとしての支配的な地位を盤石にする狙いがあった。当時、ワッツアップの月々のアクティブユーザーは四億五〇〇〇万人で、その多くはアメリカ国外の居住者だったが、それがごっそりフェイスブックの傘下に入った。しかし数年もすると、アクトンもコウムもフェイスブックを離れた。ユーザーのプライバシーが侵害される可能性があり、しかもワッツアップのユーザーベースをフェイスブックが監視する方法に不安を募らせたのだ。やがて二〇一九年、選挙コンサルティング会社ケンブリッジ・アナリティカのスキャンダルでプライバシーの侵害を疑われ、対応に苦慮していたマーク・ザッカーバーグは、フェイスブックのすべてのメッセージサービスにエンドツーエンドによる暗号化を採用する意向を発表した〔21〕。対象にはフェイスブックメッセンジャーとインスタグラムダイレクトメッセージも含まれた。

もしもあなたがプライバシーに不安を抱いていたら、一連の動きからは好印象を受けるだろう。ただしFBIの責任者は例外だ。アメリカの大都市への攻撃を計画しているテロリストのシンパを追跡する作業に支障が生じる。あるいはインドで選挙に先立ち、イスラム教徒への暴力行為を計画する悪質な政治集団が暗号化通信技術を利用していても、人権運動家は不穏な動きを発見できない。実際、これがいかに難しい課題か世間に知らしめる出来事も起きた。合衆国議会議事堂が包囲され、トランプ大統領のツイッターアカウントが完全凍結されると、エンドツーエンド暗号化アプリのダウンロード数は爆発的に増えた。こうして暴動の首謀者が小規模ながら完全にプライベートなメッセージプラットフォームに移ってしまうと、国内のテロリストの活動を追跡して妨害するタスクはさらに難しくなった。では、プライバシーの価値と、それ以外の重要な恩恵のバランスをどのようにとればよいのか。これまでテクノロジストは、通信の安全を確保するための暗号化ツールを提供してきた。ならば他のテクノロジーを提供し、プライバシーへの関心と安心・安全のニーズのバランスをとることもできるはずだ。

テクノロジーだけでは私たちを救えない

ベンサムのいたって透明な世界と、ワッツアップのいたって不明瞭な世界のあいだのどこかで、テクノロジーの問題が何らかの形で解決される可能性は想像できる。実現すれば一定レベルのプライバシーを維持しつつ、個人にも社会にも有益な状況を生み出すためにデータを有効利用することが可能だ。たとえば生物医学の研究では、上質な医療とデータへのアクセスの難しさが大きな障害のひとつになっている。それには、一九九六年に施行された医療保険の相互運用性と説明責任に関する法律（ＨＩＰＰＡ）が影響している。ここで採用された保護手段のもとで、患者を個人的に特定できる医療情報は守られている。たしかに、現在の健康状態や病歴についての情報を広く知られたくない気持ちは理解できる。慢性疾患、服用している薬、遺伝子配列の構成についてては知られたくない。しかし、研究者にとってこれらの情報は役に立つ。プールしておいて分析すれば、患者の治療の有効性、生活習慣の選択が健康におよぼす影響、さらには個別化医療の設計についても優れた決断ができる。あなたの医療情報がもっと広範囲で手に入れば、世界にはとてつもなく大きな恩恵がもたらされる可能性があり、ひいてはあなた個人にも良い影響がおよぶ。

では、競合するふたつの目標のあいだをどのように進めばよいのだろう。よく取り上げられるアプローチのひとつが匿名化だ。ここでは基本的に、個人を特定できる情報が取り除かれる。名前、社会保障番号、住所などの情報が、データが他人と共有される前に削除される。この理論によれば、公開されるデータは匿名の個人のものだけなので、データに基づいて人物を特定することはできない。それでも研究者はデータを利用して、様々な治療法とそれが患者の健康におよぼす影響を関連付けられる。たとえば新型コロナウイルス感染症の重症患者に対する既存薬や新薬の有効性も判断できる。しかも、データが誰のものかは明らかにされない。

匿名化は抽象的なアイデアとしては魅力的だが、効果的に実践するのはずっと難しい。それは、ハーバード大学教授のラターニャ・スウィニーがMITの大学院生だったときの経験からも明らかだ。ジョージタウン大学法学教授のポール・オームは、この一件についてつぎのように説明した。「マサチューセッツ州では、グループ保険委員会（GIC）という政府機関が、州職員の健康保険を購入していた。一九九〇年代半ばのある時点でGICは、すべての州職員の通院歴をまとめた［一三万五〇〇〇人分の］記録を、必要とあればどの研究者にも無料で公表することを決断した[22]。名前、住所、社会保障番号など『身分を明らかに特定できる』要素が含まれる部分を取り除けば、患者のプライバシーは守られるとGICは考えた。実際、当時マサチューセッツ州知事だったウィリアム・ウェルドは、このような匿名化はプライバシーの保護に役立つと語った。

スウィーニーの考え方は違った。彼女は、ウェルド知事がMITの所在地であるケンブリッジに住んでいることを知っており、同市のすべての登録有権者のリストを購入することにした。これは誰にでも手に入り、料金は二〇ドルもかからない。このリストには、名前と住所だけでなく、誕生日と性別も含まれ、この三つの属性があればＧＩＣの記録との照合が可能だった。実際、ウェルド知事と誕生日が同じ住民は六人だけで、そのうちの三人が男性だった。しかもそのなかのひとりは、ウェルド知事と郵便番号が同じだった。情報が匿名化されても、誕生日、性別、郵便番号を手がかりにしてＧＩＣのデータと照合すれば、このユニークな方法でウェルド知事の病歴を確認できたのである。そこでスウィーニーは主張の正しさを訴えるため、ウェルド知事の病歴が記された書類を執務室にメールした。

こうしたデータの再特定化（すなわち匿名性解除）のプロセスが稀な状況でしか発生しないと思われないように、スウィーニーはさらに調査を続けた。その結果、郵便番号、誕生日、性別の三つの属性さえあれば、アメリカ人全体の八七パーセントは身元をはっきり確認できることがわかった［23］。実際、彼女がハーバード大学で設立したデータプライバシーラボが公開しているウェブサイトを訪れれば、自分が三つの属性によって身元を確認されるかどうか自己チェックできる［24］。個人のプライバシーを守るために、匿名化は危ない手段だったのである。

もっと最近では差分プライバシーという有望なテクノロジーによって、個人のプライバシーの保護が理論的に保証されると同時に、データの統計的解析が可能になった。これは二〇〇六年にハーバード大学教授のシンシア・ドワークが最初に提案したもの［25］で、ふたつのデータをそろえたうえで、ある特定の個人のデータを一方のデータだけに含めても、統計情報の収集のための質問から得られた回答は、どちらのデータセットもほぼ同じで、見分けがつかないことを前提としている。要するに、特定の個人の記録がデータに含まれるか否かにかかわらず、データから得られる結果はほとんど同じなので、余計なデータを含めた結果は統計情報に反映されない。差分プライバシーでは、基礎データに直接アクセスするわけではない。データを利用したい人物（たとえば医学研究者）は統計収集を行なっても、特定の個人の情報にはアクセスできない。

差分プライバシーを機能させるためには、データセットから収集する統計に「ノイズ」と呼ばれる小さなエラーを注入する方法がある。ピンとこなければ、調査設計で標準的に使われるランダム回答法という技法について考えてほしい。これは差分プライバシーの具体例として考えられる。たとえば個人を対象に、脱税の経験があるかなどデリケートな質問をするとしよう。当然ながら、ほとんどの人は反響を恐れ、こうした質問に答えたくない。しかし回答に何らかの「ノイズ」を導入すれば、もっともらしい言い逃れができる。すなわち、イエス（またはノー）という回答はランダムノイズのせいであって、真実とは異なると主張できる。たとえば、つぎのような形で機能する。質問をしたあとに回答を受け取る前に、回答者にコイントスをしてもらう。もしも表が出たら、真実を話さなければならない。もしも裏が出たら、もう一度コイントスを行ない、それで表が出たら「イエス」、裏が出たら「ノー」と答える。質問者には、コイントスの結果も、行なわれた回数もわからない。これなら「イエス」と回答しても、それが真実とは限らない。そのうえで、名前は確認せず、「イエス」と「ノー」の数を数えるだけだと回答者に伝えれば、この設定にはある程度の信頼性が加わる。

こうした情報収集は大勢の人たちを対象にしても可能だ。データにランダムノイズを混入したうえで、「イエス」と「ノー」の総数に基づいて結果を割り出すシンプルな統計技術を応用し、実際に脱税した人の割合の近似値を求めることができる。

　現代の差分プライバシーは、ランダム回答法よりも洗練された技術が使われるケースが多いが、基本原則は同じだ。データから個人が特定される可能性を防ぐ一方、様々な分析や応用のために全体像を示す情報を入手できる環境を整え、うまくバランスをとることを目指す。たとえば、脱税しているかどうか直接本人に尋ねるような形はとらない。様々な医療手当がどれだけ普及して、個人を対象にどれだけの成果を達成しているか医療従事者に尋ねる。これなら医学的分析を行なっても、病歴に関するプライバシーが侵害される可能性は少ない。患者としては、個人の病歴を知られたくないが、差分プライバシーを使って個人情報が他のデータと一緒に集計され、病気の効果的な治療法発見のために医学研究者がそれを役立てるのはかまわない。

　テクノロジーの世界では、アップルとグーグルがこのテクノロジーを製品に利用している。たとえば、アイフォンのユーザー・アクティビティに関する情報（入力された語、訪れたウェブサイト）は、一定量のノイズを混ぜた状態でアップルに返送されるので、個人認証は不可能である。アップルはこうして集めたデータを使い、入力サジェスチョンを改善できるし、どのウェブサイトがブラウザのクラッシュを引き起こす可能性が高いか判断することもできるが、単語を入力した人物やウェブサイトを訪れた人物は特定されない。同様にグーグルは、クリックした人物を特定しなくても、様々な広告がクリックされた可能性を判断できる。

　個人のデータのプライバシーを守ると同時に、データの収集や分析を通じてイノベーションの恩恵を享受するのは難しい挑戦だが、差分プライバシーというテクノロジーからは素晴らしい解決策が提供されるように感じられる。ただし、差分プライバシーも欠点がないわけではない。たとえば回答の傾向を分析するため、情報の提供をシステムに繰り返し要求すると問題発生の原因になる。脱税しているかどうか質問する事例を思い出してほしい。ランダム回答法のスキームを一度だけ使って質問しても、大量の情報を拾い集めることはできない。同じ人物に何度も質問すれば、長期的な傾向が「イエス」と「ノー」のどちらに偏っているか確認できるので、相手の本心を確実に判断できるようになる。ただし、差分プライバシーを採用するシステムに質問を繰り返すと、予想以上にたくさんの情報が明らかになり、個人データが難読化されたプライベートな情報という概念が当てはまらなくなる。再特定化に関するスウィーニーの研究からも明らかなように、複数のソースから集めたデータを結びつけると、たとえ差分プライバシーなどの技術を利用しても、予想外に多くの個人情報が引き出される恐れがある。

技術的な解決策がある程度までプライバシーを保護してくれるのは事実だが、残念ながらそれだけでは、あらゆる状況でプライバシーの問題がきれいに解決されるわけではない。しかも、テクノロジーが存在すれば、それがユーザーにとって最高の形で利用されるという保証はない。テクノロジーの役割については、個人的好みや政府の規制も含めた広い文脈を踏まえて考える必要がある。

私たちは市場も当てにできない

プライバシーと安全、あるいはプライバシーとイノベーションのトレードオフを解決する最善の方法はおそらく、プライバシー保護のレベルが異なる複数の市場をつくることだろう。なぜならプライバシーの価値には個人差があるからで、その点に注目すれば、競争市場のなかで民間企業が開発する製品や選択肢は、プライバシー保護対策のレベルが異なるのが当然だと考えられる。このアイデアはもちろん、個人は個人情報を統制する権利を有するという、プライバシーに関する考え方とも矛盾がない。さらに少なくとも理論上は、通知および選択の原則を取り入れているので、個人データの収集を認めるかどうか、個人がケースバイケースで決断できる。もちろん、通知および選択の原則にも課題はある。たとえば個人がいったん許可を与えると、ほぼすべての個人データの収集、利用、開示が容認されてしまう。

市場がプライバシーと他の価値とのバランスを賢明にとるためには、三つのことが必要になる。まず、市場は様々な同等品を提供する際、プライバシーの設定に関して複数の選択肢を準備しなければならない。つぎに、プライバシーに関する様々な方針の費用と便益に関して、個人は情報に基づいて合理的な選択を行なわなければならない。そして、プライバシーをどの程度まで保護または享受したいか考慮して一連の決断をバランスよく下したら、それに基づき、個人的な目標だけでなく社会的な目標も達成されなければならない。ここまで要求されると、理論上は説得力のあった原則の実践が難しくなる。

ここで、競争市場というアイデアから考えてみよう。最近の顕著な例は、プライバシーに深く関わった大手テクノロジー企業のアップルだろう。実際、CEOのティム・クックは、プライバシーを守るための戦いを経営者としての最大の目標に位置付け、テクノロジー業界の他の巨大企業と一線を画した。アップルが採用した「プライバシー・バイ・デザイン」というアプローチにおいては、個人データの保護があらゆる場合に優先される。したがって個人データの収集は、人々が必要とするものを提供するために欠かせない場合に限られる（「データの最小化」）。そして、アルゴリズムは特定のデバイス上のデータ構造でしか通用しないので、他の人は個人情報を見ることができない（「オンデバイス・インテリジェンス」）。さらに、情報は利用状況に基づき提供されるので、顧客はいつでも脱退することができる（「透明性と制御」）。しかも各デバイスの情報は暗号化されるので、保護対策は万全である（「データのセキュリティ」）。それから、データをアップルのサーバーに移動する必要が生じたときは、個人を識別できる要素は見えないように隠される（「アイデンティティの保護」）。

アップルはプライバシーに深く傾倒しており、テロ対策の調査への協力を連邦当局から要請されても拒むほどだ。二〇一六年、カリフォルニア州サンバーナーディーノの銃乱射事件で一四人の死者を出したとき、プライバシーの権利を巡る戦いは世間の知るところとなった。乱射事件の容疑者はＩＳＩＳのシンパだと推測されたので、裁判所はアップルに対し、この人物が使用したアイフォンをＦＢＩがロック解除できるソフトウェアの開発を命じた。アイフォンは四桁のパスコードでロックされており、ＦＢＩはそれを解読できなかったが、このアイフォンには銃撃に関わった人物以外にも、アメリカに潜伏しているＩＳＩＳのネットワークのメンバーについての情報も含まれている可能性があると、法執行機関は見当をつけた。ＦＢＩは、当局が適切な法的承認を得たうえで、ロックされたデバイスに含まれる情報にアクセスできるよう、アップルに「バックドア」を準備してもらうつもりだった。これではまるで、クリッパーチップを巡る論争の再現で、アップルは過去の亡霊に悩まされているようだった。

後に「社運をかけた決断」と呼ばれた動きによって、クックは当局への協力を拒んだ[26]。アップルは、ＦＢＩがアイフォンをロック解除するための協力は惜しまなかったが、正式にバックドアを搭載することには消極的だった。このソフトウェアがあれば、政府は没収したすべてのアイフォンをロック解除できるからだ。しかもバックドアの使用が、裁判所の認可を受けた合法的な状況に限定される可能性はあり得ないとアップルは判断した。バックドアが搭載されれば、世界のどこからでもハッカーが侵入を試みるので、アイフォンの安全性が低下する。最終的にＦＢＩは、アップルの支援なしにアイフォンのデータへのアクセスに成功した。しかしアップルと法執行機関との戦いからは、クックがプライバシー保護に本気で取り組んでいることがわかる。

もちろん、こうして国家の安全よりもプライバシーに深く関わったのは、アップルのビジネスモデルがコストの高い大量生産品（アイフォン、コンピュータ、タブレット）の販売に依存していたからだ。グーグルやフェイスブックなどのように、人々の個人情報を収益化しているわけではない。数は少ないが、他にもプライバシーを重んじる企業の事例はいくつか見られる。そのひとつが、ダックダックゴーというアメリカに本社を置く検索エンジンだ。これはスタンフォードの大学生のあいだで広く普及しているが、インターネットユーザーのあいだではほとんど知られていない。設立者のガブリエル・ワインバーグは、同社の目標をつぎのようにまとめた。「我々はグーグルを倒すつもりはない。プライベートオプションを希望する消費者が、簡単に実行できる手段を提供したい」[27]。

ワインバーグの検索アルゴリズムは、四〇〇以上のソースから作られている。マイクロソフト・ビング、ウィキペディア、アップルマップトリップアドバイザー、さらにダックダックゴーそのもののウェブクローラー〔インターネット上のあらゆるウェブサイトの情報を取得して、検索用データベース・インデックスを作成する自動巡回プログラム〕からの検索結果が表示される。しかしダックダックゴーのセールスポイントは、プライバシーへの強いこだわりだ。そのためユーザーの行動も個人を特定できる情報も追跡しない。

二〇一〇年以来、ダックダックゴーは着実に成長しているが、プライバシーに対する慎重な姿勢が急成長のブレーキになっている。たしかに検索市場でのシェアは小さいが、アントラッキング状態の広告やアフィリエイトプログラム〔自社のウェブサイトに訪問者を呼び込むために行なう販促活動〕からの収益のおかげで、会社としての収益性は高い。それでも売り上げの規模を見るかぎり、プライバシーを守る方針の影響は否めない。ユーザーの行動に関する情報の宝庫から役立つ情報をこっそり引き出せないような広告モデルは、それほど大きな利益を挙げられない。ダックダックゴーの収益は二〇二〇年にはじめて一億ドルを超えたが、同じ年にグーグルは、最初の四半期だけで四一〇億ドル以上の利益を挙げている。

市場シェアの拡大を目指すダックダックゴーが苦戦している現実からは、その理由のひとつが浮かび上がってくる。それは市場支配力だ。プライバシーを保護する技術は大勢の人から望まれているが、そもそも市場だけはそれを提供しないのはなぜだろう。たとえば欧州委員会は二〇一八年、グーグルがアンドロイドのプラットフォームを不正利用して、すべてのトラフィックをグーグルサーチに誘導している〔28〕と結論した。ここでのグーグルの手口は複雑ではない。たとえば、デバイスメーカーがグーグルプレイ・アプリストアにアクセスするライセンス許諾を受けたければ、グーグルサーチとクロームのアプリを事前にインストールすることを義務付けられる。そしてグーグルは、グーグルサーチを事前にインストールするための料金を、モバイルネットワーク・オペレーターや電話メーカーに直接支払う。これについて欧州委員会は、グーグルの市場での立場を利用した権力の濫用であり、検索業界での支配を盤石にすることが目的だと結論した。欧州委員会の独占禁止法違反訴訟を受けたグーグルはヨーロッパ市場において、アンドロイドのデバイスで利用する検索エンジンをユーザーに選択させる方針に変更した。これはダックダックゴーのトラフィックにとって大きな追い風になるだろう。いずれにしても、一握りの大企業に権力が集中しているときには、市場の競争原理に基づいてプライバシーの選択肢を提供することがいかに難しいか、この一件からもわかる。

プライバシー・パラドックス

二番目の問題は、デジタル時代には個人がプライバシーを守るために苦労することだ。プライバシーと他の競合する価値のバランスをとるため、通知および選択がうまく機能するためには、どれだけの量のプライバシーを望むのか十分な情報に基づいて自分の優先傾向を確認し、それに従って行動できなければならない。ところが実際はそのように機能せず、やろうとしても不可能なことが、たくさんの証拠によって指摘されている［29］。

実際、プライバシー保護について慎重に考え、理路整然としたアプローチで臨むのは、誰にとっても難しい。しかも、プライバシーを手放すことに伴う潜在的な有害性は漠然としており、大体の人はほとんど気づかない。個人情報を盗まれれば、クレジット会社との長電話で不愉快な思いをするが、行動ターゲティング広告やアルゴリズムによるレコメンド機能に個人データを利用されても、直ちに確認できる被害がおよぶわけではない。むしろ日々の活動や毎日の歩みをフェイスブック、インスタグラム、スナップショット、ティックトックなどでシェアすれば、友人や家族とつながることで当面は良い気分を味わえる。しかしプライバシーの侵害が危害をおよぼす可能性は理解しにくいので、ソーシャルメディアに気軽に投稿する人が深刻に考えることは滅多にない。

たとえプライバシーに関する決断の結果を完璧に予測できるとしても、自分の優先傾向を明確にしたうえで、それに基づいて行動する難しさは証拠からも明らかだ。この力学の格好の事例として、私たちの教え子のケースを紹介しよう。毎年私たちは、教室を埋め尽くす三〇〇人の学生に対し、個人データのプライバシー保護を心がけているかどうか尋ねる。すると、ほぼ全員が挙手をする。ところがつぎに、利用している検索やソーシャルメディアアプリのプライバシーに関する設定に目を通すか変更を加えた経験があるか尋ねると、挙手する学生はほんのわずかだ。この結果は、広範囲にわたる調査から得られた傾向と矛盾がない。フェイスブックのプライバシー設定に関する調査からは、「三六パーセントのコンテンツはプライバシーのデフォルト設定がそのまま使われていることが判明した。さらに、プライバシーの設定がユーザーの期待に応えているのは、利用時間全体の三七パーセントにとどまり、設定が不正確なときはほぼ常に、コンテンツが思いがけず多くのユーザーに公開される」〔30〕こともわかった。

スタンフォードの同僚のスーザン・エイシーはMITの学生を対象に、プライバシーの価値をもっと体系的に調査した〔31〕。MITでは大学院生にビットコインを試してもらうため、キャンパスをあげた取り組みが進められているが、その状況を利用して学生たちのプライバシー優先傾向を調べた。学生たちがビットコインを管理するため、大学は様々なオンライン「ウォレット」を提供した。プライバシー保護のレベルはそれぞれ異なる。ところが調査の結果、驚くべき事実が判明した。学生たちは、ウォレットのオプションが現れる順番に従って、自分のウォレットを選んだのだ。プライバシーの優先傾向とは無関係だった。つぎにエイシーは、さらに一歩踏み込んだ。小さな誘因を加えると、プライバシーに関する決断にどんな影響がおよぶか確かめるためだ。そこでひとつのグループを対象にして、三人の友人の個人的なEメールのアドレスを教えてくれたらピザをおごると持ちかけた。その結果には、学生たちの親の誰も驚かなかっただろう。プライバシー全体の重要性に関して十分に理解していても、プライバシーよりもピザを優先したのである。

社会科学者は、これを「プライバシー・パラドックス」と呼んでいる。個人がプライバシーの重要性を認識していても、実際の行動とのあいだには大きなギャップが存在するのだ。ここで問題なのは、自分の希望と実際の行動が矛盾することだけではない。不可解な結果が思いがけずたくさん導き出される点に注目すれば、実際のところどれだけのプライバシーを望んでいるのか、自分でも簡単には判断できないことがわかる。

私たち著者が教室で、そしてエイシーがキャンパスで目撃した結果は、特にめずらしいものではない。コロンビア大学の元教授で、公法と政府の研究が専門分野のアラン・ウェスティンは、プライバシーに関するアンケート調査への回答に基づいて、参加者を大まかに以下の三つに分類した。プライバシーに厳格なファンダメンタリスト、実践的なアプローチで臨むプラグマティスト、そして無関心主義者である。単刀直入に尋ねられると、ほとんどの人は自分を最初のグループに当てはめ、個人情報の管理に強い意欲を示す。ところが実際の行動はまったく異なる。たとえばある調査では、参加者は擬人化されたコンピュータソフトウェアから、様々な割引製品を提供された。すると、つぎつぎと製品を提供しながらプライバシーに関わる質問をエスカレートしても、回答を拒む参加者はほとんどいなかった。プライバシー保護に強い意欲を示していても、その影響は見られなかった。ショッピングアプリをダウンロードしたり、得意客プログラムに参加したり、あるいは人気ブランドのクレジットカードを取得した経験のある人なら誰でも、ストアで利用できるクーポンを僅かでも提供されれば、あるいは月末に多少のキャッシュバックがあれば、それと引き換えに、ショッピングに関するプライバシーを積極的に、時には喜んで手放すことを知っている。

自分がプライバシーにどの程度の価値を置いているかわかりにくい世界では当然ながら、その場の状況や周囲の影響によって選択の方針が決まりやすい。しかし、プライバシーの優先傾向がその場の状況に大きく依存して影響されやすいと、通知および選択の限界が改めて浮き彫りにされる。

たとえば九・一一が、個人データの保護に関するアメリカ国民の見解にどのように影響したか考えてみよう。テロ攻撃の直後に市民は、政府が市民的自由を優先するあまり、さらなるテロ攻撃から国を守るための対策が十分ではないと憂慮した。ところがエドワード・スノーデンが大がかりな監視活動について暴露すると、国民の見解はほぼ一夜にして覆った。半年もすると、テロ対策の一環として政府が電話やインターネットのデータを収集することを支持する国民の割合は、一気に落ち込んでしまった。

同様の力学は、コロナ禍のあいだにも働いた［32］。アメリカ国民の多く（七〇パーセント以上）は個人情報の安全について懸念を抱き、状況は次第に悪化しつつあると考えていたが、二〇二〇年五月にコロナ感染が急拡大すると、それをきっかけに、公衆衛生への関心が高まった。その結果、デジタル接触者追跡の一環として、政府が携帯電話アプリを使って感染者の所在地を確認する方針を大多数の国民が支持するようになった。

個人情報をどれだけ開示するかの決断は、他人の発言や行動にも影響される。なかには比較的無害なケースもある。たとえば友人がフェイスブックに現在の家族写真を投稿し、他人にも同じ行動を促すのは有害ではない。厄介なのは、多くのテクノロジー企業のビジネスモデルが、収益の増加を個人情報の収集に頼っていることだ。これらの企業は、個人によって様々に異なるプライバシーの優先傾向を情報として集めたうえで、系統的かつ予測可能な形にまとめて利用するケースが多い。良い例がデフォルト設定だ。デフォルトは個人情報の開示が最大化されるように設定されるが、多くの人はたとえプライバシーを優先する傾向が強くても、設定を変える可能性が低い。やり方がわからないとき、そもそも設定の変更が可能だという事実を知らないときもある。人間の脆弱性に付け込んだ有害な戦略は他にもある。たとえばプライバシーポリシーの内容は読んでもわからないし、ユーザーに不親切なデザインのせいで設定の変更は厄介だ。そして、プライバシー管理に関する人々の認識を巧みに操作して、実際には開示する情報の量を増やすように誘導する。

自分の情報がどれだけ共有され、何に利用されているか把握できない世界では、通知および選択がいまの形のままでは機能しない。情報がどのように利用されているかわかっているときでさえ、プライバシーをどれだけ守るべきか的確に判断するのは難しい。そして、企業が強い動機に促され、人々が開示する個人情報の量を操作するときは、個人がひとりで対処できる可能性はさらに低くなる。

社会のためにプライバシーを守る

三つ目の問題は、プライバシーについての決断を個人に任せると、他の大切なものが犠牲にされる恐れがあることだ。個人の決断が社会におよぼす影響を考えるなら、プライバシー保護の利益とコストは「累積的かつ全体的に」〔33〕評価するほうがよい、とジョージ・ワシントン大学法学部教授のダニエル・ソロブは述べている〔34〕。

これは、公益にかなうデータを収集する際に特に当てはまる。たとえ特定の個人に不愉快な思いをさせても、公共機関は個人データにアクセスし、そこから重要な事柄を学ぶ必要があるときが多い。アルファベットスープよろしく、アルファベットを連ねた略称の法律――公正信用報告法(FCRA)、医療保険の携行性と責任に関する法律(HIPAA)、家庭教育の権利とプライバシーに関する法律(FERPA)――がいくつも存在することからは、プライバシーの保護を重視しつつも、国民の信用、健康状態、学歴に関する情報に政府がアクセスできるように、政策立案者はバランスの維持に真剣に取り組んでいる姿勢がうかがわれる。

コロナ禍は、この問題を浮き彫りにした。一〇〇年に一度の公衆衛生上の危機に見舞われている現在、パンデミックを監視するための効果的な戦略は、すべての人に恩恵をもたらす可能性を秘めている。ただし、中国政府は個人情報へのアクセスの義務化に問題なく取り組んでいるが、民主主義国家でデジタル接触者追跡を普及させるためには、公衆衛生にもたらす恩恵と、プライバシーに関する国民の不安とのバランスをうまくとらなければならない。

アップルとグーグルが共同で手がけた接触者追跡テクノロジーの開発では、バランスの維持への苦労がうかがえる。あなたがこのシステムにオプトインすると、検査で陽性になった人物と接触したとき携帯電話が教えてくれる。ただしそれには、相手もアプリをダウンロードして、健康状態を正直にアップデートしていることが前提条件となる。従来の接触者追跡の場合には、陽性の人物を医療従事者が確認して自宅を訪問したうえでリストを作成したため、プロセスはなかなか進行しなかった。それに比べると新しいテクノロジーは、革命的なアプローチである。

多くの人たちがテクノロジー企業に不快感を抱いている事実を見逃せないアップルとグーグルは、コンプライアンスを確実にするため、接触者追跡アプリにプライバシー機能を組み込んだ[35]。たとえばこのテクノロジーでは、位置データをいっさい集めない。その代わり、ブルートゥースを介して集めたデータを利用して、それ以外は携帯電話から集めた情報がいっさい使われない。さらにこのシステムは、あなたが感染者と偶然出会えばその事実を教えてくれるが、その情報はグーグルやアップル、あるいは政府機関とも共有されない。これだけプライバシーに気を遣えば、大勢の人がデジタル接触者追跡に登録することを公衆衛生当局者も一般市民も期待できる。しかし追跡の最終的な成功は、みんなが積極的に登録し、健康状態をアップデートしてくれるかどうかに左右される。

ただし、情報開示がもたらす社会的便益がきわめて重要な場合には、市民が自分から個人情報を公開してくれることを期待するようなリスクを冒せない。この力学が最も顕著に働くのが、国家安全保障の領域だ。国の安全を守るためには、テロリストが個人情報の公開を自発的に決断するのを当てにできない。むしろ民主主義国家は、国民のプライバシーを侵害する可能性のある人物を特定するための厳格なプロセスを法律や司法の分野で確立し、国の安全に確実に脅威がおよびそうなら合法的に対応する方針で臨む。同じことは、プライバシーの保護が何よりも優先される世界で、児童ポルノ、人身売買、サイバー犯罪、知的所有権の侵害などの社会悪に取り組むためにも応用可能で、規模の拡大も考えられる。

プライバシーと他の社会的目標とのバランスの維持に市場は役に立つのだろうか。多くの理由から、それは疑わしい。情報を提供された個人がプライバシーの優先傾向について正しい判断を下し、プライバシー保護の方針が異なる様々な製品のなかから適切な選択を行なうという発想は、魅力的ではあるが非現実的だ。市場の性質、人間による意思決定の限界、(場合によっては)個人情報へのアクセスが確実にもたらす社会的便益と三拍子そろえば、プライバシー規制への現在のアプローチは不完全なばかりか、継続不可能なことは間違いない。これからは新しい方針が必要とされる。

あなたのプライバシーにとって重要な四文字

GDPRという四文字は話す相手によって、政府の厳格すぎる規制か、デジタル時代に公民権を巡って展開される二一世紀バージョンの戦いのいずれかを連想させる。一般データ保護規則(GDPR)とは、個人データを巡る戦いに秩序をもたらすべく、欧州連合が適用した法令である。

ヨーロッパは常に、アメリカよりもデータ保護に強い関心を持ってきた[36]。おそらくこれには、独裁政治に苦しめられた過去が影響している。ナチス・ドイツやソ連が監視と情報統制のメカニズムを利用することで、反対派を沈黙させ、市民を抑圧し、言語に絶する犯罪に手を染めた過去の記憶に市民はつきまとわれた。一九三〇年代にドイツの国勢調査員は各世帯を訪問し、住民の国籍、母国語、宗教、職業に関するデータを収集した。政府は、IBMのドイツ子会社が製造した機械を使って集めた情報を照合し、それを参考にして、ユダヤ人など社会から疎外された集団へのホロコーストを計画し、実行に移したのである。

第二次世界大戦が終わっても、国家による監視は鉄のカーテンの後ろ側の東ドイツなどで継続した。アカデミー賞を受賞した映画『善き人のためのソナタ』では、つぎのような有名な戦術が紹介される。秘密警察（シュタージ）が寝室や浴室を盗聴し、手紙を読み、いきなり家宅捜査を行ない、個人としての生活と公人としての生活の境界をきれいに取り去る。そんな歴史を考えれば、一九八三年にドイツの連邦憲法裁判所が「個人データの自己決定」は基本的な権利だと宣言したのも意外ではない。これは一九八九年にベルリンの壁が崩壊すると、旧東ドイツにも延長された。

ただし、データのプライバシー保護に関する規制強化を求める近年の動きのルーツは、もっと新しい時代にある。きっかけは、NSAの行動に関する機密情報の詳細をエドワード・スノーデンが暴露したことで、ヨーロッパは激しい怒りに震えた。アメリカにとって都合の悪い主張は数限りなく、なかには世界の指導者一二二人がスパイ行為の対象になっていた証拠も含まれていた。ドイツ首相のアンゲラ・メルケルもそのひとりで、携帯電話を盗聴されていた。さらに、七〇〇〇万人のフランス市民が電話やEメールを通じて情報を収集されていた。しかし多くのヨーロッパ市民が何よりも震撼したのは、アップル、ヤフー、グーグルを含む民間のテクノロジー企業が政府に強制され、ユーザーのデータをアメリカやイギリスの諜報機関に受け渡していた事実が判明したことだ。

こうして大変な事実が暴露されると、欧州議会のドイツ代表を務める三〇歳のヤン・フィリップ・アルブレヒトは、スノーデンの「戦友」を名乗り出た〔37〕。戦術こそ異なるが、アルブレヒトはスノーデンと同じ立場から、アメリカ政府の監視に対する戦いを始めたのである。緑の党のメンバーとしてほぼ無名の存在だった彼は、過去の政策指令に基づく新しいルールを立案した。そこにはEU市民を携帯電話の大がかりな盗聴から守ること、ユーザーの許可なくデータを集めて当局に手渡した民間企業には、高額の罰金を課すことが含まれた。スノーデンが情報を漏らす以前から、厳格なルールの設定は激しい論争の対象になってきたが、いまや立法府の議員にとって、オンラインデータに関するヨーロッパの新たな抜本的予防策に反対するのは賢明ではなかった。アルブレヒトはヨーロッパでのデータ保護を「我々の自決と尊厳の一部」と位置付けた。そして新しいルールは、わずか二時間の協議の結果、予備投票で可決され、それから長いプロセスを経て、最終的には二〇一六年にGDPRとして採択されたのである。

GDPRは、アメリカの通知および選択のアプローチとはかなり異なる。諸条件を受け入れるかどうか、詳しい情報に基づいて個人のユーザーが決断するのではなく、個人データ収集に関して明確な法的基準が設けられた。そのうえで消費者を積極的に守る権利が定められ、EU加盟国の国民にサービスを提供するあらゆる企業がこれに拘束される。たとえば個人データは合意に基づき、あるいはサービスを実行する目的で合法的に収集できるが、「データ主体や他の個人の生活に不可欠な利益を守る必要がある」〔38〕場合、あるいは公益のために遂行される業務で必要な場合に限られることが条件として加えられた。つまり、政府には個人データを収集してアクセスする能力があるが、その範囲に限界が設けられたのである。

さらに、ＥＵ加盟国の国民には新しいデジタル著作権が付与された。ユーザーのデータが集められた事実、データを収集する目的、データを共有する組織について、企業はユーザーに伝えなければならない。そしてデータのコピーを取得し、データを修正し、データを削除し、ひとつの企業から別の企業に移す権利がユーザーには認められた。さらに、企業がデータを利用する方法を制約する権利が住民に与えられた。企業にデータ処理を禁じるだけでなく、雇用、経済状況、健康、福祉に関連した決断をする際、自動化ツールの使用に反対することも可能になった。

ＧＤＰＲはデジタル時代における権利の章典の現代版であり、その狙いは法律の制定にとどまらない。ＧＤＰＲの作成者たちは、新しい権利を創造するだけでなく、実行にも真剣に取り組んだ。実際、ＧＤＰＲに違反した場合の罰則は厳しい。各国のデータ保護機関は、企業の世界での年間収益の最大四パーセントまで罰金を請求することができる。世界の大手テクノロジー企業なら、これは膨大な金額になる。

こうしてヨーロッパで大胆な動きが起きると、その衝撃は大西洋を越えて伝わった。ＧＤＰＲにおいては、ＥＵ加盟国の国民とビジネスを行なうすべての企業が対象になるので、定められた基準は本社の所在地にかかわらず、すべての大手テクノロジー企業に適用された。すでにユーザーからの苦情は、データ保護機関に大量に押し寄せている（二〇一九年の時点で、ＥＵ各国のデータ保護機関には、合わせて九万五〇〇〇件以上の苦情［39］が寄せられた）。アイルランドでは、フェイスブック、グーグル、インスタグラム、ワッツアップを相手取って訴訟が起こされた。これではアメリカのテクノロジー企業も注目しないわけにはいかない。二〇一八年にＧＤＰＲが法律として施行されてから数日後、マーク・ザッカーバーグはフェイスブックがこの法律を遵守する計画について、つぎのようにコメントした。「我々はこれについて、まだ詳細を詰めているところだが、価値観は共有すべきだという方向で考えている」[40]。この発言が激しく非難されると[41]、数日後にコメントを撤回してこう語った。「ヨーロッパに限らずどこでも、同じ制約や設定を導入するつもりだ」。こうしてヨーロッパはプライバシーの問題を中心に、テクノロジーの規制に関して実質的に世界を席巻し、いまではその立場を盤石にした。ただし、それが長続きする保証はない。

GDPRの先には

フェイスブックはヨーロッパだけでなく、自分の裏庭でも新たな現実を突きつけられた。というのも、GDPRが法律として施行されたちょうど同じころ、カリフォルニア州もプライバシー法の抜本的な改革を進め、カリフォルニア消費者プライバシー法（CCPA）の導入を検討し始めたからだ。

発端は、二〇一六年頃に交わされた会話だった。当時、不動産業者で億万長者のアラステア・マクタガートは、グーグルにソフトウェアエンジニアとして勤務する友人に対し、グーグルが自分の個人データを持っていることを憂慮すべきかどうか尋ねた。そのとき彼は、飛行機が墜落する可能性についてパイロットに尋ねたときと同様、不安を和らげてくれる回答を期待した。ところが友人の回答は、不安を大きく増幅させた。「僕たちが何をやっているか真実を知ったら、みんな気が変になるよ」［42］と言われたのだ。

マクタガートは、シリコンバレーで若くして成功したテック起業家を対象にしたコンドミニアムの開発で莫大な財産を築いた。そのため、グーグルやフェイスブックなど多くのテクノロジー企業の成長を促す原動力であるデータの役割について大いに好奇心をそそられた。そしてすぐに、アメリカには個人データを一括して管理する包括的な法律が存在しない事実を発見した。しかも、あちこちに様々な規制が存在しているものの、そのいずれも、個人情報の収益化から最も大きな恩恵を受けるテクノロジー企業が考案したことを知って、さらに困惑を深めた。この自己発見の旅からは重大な事実が明らかになり、いまでは広く知られるようになった。すなわち、無料で製品を使っていると、あなた自身が製品になる。大手テクノロジー企業の多くの実際の顧客は広告主だ。そして広告主が料金を支払って手に入れたいのは、消費者の興味や好みや希望に基づき、対象を正確に絞り込んでメッセージを伝える能力である。

マクタガートは猛烈な怒りをおぼえた。オバマ政権は二〇一二年に「消費者プライバシー権利章典」を提案したものの、スノーデンの暴露の犠牲となり、データ保護の改革を進める勢いも道徳的権限も失ったことを知った。オバマ政権の二期目に政府高官が法律の復活を試みると、テクノロジー業界は猛烈なロビー活動を展開した。ビッグ・テックは法案の形骸化を議員たちに迫り、消費者のプライバシーを生得権と見なすアイデアの撤回を求めた。最終的に法律は成立したものの、消費者擁護団体は中身に不満だった。それはテクノロジー業界も同じだ。ザッカーバーグは殊勝な発言をしたものの、そもそも法律など望んでいなかったのである。

時間を早送りして二〇一八年、マクタガートはテクノロジー企業の干渉を回避する構想を考えたすえ、カリフォルニア州が直接民主制の一環として採用している住民投票のプロセスに注目した。これは二〇二〇年、ウーバーとリフトが「プロポジション22」を成立させるために利用した住民投票と同じで、当時は条項が承認された結果、アプリベースの配車サービス・フードデリバリー企業は、従業員に福利厚生を提供する義務を免除された。この制度では、嘆願者が十分な数の署名を集めれば、ほぼすべての問題の賛否を有権者に直接問うことが可能で、議会での投票を回避することができる。マクタガートは賛同者と共に住民投票の中身を起草するが、これはGDPRよりも、あるいはオバマ政権時代の消費者プライバシー権利章典よりも範囲が絞られ、個人データを隠れて利用するシリコンバレーの悪しき習慣に狙いを定めた。シリコンバレーでは、集められた個人情報は第三者と共有されていた。住民投票では、企業がどんな個人情報を集め、それをどのように利用しているのかカリフォルニア州の消費者が理解して、データの第三者への売却と共有を防ぐ選択肢が提供されることを目指した。

マクタガートは、住民投票実施のために六二万九〇〇〇人の署名を集めたが、これは最低限必要な人数の二倍にのぼる。二〇一八年にケンブリッジ・アナリティカが八七〇〇万人分の個人データを悪用した事実が暴露され、そのスキャンダルにフェイスブックが巻き込まれると、住民投票を求める声は高まる一方だった。こうなると議員たちもさすがに注目し、テクノロジー企業は歩み寄りの姿勢を見せ始めた。そこでマクタガートは住民投票の実施に向けた活動の延期に同意して、州議会が包括的なプライバシー法案を起草することを期待した。

二〇一八年六月、ジェリー・ブラウン知事はCCPA（カリフォルニア州消費者プライバシー法）に署名して、法律として成立させた。かくしてカリフォルニア州は欧州連合の先例に倣い、プライバシー保護への固い決意を具体的な形で示した。たしかにCCPAは多くの点で、GDPRほど大胆ではないが、核心となる要素の一部は変わらない。データを利用する方法に関しては個人の同意が必要で、企業が集めたデータを第三者に販売または転送する行為を禁じる権利、さらに個人情報の削除を企業に要求する権利が個人に与えられた。しかもCCPAは法執行メカニズムも盤石だった。いわゆる「私的請求権」も含まれ、危害を加えた企業を相手取って訴訟を起こす権利が個人に付与された。ただし大手テクノロジー企業のロビー活動の影響で、最終草案ではこの条項の効果が弱まった。そしてもうひとつ、GDPRと同様にCCPAは、カリフォルニア州でビジネスを行なうすべての企業に適用される。本拠地を置く企業に限定されないため、影響力のおよぶ範囲は拡大した。いまやカリフォルニア州の住民はプライバシーの権利への関心を高め、二〇二〇年には新しい住民投票法案が圧倒的多数で可決された。その結果、CCPAの中身はさらに強化され、法執行機関としてカリフォルニア州プライバシー保護庁が設立された。

GDPRやCCPAについて確固たる結論を出すのは時期尚早だ。新しい枠組みは合法性を指摘され、実行には困難を伴うが、それでもデジタル時代において、プライバシーに関する発想を人々が抜本的に改めるきっかけになった。世界最大の企業ができるかぎり多くの個人情報を集めて分析し、売りつける意欲に燃えている時代には、プライバシーは個人が守るべきだという発想は時代遅れの印象を否めない。いまや通知および選択は、過去の遺物になりつつある。では、アメリカをはじめとする民主主義国家は、つぎにどこへ進むのか。包括的なプライバシー法は、本当に実現可能だろうか。そして実現したら、何を達成する必要があるのか。

テクノロジー企業の評判がかつてないほど悪いことを考えれば、プライバシーに関する包括的な連邦法の成立を圧倒的多数の国民が支持するのも意外ではない。政治家もこの問題に注目し、上下両院ともプライバシー法案の起草に積極的に取り組んでいるが、様々な提案があって、アプローチの仕方も一様ではない。なかには、GDPRやCCPAのような法律を全米で義務付け、強力な法執行メカニズムの確立を目指す法案もある。そうかと思えば、州法の成立を優先する法案もあり、データのプライバシーに関する基準が国よりもかなり緩く、企業が抱く不安への配慮が感じられる。

詳細に関する交渉は政治家に任せればよいが、政治的プロセスの結果には、企業やロビー活動家だけでなく、私たち市民の希望も反映され、二一世紀の世界でプライバシーとその他の価値とのバランスがうまく維持されなければならない。一方、新しいプライバシー法が達成すべき目標は、私たちにとって明白だ。

まず私たちは、プライバシーを権利と見なす方向に大胆に踏み出さなければならない。プライバシーの考え方には個人差があり、しかも好まれるか否かが状況に左右されるようでは困る。オバマ政権の政策立案者は直感的にそれを理解したうえで、消費者プライバシーの権利に関する法案の作成に想像力を働かせた。さらにこれは、ヨーロッパやカリフォルニア州で達成された立法上の大きな成果にも反映されている。これまでテクノロジー部門は西部開拓時代のような無法地帯で、個人情報が好き勝手に利用されてきた。しかし法律によってプライバシーの権利が細かく定義され、その権利は必然的に何を伴い、それをどのように保護すべきか具体的に示されれば、悪しきメンタリティは消滅する。さらに、企業に奪われた権力が市民のもとに返ってくるので、テクノロジー製品のユーザーは自分が提供するデータやその使い方を管理できるようになる。ただしこれは、消費者に選択肢を与えることを放棄するわけではない。消費者には、許されることと許されないことに関する期待の基準値を見直してほしい。ほとんどの人が読むわけでも理解するわけでもない利用規約を介して、十分な情報を持たないユーザーから意味のない同意を得るだけが、企業の役割ではない。

二番目の要素は、もっと有意義な形で同意を取り付けることだ。たとえばルールを介して取り付けてもよい。消費者が何も知らないのをよいことに、企業がデータを好き放題に集める行為はもはや許されない。市民はGDPRやCCPAのもとで、企業がどんな情報を集め、それをどのように利用するのか正確に知る権利を与えられた。同意に関するプラットフォーム上の細かい説明が、分別も知識もある個人が根気強く読んでも理解できないような状況は許されない。企業には、何でも無条件にデータを集めるライセンスなど与えてはならない。むしろデータ最小化の原則、すなわち本当に必要なものだけを引き出し、その理由を説明することが企業の行動を支配するべきだ。

ただし、アップルのプライバシーへのアプローチや新しいテクノロジーが示唆するように、ツールのデザインを介してもプライバシーの権利は守られるし、どんな情報は共有してもよいか、あるいは提供を控えたいか、個人が自分の意向に沿う形で行動できる可能性を高めることはできる。たとえば、企業はオプトアウトのデフォルト設定を好むが、それをオプトインに変更すれば、ユーザーが共有する個人データの量に大きな影響がもたらされる。その結果プライバシーに関心の高い個人は、プライバシー保護という目標を達成しやすくなる。もちろんその分だけ、企業がサービスの個人化やターゲティング広告や製品改善のために現在利用している大量のデータは犠牲になる。オプトインへの変更が企業に偏ったバランスの改善につながるかどうかは、簡単に答えが出る問題ではないので、理解するためには積極的に実験を試みるとよい。それでもオプトインに変更すれば、確実に「ナッジ」〔望ましい行動をとれるように後押しするアプローチ〕が製品に組み込まれる。ナッジがデザインの特性に加われば［43］、選択肢を制約されず、経済的インセンティブを変化させなくても、自発的に選択できる環境がアーキテクチャ上に提供される。

　ほかにもうひとつ、大きな成果を達成する可能性のあるツールがある。これを使うと、ユーザーはプライバシーの優先傾向をいったん設定すれば、どのプラットフォームでもそれを利用できるので、いちいち設定し直す手間が省ける。このアプローチは、ユーザー中心のプライバシーとも呼ばれる。規格化された電話番号やアドレスに個人の好みが反映されるのと同様、中立的なオンライン識別子［44］にもプライバシーに関する好みは反映されるべきだ。いまでは大勢の起業家が、そのための方法を競って考案している。たとえばグーグルの元エグゼクティブのリチャード・ウィットが設計に取り組んでいる「デジタル・トラストメディアリ」は、ユーザーとプラットフォームのあいだに介在し、どのデータが共有されているか常に管理している。あるいは、インターネットのパイオニアのティム・バーナーズ＝リーが始めたインラプトというスタートアップは、ユーザーのデータを「データポッド」にひとまとめにしたうえで、ユーザーの優先傾向を反映して、アプリがアクセスできるデータを選別するものである。

三番目に、新しい法律で規定されたプライバシーの権利を維持して守る権限をもつ、合法的かつ信頼できる政府機関が必要だ。たとえば消費者は、買った車が運転しても安全か、買った食品を食べても病気にならないか、自分で判断する責任を持たないが、それと同様、ユーザーは、プライバシーに関する設定を事細かく管理する責任を負わされるべきではない。誰かが自分のプライバシーを監視するだけでなく、基本的な権利を守るための妥当な基準を設定してくれることがわかっていれば、消費者は安心していられる。

アメリカでは、制度設計に関する議論の多くで公正取引委員会（FTC）の役割が取り上げられる。「不公正かつ欺瞞《ぎまん》的な商慣習」を取り締まる権限を与えられたFTCは、近年ではプライバシー取り締まりが重要な任務として定着し、プライバシーに関する公約を企業が遵守しているか監視の目を光らせている。FTCは一九九〇年代半ばからオンラインプライバシーの規制に乗り出したが、当時の活動は子供のプライバシーに限定された。キッズコムやヤフー・ジオシティーズが子供から情報を集め、親の許可なく共有していないかどうか監視した。最近では、ユーザーの同意なくプライバシーポリシーを変更する企業も標的にしている。FTCが不正行為に関して最初に下した判決は、ゲイトウェイ・ラーニング・コーポレーションが対象だった。幼児向けのフォニックス教材を制作する同社は、プライバシーポリシーを過去に遡って変更し、ユーザーのデータを第三者に売りつけていた責任を問われた。さらにFTCは、フェイスブックがユーザーを欺いているという判断も下した。ユーザーのフェイスブック上の友人が厳格なプライバシーポリシーを採用しているのを知りながら、友人のデータを第三者のアプリケーション開発者に提供していることが摘発された。

ただし、こうした活動にもかかわらず、FTCは批評家から「ローテクで受け身の姿勢が目立ち、効力を持たない」［45］組織だと批判されている。有名な権利擁護団体の電子プライバシー情報センター（EPIC）は、通知および選択が幅を利かせている世界では、FTCは大した成果を上げられないと主張する。なぜなら、読みづらく、実際にほとんど判読不可能なプライバシーポリシーで謳われた内容を企業が尊重しているか確認するような、受動的な事後調査に行動が限られるからだ。要するに、ルールを作成し、その実行を監視して、調査を行ない、ユーザーのプライバシーの権利を侵害した組織を制裁できる権力と資源を有する専門機関が設立されないかぎり、いくら新しいルールを設定しても意味はない。アメリカに必要なのは「公認受託者」であり、人々の個人情報の保護を明確な任務とする一方、プライバシーとそれ以外の共通の目標とのバランスにも配慮しなければならない。二〇二〇年二月、データプライバシー庁設立の法案を提出した上院議員のクリステン・ギリブランド［46］は、つぎのように指摘した。「この件に関して、アメリカは他の国に大きく後れを取っている。アメリカ以外の先進国はほぼすべて、データ保護という課題に取り組む独立機関を設立している」。そろそろアメリカも後に続くべきだ。

私たちは監視社会に暮らしている。私たちが日々利用するデジタルツールのテクノロジーは驚異的で、それを使えば政府も企業も、私たちが何を欲し、何を行ない、何を考えているか、以前とは比べものにならないほどたくさん理解できるようになった。政府が自分たちのデータにアクセスしている可能性について、アメリカ人はかねてより疑念を抱いてきたが、いまでは民間企業もデータを集めすぎではないかと、健全に疑う傾向を強めている。テクノロジー企業は私たちの個人情報から利益を獲得し、私たちひとりひとりに関するデータにアクセスして手に入れた情報を製品に取り入れ、私腹を肥やしている。

いまは社会が不安定で、ここで指摘した懸念の多くが表面化している。政府はデモ行進を空から監視するし、警察が容疑者の追跡に役立てている顔認証ツールは民間企業によっても使われ、市民はプライバシーの権利の保護強化を訴えている。しかしプライバシーの権利が明確に定められ、それを守るための権力と権限を持つ機関が創造されないかぎり、私たちは通知および選択という空間から抜け出せない。その結果、私たちは自分の情報へのアクセスをある程度コントロールしているような気分になるが、実際には企業が私たちの無知や怠慢や認知力の限界に付け込み、個人情報の収集量を増やしている。こうなると、別の目的地を検討しなければならない。高度なテクノロジーに依存しなくても、基本的な権利が守られる場所を目指すべきだ。

第六章　スマートマシンの世界で人類は繁栄できるか

人類は、自動運転車というアイデアに何十年間も魅了されてきたが、その実現には長いあいだ手が届かなかった。しかし、コンピュータで多くのイノベーションが創出されるようになると、米国国防省が実現への突破口を開いた。

二〇〇二年、アメリカ国防高等研究計画局（DARPA）は、DARPAグランド・チャレンジの開催を発表した。これはモハーベ砂漠を舞台とする総距離一四二マイル（二二八キロメートル）のカーレース［1］だが、非常に興味深い参加条件があった。車両は完全な自動運転車に限られたのだ。すなわち、レースが始まれば、人間は運転に介入できないということである。優勝すれば一〇〇万ドルの賞金を獲得するだけでなく、歴史に名を残すことができる。二〇〇四年三月一三日、誰もが固唾《かたず》をのんでトラックを見守るなか、エントリーした一五台の車はつぎつぎと進路をそれ、砂漠にはまって立ち往生した。なかにはスタートラインを越えるのがやっと、という車もあった。最も遠くまで進んだのは、カーネギーメロン大学のレースチームが開発したサンドストームというハンヴィー〔アメリカ軍向けに製造された汎用四輪駆動車〕で、そもそも優勝候補だったものの、進路を逸れ、小さな砂山に乗り上げるまでの走行距離は七マイル（一一キロメートル）強にすぎず、レースの総距離の五パーセントにも満たなかった。レースは成立しなかったと見なされ、賞金は出されなかった。

それでもDARPA関係者は諦めようとしなかった。翌年には第二回目のレースを計画し、賞金を二〇〇万ドルにまで増やした。そして二〇〇五年のDARPAグランド・チャレンジは、前回とはまったく異なる展開になった。新たに総距離一三二マイル（二一二キロメートル）に設定された砂漠のレースに、二三チームが参加し、五台の車がコース全体を走破したのである。優勝した車はスタンレーという名を持つ、スタンフォード大学のチームが開発した自動運転車で、コンピュータ科学教授のセバスチアン・スランがリーダーを務めた。スタンレーのタイムは六時間五四分で、二位に一一分の差をつけた［2］。わずか一八カ月で、自動運転車の性能は驚異的な進歩を遂げた。前年には大失敗と酷評されたレースは、今度は大成功と賞賛された。

レースを振り返り、スランは誇らしげにこう語った。「あと五〇～六〇年もしたら、自動運転車は間違いなく誕生するだろう」［3］。彼の予測はずいぶん悲観的だったといえよう。二〇二〇年には少なくとも三〇か国で、自動運転車の路上テストが行なわれるようになったのだ。カリフォルニア州だけでも五〇社以上のメーカーが製造した五〇〇台以上の自動運転車が認可を受け［4］、総走行距離は二〇〇万マイル（三二〇万キロメートル）を超えるまでになった。

自動運転車の商用展開を促す主な動機のひとつは、道路の安全を改善する可能性だ。世界保健機関の試算［5］によれば、二〇一三年には世界中で一二五万人が交通事故で命を落とした。

二〇一七年には、アメリカだけでも三万七一三三人が自動車衝突事故で死亡しており、そのうちの九〇パーセント以上はドライバーの過失が原因だった［6］。もちろん安全という問題を評価する際には、自動運転車が標準になるにはどの程度の安全が必要なのか問いかける必要があることわっておくが、自動運転車がパーフェクトになる必要はない。人間のドライバーよりも優秀ならば許される。しかも統計からもわかるように、人間は優秀なドライバーではない。間違いを起こしやすく、疲労困憊した状態でハンドルを握るとき、メールに気を取られているとき、飲酒運転をするときもある。実際、自動運転車の利点はいくつも指摘されている。通勤時間を生産的に活用できるし［7］（アメリカだけでも年間に何千億ドルもの経済効果があると推定される）、車の動きを連繋させて「列車のように連なって走行」させれば燃料の消費を減らすことができるし、（自動運転車は車間距離をそれほど必要としないので）既存の道路のままで効率よく車が通交できるようになるし、しかも駐車スペースも減らすことができる。

では、自動運転車の展開に伴うマイナス面としては、どんな可能性が考えられるだろう。先ず、本当に機能するのかどうか確認しなければならないが、この質問にはそう簡単に答えを出せない。交通ルールを守るとか、事故を回避するとか、レベルの低い決断ができるだけでは十分ではない。もっと複雑でレベルの高い決断をどのように下すのか理解しておく必要がある。たとえば車のドライバーを守るために自転車レーンに侵入すれば、自転車に乗っている親子を事故に巻き込む恐れがあるが、このような状況について自律システムではどのようにプログラムされるべきか。

ここで、イギリスの哲学者フィリッパ・フットが一九六〇年代末に想像したジレンマについて考えてみよう。これは「トロッコ問題」と呼ばれるが、いまやエンジニアにとって現実の問題になった。トロッコ問題を自動運転車に当てはめると、つぎのような場面が考えられる。五人の歩行者が道路を横断しているとき、自動運転車は歩行者の安全を優先すべきだろうか。進路をそれたらドライバーが危険にさらされ、命を落とす可能性があっても、歩行者を優先する形でプログラムされるのが好ましいのだろうか。社会全体としては、最も多くの命が救われる選択肢を車がとるほうが望ましいと私たちは考えるのではないだろうか。二〇一六年に実施された調査の参加者の大半［8］は、自動運転車は道路全体での犠牲者の数を最小限に抑えるようにプログラムされるのが好ましいと回答した。しかし同じ調査でも、自分が自動運転車の乗員、すなわち潜在的な顧客という前提で質問されると、「いかなる犠牲を払っても乗員の命を守ってくれる自動運転車のほうを好む」傾向が明らかになった。すなわち、自分は乗員を歩行者よりも優先しない自動運転車を買おうとは思わないが、他人にはそのような車を買ってほしいと考えているのだ。購入を決断する際、社会的選好と個人的選好の見解がこのように対立していると、実に厄介である。歩行者や自転車の立場からは、すべての人の安全を優先するほうが好まれる。しかしドライバーになるかもしれない立場からは、乗員の安全を優先するほうが好まれる。そして自律システムは、両方を同時に行なえるようにはプログラムできない。このことから、自由市場のアプローチからは希望に沿った結果を引き出せないことがわかる。

自動運転車の世界が間近に迫っていることを人々は受け入れ始めたが、機械に判断を全面的に任せるのがふさわしくないと考えられる機能に関しても、自動化するとどうなるかを考えはじめなければならない。たとえば医師が病気を診断して適切な治療を処方するとき、教師があなたの子供にとっての必要性を評価したうえで、スキルの向上に役立つ授業を準備するとき、国の安全を守るための生死にかかわる決断を下す権限を政治家に委ねるときなどが考えられる。このような場合には、共感や人間の主体性が関わってくる。

道路や診療所や戦場でコンピュータを利用することで、たくさんの命が救われるかもしれない。しかし、そのことによって何が犠牲となるかは予測するのが難しい。自動化が最適化ではないかもしれないのだ。これからの未来では、私たちは自らの命に対する主体性を失い、自動化の恩恵と負担の分配が不平等になり、自分たちが創造したテクノロジーによって居場所を奪われる可能性がある。こうした影響について、ここで真剣に考えなければならない。

ブギーマンにご用心

SF小説家はかねてより、機械が人間よりも高い知能を持つようになった世界を描いてきた。そこではロボットが新しい支配者として君臨し、人間はその言いなりになる。人工知能が長足の進歩を遂げた現在では、機械が人間を確実に凌駕する領域がすでに存在する。しかしこれは、憂慮すべき展開だろうか。答えは単純ではない。実際、どんな種類のタスクを機械に委ね、機械と人間の相互作用をどう設計するかによって、今後の展開は左右される。

AIの歴史をたどる際には、様々なタスクで人間を打ち負かした成果が節目として注目された。機械学習という用語を一般に普及させたアーサー・サミュエルは一九五九年、ボードゲームのチェッカーを戦うコンピュータプログラムを開発したが、それは自分自身と対戦することによって能力を向上させた。それはまるで自ら「学習」しているようだった。一九九四年には、コンピュータプログラムがチェッカーの世界チャンピオンの人間からようやく勝利を挙げた。一九九七年には、世界中の新聞が驚くべきニュースを一面の記事で報じた。ＩＢＭが開発したコンピュータのディープブルーが、チェスの世界チャンピオンとして君臨してきたガルリ・カスパロフに勝利を収め、「人間を玉座から引きずり下ろした」[9]のだ。二〇一一年になると、テレビのクイズ番組『ジェパディ！』の質問に回答するように構築されたＩＢＭのワトソンシステムが、最高額の賞金を獲得してきたふたりの勝者、すなわちブラッド・ラッターとケン・ジェニングズを大差で打ち負かした。最終スコアは、ラッターが二万一六〇〇ドル、ジェニングズが二万四〇〇〇ドル、そしてワトソンが七万七一四七ドルだった。二〇一七年には、グーグルのディープマインド・グループが機械学習を使って作成したプログラムが、世界ナンバーワンの囲碁棋士である柯潔から勝利を挙げた。この偉業に、ゲームプレイヤーの多くは仰天した。囲碁は局面の認識が難しく、チェスよりも天文学的に複雑なので、コンピュータが世界チャンピオンのレベルはむろん、プロのレベルを超えるのも不可能だとこのときまで信じられていたのだ。アルファ碁の成功には多くの棋士が驚かされ、コンピュータの打ち筋が「別の次元からやってきたようだ」[10]と一部では評された。

これらはいずれも驚くべき技術的成果だが、ほんの始まりにすぎない。人工知能が急速な進歩を遂げ、様々な自律システムに導入されると、機械がゲーム以外の領域でも人間の成果を上回る時代が到来するだろう。不愉快な作業、危険な作業、孤独な作業、同じプロセスの繰り返しで退屈きわまりない作業は、自動化されてすでに多くの人を喜ばせている。その一方、私たち人間が意義や喜びや達成感を得られる作業の自動化は不幸を招く可能性があり、人間という存在の意味そのものを変容させかねない。

あなたは洗濯を楽しんでいるだろうか。今日、洗濯は以前よりも簡単になったが、それでも楽しむ人はほとんどいない。洗濯機が登場する以前、洗濯は時間がかかるプロセスだった。服を一枚ずつていねいに水に浸し、石鹸で洗い、ゆすいでから乾かす必要があった。そんな重労働から人間を解放してくれた洗濯機は、まさに自律システムに他ならない。そして人間に多大なる恩恵をもたらした！　洗濯機のおかげで人間は、洗濯という労働集約型の退屈な作業から解放された。しかも世界中の家庭を支えてきた分業の一部である重労働がなくなり、なかでも単調な重労働を押しつけられてきた女性は恩恵を受けた。では、洗濯という作業に人間が関わる機会が減ったことを嘆く人はいるだろうか。おそらくいない。

洗濯機は特に知能が高いわけではないが、それでも人間より効果を発揮するし、はるかに効率的だ。同じことはコンバイン収穫機から計算機まで、歴史を通じて発明された他の多くの機械にも当てはまる。かつて人間が行なっていた作業が自動化された事例は、人工知能よりも以前から存在していた。一八〇〇年代後期には、アメリカ経済を支える仕事の半分以上は農業関連だった[11]。それが一九三〇年には二〇パーセントになり、二〇〇〇年には二パーセントを下回った。

労働市場がこれだけ大きく変容すると、痛みを伴う混乱を招き、社会は激変する可能性がある。しかし、労働の技術的置換と経済学者から呼ばれる現象、すなわち機械の導入によって経済の特定の部門で仕事が奪われる現象は、現代の生活では見慣れた光景であり、それはＡＩだけがもたらした結果ではない。

ＡＩを巡る議論で最も重要なのは、ロボットの支配者としての台頭を災いの前兆としてとらえることではない。機械がどんな仕事を人間の代わりに行なっているかという点に注目し、機械への移行をうまく乗り切る方法を考えなければならない。機械に取って代わられる仕事が洗濯よりも複雑で、私たちに幸せをもたらすものであれば、人間の労働が奪われるのを嘆きたくなるかもしれない。

コンピュータ制御型の機械やデジタルによる自動化は、従来の自動化と何か違うのだろうか。かつて自動化とは、肉体労働を機械が代わりに引き受けることを指した。しかし、デジタルによる自動化では肉体労働と頭脳労働のどちらも機械が人間の代わりに引き受け得るので[12]、働くという経験そのものを変えてしまう可能性がある。しかも形のあるデバイスや機械の場合と異なり、デジタルによる自動化は複製も安上がりだ。実際、デジタルによる自動化は過去のいかなる形態の自動化よりも強力だ。人間の代わりに考えることができるし、情報処理能力は人間を上回る。しかしそれでも、スマートマシンが人間の思考や理性に匹敵する可能性を心配する必要はない。少なくとも現時点では。

人間と機械の知能のあいだには重大な違いが存在するのがその理由だ。人間の知能には、目標とそれを達成するための手段の両方についてよく考えるための、二元的な能力が備わっている。あらゆる生物のなかでもきわめてユニークな存在である人間は、人生で最も重要な目的についてじっくり考え、必要なら見直すことができる。しかし機械はどんなに高度な知能を持っていても、目標を設定できるわけではないし、目標に価値があるかどうかじっくり考えることもできない。チェッカーやチェスを行なうコンピュータをプログラムしたのは人間だ。顔認証のためにコンピュータを使う決断を下したのも人間だ。ゲームのルールが明確で、勝ち負けの判断がはっきりしている状況であれば、テクノロジストはスマートマシンの創造に特に優れた能力を発揮する。人工知能の節目となる数々の成果に多くのゲームが含まれるのは、決して偶然ではない。

しかし、何が目標を達成することなのか定義しにくい問題に取り組むインテリジェントマシンの創造はもっと難しい。たとえば、自動運転車の目標は何だろう。テクノロジストがプログラムした自律システムは、どんな客観的な機能の最適化に取り組むべきか。乗員を目的地まで最短時間で送り届けることが目標だという指摘もあるが、道中の乗員の安全だという指摘もある。さらに、道中を快適に過ごすことが目標で、最短ルートよりも景色の美しいルートを選ぶべきだという意見もある。客観的な機能についてはこのように意見が分かれるが、それ以外にも自律システムは、予測不能で変化の目まぐるしい環境をくぐり抜けていく能力を備える必要がある。道路の状態も、天気や光の明るさも、常に一定ではない。他の車や歩行者の行動に目を配る必要があるし、道路の障害物にも注意を怠ってはならない。たとえば、子供がボールを追いかけて飛び出してくる可能性もある。機械が自ら目標を規定できるようになるまでは、テクノロジーを使ってどんな問題を解決するべきか選択し、どんな目標には追求する価値があるか判断する役目は、従来通り人間が引き受ける。

ＡＩには、一部のテクノロジストの空想をかき立てるフロンティアが存在する。それは汎用人工知能（ＡＧＩ）というアイデアだ。今日のＡＩの進歩は、狭い範囲に特化したタスクをコンピュータが完成できることが大きな特徴だが（「弱いＡＩ」）、ＡＧＩ（「強いＡＩ」）すなわち、人間が設定した目標を達成するだけでなく、自ら目標を設定できる機械を創り出そうという情熱も高まっている。

ＡＧＩの完成が間近に迫っていると信じる人はほとんどいない。しかし熱心な支持者の一部は、過去一〇年間で演算能力が指数関数的に成長し、ＡＩが驚異的な進化を遂げた点に注目し、私たちが生きているうちにＡＧＩが実現する可能性に期待を寄せる。その一方、多くのＡＩ研究者たちは、ＡＧＩが実現する可能性は低く、いずれにしても今後数十年間は無理だと信じている。このような意見の対立からは、超知能マシンの創造についてユートピア的な論評をするかディストピア的な論評をするかという、局所的だがホットな話題が生み出された。ＡＧＩのエージェントやシステムの目標が、人間の目標と確実に協調するためにはどうすればよいか。ＡＧＩは人間をリスクにさらすのだろうか［13］。あるいは人間は、超知能を持つロボットやＡＧＩエージェントの奴隷に成り下がる恐れがあるだろうか。

しかしＡＧＩについてあれこれ推測するよりは、ＳＦとまったく無関係のものにまずは集中しよう。それは特化型すなわち弱いＡＩの急速な進歩で、その結果として人間も社会もきわめて重大な課題を突き付けられている。

スマートマシンの何がスマートなのか

いまや機械は「賢く《スマート》」になり、職種によっては創造者である人間に取って代わる恐れが出てきた。仕事によっては、人間の能力が疑問視されるようになった。では、機械はどうしてここまでスマートになったのだろう。ＡＩの変革力に圧倒される未来が間近に迫るまで、なぜ、どのように追い詰められたのか理解するためには、第二次世界大戦直後の時代まで遡らなければならない。発展への道は平坦でも順調でもなかった。

人工知能は、一九五六年の造語だ。当時コンピュータ科学はちょうどひとつの分野として確立されたばかりで、コンピュータが実現する未来の可能性は無限に感じられた。ＡＩ研究の草創期に当たる一九五〇年代から七〇年代にかけては、アーサー・サミュエルがチェッカーのプログラムを作成した。あるいはＭＹＣＩＮという「エキスパートシステム」〔専門家の意思決定能力を模倣したもの〕が発明され、人間の医師よりも正確に血液感染を診断できるようになった。このような進歩のおかげで、未来の成果について楽観的な見方が広がっていた。ただし研究室での熱狂はビジネスの世界で誇大広告がはびこることにつながった。ＡＩは、様々なビジネスの問題を解決すると吹聴されたが、その多くは当時の技術レベルではとても実現できなかった。

ＡＩの初期の研究の多くは、論理的なルール――「すべての犬は四本足だ」など――を介して、推論や人間の意思決定をモデル化することを目指した。しかし、こうしたルールに基づくシステムには安定感がない。足が三本の犬に遭遇したらどうなるか。ルールに基づくシステムは、それは犬ではないと推測するだろう。さらに悪いことには、システムに組み込まれているルールと一致しない情報を与えられて不安定になり、論理的思考がまったく働かない可能性もある。そこで例外的なケースにシステムが対応できるように細かい修正を加える努力が進められたが、作業は複雑ですぐに行き詰まった。三本足の犬に義足が装着されているケース、義足が車輪のケースなど、例外は様々な考えられる。結局のところルールに基づくシステムは複雑になってしまい、決断が遅く、失敗しやすい。三本足の犬の事例など、深刻な問題とは思えないかもしれない。しかし、ルールに基づく不十分なシステムが重大な局面で、たとえば製鋼所の溶鉱炉の管理に使われたらどうか。論理的思考に問題を抱えている［14］と、もっと深刻な結果を招く可能性が考えられる。

ＡＩシステムが誇大広告されても期待ほどの成果を達成できないと、一九七〇年代から八〇年代にかけての二〇年間は「ＡＩの冬の時代」となった。ＡＩの産業利用は大幅に減少し、研究費は枯渇した。

この時代も末期になると、もっと現代的なＡＩシステムが登場した。従来よりも柔軟で、多くは複雑なシステムが開発された結果、ルールに基づくシステムの脆弱性は克服された。そのひとつがニューラルネットワークの登場だ。これは機械学習のためのアルゴリズムで、人間の脳というモデルから着想を得て、世界の不確実性に対処する手段として開発されたものである。固定的なルールは、確立や可能性を表現する数字を置き換えられる。これらを安定した方法で数学的に組み合わせれば、システムは予想外の状況もうまく処理できるようになり、推論能力が完全に機能停止する恐れもない。

今日のＡＩシステムが世界をモデル化して推論する方法は、以前よりもはるかに柔軟で強力になった。車に市街を運転させ、顔を認識して写真の人物の身元を特定し、ボードゲームでは世界チャンピオンを打ち負かすほどだ。ただし、最近登場した強力なシステムは代償を伴う。複雑さが際立つのだ。いまのＡＩシステムは複雑すぎて、プログラムを作成した人間でさえ、機械がどうしてそんな決断を下すのか理解できないときがある。ＡＩシステムは、人間の認識能力を超えるほど大量のデータのなかからパターンを見出すので、しばしば人間よりも正確に予測を行なう。しかしこうしたシステムは往々にしてブラックボックスでもあり、なぜ特定のアウトプットが生み出されるのか理解できない。システムを構築した科学者でさえ、アウトプットについて説明できるとは限らないので、決断が不可解なものになってしまうのだ。

深層学習とは、洞察を生み出す能力を指すのではなく、ＡＩシステムの構造を空間における比喩として表現した言葉である。このアイデアは、つぎのように進行する。システムに情報がインプットされると、シンプルなパターンがいくつも形成される。これに前の層から引き出したパターンを組み合わせると、パターンはどんどん複雑になっていく。深層という名前が付けられたのは、一〇年前のシステムよりもはるかに多くの層で構成されることに由来する。これは、各層のパターンをモデル化するための演算能力が向上した結果、複雑なパターンの発見に役立つデータの獲得量が飛躍的に増えたおかげだ。たとえば顔認識の場合、写真（顔写真）は、具体的には顔のイメージを構成するピクセル（画素）のグリッド（格子）として入力される。システムの最初の層は、ベースとなるピクセルから線すなわち「エッジ」を決定する。するとつぎの層では、線を組みわせてシンプルな形状が出来上がり、それをさらにつぎの層で組み合わせると、目、鼻、口など顔の形が現れる。こうした顔の形を最後の層で正しく立体配置すれば、ひとつの顔が完成する。そう聞かされるとシンプルな印象を受けるが、実際にこのシステムを構築するのは大変な作業で、機械学習の技術を使わなければ達成できない。フェイスブックの顔認証システムのディープフェイスでは、「九層から成るニューラルネットワークが使われており、一億二〇〇〇万以上のパラメータが含まれる」[15]。そしてこれは二〇一四年の話だ。それ以来、マイクロソフト、グーグル、NVIDIA（エヌビディア）をはじめとする大手テクノロジー企業は、何百億ものパラメータを含むモデルを構築し、その数は毎年増え続けている。人間の脳にはおよそ一〇〇〇億のニューロンが含まれると推定されるが、現在のモデルはその複雑さに近づきつつある。では実際のところ、深層ニューラルネットワークがモデルに含まれるすべてのパラメータを理解する能力は、人間を上回るのだろうか。

ＡＩシステムが強力になると、気が遠くなるほどたくさんの応用が促され、私たちの生活に取り入れられた。なかにはおそらく気づかれないまま、何年も使われているものもある。Ｅメールから迷惑メールを判断するスパムフィルター、クレジットカードでの買い物記録から不正取引を細かく探し出す方法などは、数十年前から存在している。クレジットカード会社から電話をもらい、カードの履歴に不審な取引が含まれると報告されれば、おそらく見つけてくれたＡＩに感謝するだろう。こうしたスパムフィルターやクレジットカード詐欺を特定する事例では、そもそも取り扱うデータの量が膨大で、人間の処理能力をはるかに上回っているので、これらのテクノロジーが使われるようになっても、人間が仕事を奪われるわけではなかった。人間が見つけることのできない、データシステムの奥深くでひっそりと処理されているのだ。

ＡＩのパターン認識能力が向上すると、さらに複雑な作業をこなす力が備わり、その活用が様々な場面で見られるようになった。自動運転車はほんの序の口で、応用例のなかには奇をてらったものもある。そのひとつ、メイカー・シェイカーが開発したロボットバーテンダーには、「トニー」や「ブルーノ」といった風変わりな名前が付けられ、この数年間にロンドンからドバイまで世界各地で二六〇万杯以上のドリンクを提供してきた！

ニッチな職業、たとえば翻訳は、複数の言語を驚くほど正確に、しかも多くはリアルタイムで翻訳する機械の能力に脅かされている。コロナ禍のあいだにズームでビデオ会議を経験した人なら誰でも〔16〕、自動文字起こし機能には世界の主要言語の自動音声翻訳機能が備わっていて重宝したはずだ。一部のアナリストは、翻訳の未来は「ヒューマン・オン・ザ・ループ」モデル〔ＡＩの意思決定のパラメーターを人間が事前に決定したり、その意思決定の妥当性を人間が判断するという仕組み〕の傾向を強めると確信している。この場合に人間の翻訳家は、機械翻訳の結果を便利な第一稿として利用し、翻訳の精度を上げる作業や、口語体を反映した形に修正する作業に取り組む。そうなると、大勢の翻訳家は必要だろうか。いかにも小さな業界で、こんな特殊なスキルが求められるだろうか。

他の領域、たとえば自動カスタマーサポートでは、音声認識と自然言語理解の機能を組み合わせたＡＩシステムが、顧客とのやりとりの新たな最前線になっている。ちょうど、アマゾンのアレクサやグーグルホームで使われている機能とよく似ている。人間が介在するのは、必要とする支援をシステムから受けられなかったときに限られる。そうなると、必要とされるカスタマーサポート担当者の人数は少なくなる可能性がかなり高い。

金融の世界はどうか。株式、商品先物、デリバティブなど高度な金融商品の取引に、ＡＩが活用される機会は増えている。こうしたシステムは「クオンツ・ヘッジファンド」と呼ばれる。そこで使われるアルゴリズム技術は機械学習モデルで動かされ、アップルの株式から亜鉛先物まであらゆるものの取引を瞬時に成立させる。この分野のパイオニアであるルネサンス・テクノロジーズを設立したジム・シモンズは数学の博士号の持ち主で、国家安全保障局で暗号解読を行なっていた。これは金融とやや異なるが、定量分析を用いたパターン認識である点は同じだ。ルネサンスが一九八二年に創設されて以来、同社のメダリオン基金は一〇〇〇億ドル以上の利益を生み出した。実際、テクノロジーが大きく進化して以来、金融の世界は大きくシフトした。金融サービス会社は顧客関係管理に重点を置き、定量分析のテクノロジーを利用してプライベートファンドにアクセスする傾向を強めている。金融は、ＡＩなど高度なテクノロジーの採用が盛んな分野だと言ってもよい。仕事が遅くて間違いやすい大勢の人間が働く市場の効率が悪ければ、代わりにＡＩを利用するべきだろう。ＡＩならばパターン認識の最適化を助けてくれるし、人間よりもはるかに迅速に効率の悪さを解消してくれる。そうなると、投資会社が雇用する人間は少なくなるだろうか。この疑問には、イエスとノーのどちらの陣営も様々な意見を出している。

では医師はどうか。ＡＩからの脅威に直面するだろうか。かつてテクノロジーには歯が立たないと思われていた職種で、いまではＡＩが詳しい検査の手段として使われている。そのひとつが、乳がんの発見だ。グーグルの研究チームは、「乳がんの予測に関して人間の専門家の能力を上回る人工知能（ＡＩ）システム」〔17〕について報告している。それによると「六人の放射線科医を対象に独自の調査を行なった結果、ＡＩシステムは〔マンモグラム検査の〕読み取りに関して、六人全員の成績を上回った」という。同様にスタンフォード大学のチームは、「胸部レントゲン写真から肺炎を発見する能力が、放射線科の開業医のレベルを上回るアルゴリズム」〔18〕を開発した。こうした展開からジェフ・ヒントンは、つぎのような発言を行なった。ヒントンはニューラルネットワークと深層学習のパイオニアであり、二〇一八年にはＡ・Ｍ・チューリング賞を受賞している。「いまや放射線科医の訓練をやめるべきだ。五年以内に深層学習の能力が放射線科医を上回るのは確実なのだから」〔19〕。これは二〇一六年の話だ。

このような発言に対し、放射線科医など医療専門家が手がける仕事〔20〕はレントゲン写真の解釈に限定されず、ずっと範囲が広いことが指摘されてきた。実際、患者が検査を受ける準備を整え、細胞診など他のソースから情報を集める必要があるか判断し、それらの結果に基づいて最終的な診断を下すまで、たくさんの仕事をこなさなければならない。もっと重要なのは、人間的要因と呼ばれるものだろう。人間は機械ではなく他の人間と関わりを求めるもので、命にかかわる告知と向き合うときは特にその傾向が強くなるということだ。そして、法的責任という概念を忘れてはいけない。機械が過ちを犯したら、誰が訴えられるのか。医師が関わっている場合は、良くも悪くも答えを出すのはずっと簡単だ。

ＡＩのテクノロジーが医師など高度熟練労働者を脅かし、どの程度まで仕事を奪うのか現時点ではわからない。二〇一九年にイギリスで実施された調査は、現状を以下のようにまとめた。「我々の総括からは、深層学習モデルの診断の成績は、医療専門家に匹敵するレベルであることがわかった」［21］。ただし「深層学習に関する報告はまだ十分とはいえないので、診断の正確さを確実に解釈することはできない」。要するに深層学習モデルは、レントゲン写真から診断を下すような狭い範囲の作業で人間に匹敵する成果を出せるかもしれないが、実際の医療現場での成果については報告が少ないので、モデルの予測が患者に良い結果をもたらすのかどうか判断することはできないということだ。さらに調査では、アルゴリズム診断の推論は「深層学習のブラックボックス的性質と根本的に相容れない」点を理解することが重要だと指摘している。「アルゴリズムが見えないブラックボックスで決断するときは、中身を詮索されないし説明も求められない」。

インテリジェントマシンという概念が一九五〇年代に登場してから、ＡＩは大きな発展を遂げた。かつてＡＩは、ほとんどは見えない形で私たちの生活に影響をおよぼしてきたが、いまでは目に見える形で革命が広く進行する環境が整っている。そこからは確実に多くの恩恵がもたらされる。しかし、そのプロセスで私たちが失うかもしれないのは果たして何だろうか？

オートメーションは人類の役に立つのか

自動化はブルーカラーとホワイトカラーのどちらの労働者の仕事も脅かす可能性があるが、少なくともひとつの小さな雇用カテゴリーは、ＡＩの進化から恩恵を受けている。それは哲学者である。この一〇年間、倫理やＡＩに関する研究は活発になった。テクノロジー企業は最高倫理責任者の採用に関心を持ち、非政府機関はテクノロジー専門の倫理学者をスタッフとして加え、シンクタンクや大学は、倫理とテクノロジーが交わる領域での新しい職種の募集広告を頻繁に行なっている。その結果、少なくとも現時点では、各企業、ＮＧＯ、政府委員会、ブルーリボン委員会〔学識経験者のグループ〕がＡＩの倫理や原則、ガイドラインや枠組みをバラバラに提供している状態で、内容には統一感がない。最近のある調査によれば、ＡＩの倫理に関してはこの一〇年間で、様々な内容の公文書が八〇種類も公開されており〔22〕、その圧倒的多数は二〇一六年以降に公開されている。

ＡＩの倫理に関する企業努力の一部は漠然としていて中身も乏しく、本質的には広報主導の「一見すると倫理的な活動」にすぎない。グーグルは二〇一九年、専門家外部諮問委員会――ＡＩ倫理委員会――を創設し、同社が責任をもってＡＩを開発するための指導と監視を任せることを発表した。ところが、ＬＧＢＴＱの人々の権利に反対するメンバーや、気候変動は人災だという説を疑問視する研究を支援するメンバーが含まれていることが発覚し、それが市民のあいだで物議を醸すと、委員会は発足から一週間もたたずに解散し、その後新しい委員会を結成する動きは見られない。

もっと本格的な枠組みでも、空虚な一般論に終始して実態を伴わないものは多い。たとえばＡＩシステムは正義を促進し、公平であり、偏見を持たず、プライバシーを守り、説明責任を持つことを一般原則として謳う倫理的枠組みが準備されても、実際にはガイドラインとして大して役に立たない。これまでの章ですでに指摘してきたように、公正とは何を意味するのか、それをアルゴリズムが読み解くことは可能か、もしも可能なら、間違いなく実行するために必要と予測される能力に対し、どれだけ費用を使うつもりがあるのか。このような重要な事柄に関して深く掘り下げて問いかけてこそ、適切かつ興味深い問題が明らかになるものだ。もちろんプライバシーは大切だが、ＡＩの原則でプライバシーへの深い関与を公表するだけでは、プライバシーと安全のバランスの取り方の方針は何もわからない。

ＡＩに関して私たちに必要なのは、人類が繁栄する可能性にスマートマシンがどんな影響をおよぼすのか理解することだ。スマートマシンは人類や社会が繁栄する能力の向上に役立つかどうか検証しければならない。あるいは、ＡＩ開発へのアプローチやそれを管理するための政策を決定して素晴らしい可能性の実現を目指す一方、予想されるリスクを最小限に抑える努力も必要だ。ここではふたつの重大な疑問が浮上する。先ず、ＡＩが人間の営みを損ない、人間とは何かというアイデアそのものまで脅かす可能性が出てくるのは、ＡＩがどのような状況で大きく進化する場合だろうか。そしてつぎに、自動化が進行していくと、あるいは仕事を奪われ、あるいは配置転換を迫られる労働者の物質的幸福に何が起きるだろうか。

経験機械に接続する

スマートマシンと人間の営みの価値との相互作用について理解するためには、哲学者のロバート・ノージックが一九七四年に考案した仮説のシナリオに注目するとよい。それは「経験機械」だ。

あなたが愉快な経験をしたいと望めば、何でもそれを叶えてくれる機械にアクセスしたところを想像してほしい。ジェットコースターに乗りたい、アイスクリームのコーンを食べたい、好きな音楽に合わせて踊りたいといった、ささやかな経験かもしれない。あるいは相思相愛の恋をしたい、楽曲を作って演奏したい、世界平和を実現したいといった、深みのある経験かもしれない。自分は想像力が乏しいと思うなら、文学、映画、旅行が様々な選択肢を提供してくれるから、それにアクセスすればよい。経験機械からは深い感動を味わえる。すべてが本当の経験であるかのように、生きた現実として感じられる。ごく小さな夢も、とてつもなく大きな夢も、どちらもプログラム可能だ。ではそれを今日、明日、来月、あるいは死ぬまでずっと、好きなだけ実現できると想像してみよう。この機械に接続すれば、生涯にわたって幸せを経験できることが保証される。

経験機械を創造するため、ノージックは「超優秀な神経物理学者」を使うことを想像した。しかし今日では、脳科学者の存在など想像する必要はない。コンピュータ科学者が、バーチャルリアリティのデバイスを実際に支えてくれる。では、経験機械から提供される仮想の事例の代わりに、オキュラスリフト――フェイスブックが製造する強力なVRゴーグル――の効果がさらに強化されたところを想像してほしい。常識では考えられないし想像できないと思うかもしれないが、実はそうでもない。オキュラスの共同制作者のパーマー・ラッキーは、VRでゲーム体験を提供することを目標に掲げたが、もっとずっと壮大な夢も抱いていることをインタビューで語った。このとき彼は、VRを大衆に広めるのは「道徳的義務」だと述べている。VRが大衆化されれば、富裕層や地理的に優位な場所に住む特権階級に限らず、誰もが人生の素晴らしい経験を味わえる。エーゲ海に沈む夕日、ルーブル美術館に展示されたモナリザ、セレンゲティ国立公園での動物の大移動、ニュージャージーで開催されるブルース・スプリングスティーンのコンサートを、現地を訪れなくても楽しめる。「誰でも幸せな人生をおくりたい」[23]とラッキーは語り、バーチャルリアリティなら「それが可能で、世界のどこに住む誰でも幸せな人生を経験できる」と強調した。

もしもバーチャルリアリティを経験できる機械への接続が可能なら、あなたは接続したいだろうか。あるいは接続するべきだろうか。ラッキーはあるジャーナリストからこう尋ねられ、「絶対に」接続すると答えた。そのうえで、「バーチャルリアリティ業界の誰に尋ねても、同じ答えが返ってくるだろう」と補足した。

しかしノージックは、経験機械への接続など誰も絶対に考えないと結論した[24]。「心が経験する感情が、いちばん大切なわけではない。人生には幸福感よりも優先されるものがある」からだ。

ここでノージックは、シンプルながら根本的な疑問を投げかけている。それは哲学者だけでなく、人生の目的について悩む誰にとっても馴染み深い疑問だ。すなわち幸福、具体的には幸福感を伴う経験は、人生でたったひとつの重要なものなのだろうか。ノージックはこの疑問にノーと答えたうえで、功利主義を批判した。功利主義は、ジェレミー・ベンサムによって考案された哲学的信条である。人生の究極的な善――最高善――は幸福であり、それは喜びの経験として解釈できる。そして、いかなる個人にとっても道徳的に正しい行動とは、すべての人の幸福を最大化する行動であり、最大多数の最大幸福が目標とされる。これに従うならテクノロジストの暗黙の道徳的課題は、幸福の最大化にとって最善の手段を確認することになる。

ノージックは、経験機械について読んだ誰でも接続することを拒むと指摘したうえで、つぎの点を理解しておくべきだと指摘した。私たちの営みや努力や才能は、人生における実際の経験と結びついている。「我々が望むのは現実との深い結びつきであり、妄想のなかで暮らしたいとは思わない」[25]。経験機械が問題なのは、接続するかどうかの決断はともかく、実際の経験との因果関係が存在しないことだ。真の幸福とは、自分で喜びや幸福を実現してこそ達成されるもので、幻影をただで手に入れても達成されない。

きわめて強力なバーチャルリアリティには一定の魅力があるかもしれない。しかし、想像し得る最大の喜びがVRから提供され続けると保証されても、本当にいつまでも接続したいだろうか。多くの人にとって、答えはノーだ。喜びや悲しみ、あるいはその中間のあらゆる感情の経験から人生の意味が生み出されるのは間違いない。それでも、行動や目的や取り組みがたとえ不完全でも、それが経験と直接の因果関係を持つからこそ、人生は充実するものだ。

バーチャルリアリティのパイオニアのひとり、ジャロン・ラニアーは、この一〇年間のテクノロジーの進歩を誰よりも痛烈に非難している。著書『あなたはガジェットではない――宣言書 *You Are not a Gadget: A Manifesto*』が出版された二〇一〇年には、フェイスブックはまだ利益を生み出していなかったが、今日のテクノロジーではめずらしくないプライバシー侵害行為の多くが本のなかで予想されている。さらに驚くことに、デジタルテクノロジーには「私たちを、私たちが個人として存在する意義を徐々に劣化させるような生活パターンに引きずり込む可能性がある」[26]と指摘している。言い換えればテクノロジーが私たちに与えてくれるものに十分な関心を持たないと、私たちは人間らしさを失いかねないということだ。

日常生活に意味や意欲を見出せる社会を維持するためには、機械に代わられたくない労働もある。たとえ機械が人間よりも優れた成果を発揮する作業でも、人間が引き続き取り組むか、もしくは介在し続けることができるテクノロジーを考案するか、どちらかを選ぶ可能性は考えられる。そして生活のなかで自動化が急速に進行している現状を考えれば、特定のケースに限って人間の営みや労働の重要性を判断するだけでは対策が十分ではない。人間の営みの機械へのアウトソーシングは、少しずつゆっくりと進めていく必要がある。私たちの生活でスマートマシンが情報をどんどん収集して蓄積する状況を放置すれば、人間の営みは致命的な影響を受け、最後は深刻な問題に直面する。

ここで人間の営みというアイデアを誇張するつもりも、人間の労働の重要性を理想化するつもりもない。人生に意味をもたらすため、個人の幸福を生み出すためには、たとえば表計算ソフトでの計算処理など、機械に任せたほうがよい仕事は多い。退屈な仕事、資源開発の仕事、敬遠される仕事、危険な仕事の自動化が可能ならば、ぜひ進めるべきだ。しかし私たちの幸福や人間性に不可欠な分野では、スマートマシンが人間の営みに取って代わるのではなく、お互いに協力して発展できる方法を考えればよい。そこにはテクノロジーの設計や、テクノロジーの使用を制約する政策も含まれる。スマートマシンは人間の成果を上回り、生産性をどんどん高めているが、根本的なことを言えば、人間の繁栄は自動化できないのだ。

人間の貧困からの大脱出

人間の繁栄にとって欠かせないもうひとつの要素は物質的な充足だ。基本的欲求を満たし、貧しく惨めな境遇に落ちぶれないためには、物質的に最低限満足できる状態を確保しなければならない。さもないと不幸な境遇に陥り、様々な病魔に苦しめられる運命が待っている。動物は十分な食べ物を摂取する必要があり、野菜が成長するには土壌に十分な栄養分が必要だが、それと同様、人間が人生を有意義に過ごす能力を獲得するためには、十分な資源が必要とされる。

地球で暮らす人類の歴史には衝撃的な事実がある。有史時代の大半、人類のほとんどは極貧状態に置かれていたのだ。経済学者のグレゴリー・クラークによれば、「一八〇〇年の世界の平均的な人は、紀元前一〇万年の平均的な人と暮らし向きが変わらなかった」[27]。多くの人類が完全な貧困を克服したのはつい最近のことだ。啓蒙運動が始まり、科学の発見や技術革新が産業革命を促して、ようやく貧困状態は改善された。しかしそれでも、一日を二ドル未満で暮らさなければならない「極貧」と定義される状態を、未だに大勢の人が厳しい運命として受け入れている。ノーベル賞を受賞した経済学者のアンガス・ディートンは、過去二〇〇年の歴史を「大脱出」と評し、富の増加と健康状態の改善には関連性がある点を強調している[28]。ここでひとつ、進歩の裏付けとなる注目すべき指標を紹介しよう。一九一六年、アメリカの平均的な男性の寿命は四九・六歳、女性は五四・三歳だったが、二〇一六年の時点では、アメリカ人の平均余命は男女ともに七五歳を超えている。長生きしなければ、人間の営みなど何の役にも立たない。

二〇世紀はしばしば、破壊的な世界大戦が勃発し、地球を何度も破壊できる威力を持つ核兵器が創造された時代として記憶される。しかし二〇世紀は、基本的な欲求を満たすために十分な物質的富を、何億もの人々がようやく手に入れた時代でもある。インドや中国では最近の経済成長によって、何十億もの国民が極貧から抜け出した。国が豊かになると、富裕国の国民が痛みや心身の障害を訴えるケースは減った。IQの値は高くなり、栄養状態が改善し、飢餓や飢饉が激減した結果、国民の身長は伸びた。基本的な物質的欲求の充足が達成されれば幸せや繁栄が保証されるわけではないが、前提条件であることは間違いない。

では、どの程度の物質的欲求の充足が必要とされるのだろうか。一日を二ドル未満で暮らすような、「極貧」の指標は確実に越えなければならない。富裕国では、食べ物、衣服、住まい、医療へのアクセス、教育など、基本的な欲求を満たす以上のものが求められる。ここに関わる基準は充足であり、平等とは大きく違う。基本的な欲求が満たされる社会では、全員の収入や富が平等である必要はない。誰もが充足感を抱くことが保証されなければならない。

すべての人がこの基準を達成するための能力に、自動化はどんな影響をおよぼすのだろうか。これまで技術革新は経済成長のきわめて重要なけん引役として貢献し、多くの人類を貧困から救い出した。新しいスマートマシンの時代には職場の効率が高まり、経済成長と生産性は新たな局面に入るだろう。もちろん、大きなマイナス面を伴うリスクは覚悟しなければならない。自動化によって大勢の人が職場から追い出されることになれば、安定した収入源を失い、物質的幸福の実現が脅かされる。

ビッグデータが経済にとって新しい石油だとすれば、AIは電気だと言われてきた。著名なAI研究者のアンドリュー・ヤンは、AIは「自動化を強化して」、人類が知っているすべての産業を変容させるだろうと語る。自動化の普及がもたらす恩恵はわかりやすいが、コストは一部に集中することが多く、確認しづらい場合もある。たとえば、権力や富の不平等が生み出される可能性もある。何百万台もの自動運転車を展開する配車サービス会社のCEOや株主は、莫大な富を手に入れるだろう。しかし職を失った何百万人ものバスやタクシーやトラックの運転手は、テクノロジーの進歩に翻弄され、悲惨な結果を受け入れなければならない。物質的幸福に関しては、スマートマシンの時代は一部の人たちにとって夢のような時代だが、生活が破壊される人たちもいる。

あなたにとって自由の価値は?

自動化は見えないけれども重大なコストを伴うが、人生を好きなように生きる自由が失われるのもそのひとつだ。ここで自動運転車の事例に立ち返ってみよう。自動運転車が導入されれば、アメリカだけでも一〇年間で最大三〇万人の命が救われる可能性がある。ある記者はこれを「公衆衛生の分野で二一世紀最大の成果」[29]になる可能性があると評価した。しかし移動手段がこれだけ変化すると、多くのものが失われる。たとえば、運転という行為からたくさんの喜びを経験している人は多い。後部座席に子供を乗せ、ラジオをつけ、ハンドルを握って広々とした道路を走る喜びは格別だ。運転免許の取得は、ティーンエージャーにとって紛れもなく大人への通過儀礼だ。どんな目的地にも好きな時間に好きな速度で移動できる自由は、運転の経験の醍醐味のひとつだ。では、自動運転車はアールフェアグニューゲンを提供できるだろうか。これは「運転の喜び」を意味するドイツ語で、一九九〇年代にフォルクスワーゲンの広告で一般に普及した。その見込みは薄いと私たち著者は考えるが、同じ意見の人は他にもいる。シークレットサービスのチームのサポート付きだが、ジョージ・W・ブッシュはいまでもテキサスの牧場で運転している。なぜなら運転が楽しいからだ。アメリカの元大統領は安全上の理由から公道での運転を許されないので、私有地での運転は格別の経験になっている。自動運転の恩恵を十分に受けるためには、これまで楽しんできた行為の一部を手放し、そこから得られる喜びを犠牲にする覚悟がなければならない。

自分の力で何かを達成することにはどんな価値が伴うだろうか。コストに関して、私たちは純粋に物質面から考えることに慣れている。具体的には、定量化され数えられるものに注目する。だから収入や富は、幸福の代替的指標としてしばしば使われる。しかし経験機械の事例が示唆するように、幸せや喜びがどのように達成されたか、そして実際のところ自分がその達成に貢献しているかどうか、知りたがる人は多い。

ただし、人間の営みに価値をつけるのは簡単ではない。アマルティア・セン〔30〕は、経済発展の目的を考え直すためこの課題に取り組み、アリストテレスの有名な格言を出発点とした。「富は明らかに、我々が追い求める善そのものではない。なぜなら、それはせいぜい他の何かを手に入れるために役立つ手段にすぎないからだ」〔31〕とアリストテレスは語った。センは国の豊かさや貧しさだけを測定するのではなく、物質的な富が何をもたらすかという点にも注目した。国民が好きなように暮らし、関心事を追求して才能を花開かせる自由を持っているかどうか確認したいと考えた。彼にとって経済発展とは何よりもまず、自由を達成して人間の能力が存分に発揮されることだ。この考え方は、幸福についての一般的な考え方に一石を投じるものだといえる。センが考える経済発展においては、富に注目するだけでは十分ではない。人々が充実した意義ある人生をおくるために役立つ重要な要因にも目を向けなければならない。教育、長寿、清潔な水や食べ物や医療へのアクセス、政治的自由、市民的自由も欠かせない。

国連開発計画（UNDP）は、幸福の代わりに国内総生産（GDP）を指標とする世界の潮流に逆らうセンの提案を真剣に受け止めた。そして人々の能力をもっと的確に把握するための手段として、人間開発指数（HDI）を考案したのである。収入はHDIの一部だが、この指数には教育を受けた年数や平均余命も含まれる。幸福の指標としては不十分だが、人間が自らの目標を追求し、個人としても社会としても繁栄するために必要な能力をかなり正確に把握している。

このアイデアが世界に紹介されると、人々の生活の質には大きな違いがあることが目に見えて明らかになった[32]。たとえば赤道ギニアとチリは一人当たりの収入はほぼ同レベルだが、人材開発の質はチリのほうがはるかに高い。同様に収入が低レベルのグループのあいだでも、大きな違いが見られる。ルワンダ、ウガンダ、セネガルなどの途上国は教育の機会や医療へのアクセスを公約しているので、収入が同レベルの他の国と比べ、国民に様々な機会を提供している。このアプローチは、人間の営みの価値を決して完璧に象徴しているわけではない。しかしそれでも、自動化のおかげで収入が落ち込まず、場合によっては増えるとしても、他の重要なものが失われる世界について考え直すきっかけにはなる。肝心なのは、いかに生きるか柔軟に考え、自由に選択できることだ。

調整のコスト

もちろん、自動化は人々の雇用機会や収入の減少にもつながる可能性がある。こうした不安は大きく報道されるが、実態を把握するのは驚くほど難しい。たとえば、リスクにさらされる仕事を特定するアプローチもある。オックスフォード大学の経済学者のグループは、米国労働省にコード登録された九〇三の細かい職種を調べたうえで、必要とされる知識やスキルだけでなく、自動化の進行で人間が職場を奪われる可能性[33]についても評価した。その報告によれば、アメリカでは二〇三〇年までに半分ちかくの職種が、自動化によって人間が機械に仕事を奪われるリスクが高い。これとは対照的に、パリの経済開発機構（ＯＥＣＤ）の経済学者が同様の調査を行なった結果によれば、機械の脅威にさらされる職種は全体のわずか九パーセントだった［34］。

このように調査結果が食い違うのは実態が大きく誇張されるからで、技術革新の新しい波が押し寄せるときは避けられない現象だ。一九三〇年代にはイギリスの経済学者ジョン・メイナード・ケインズが、つぎのように大げさに懸念を示した。「我々は新しい病に苦しめられている。まだその名前を聞いたことがない読者もいるかもしれないが、今後数年間で耳にする機会が大きく増えるだろう。それは、技術的失業という病だ」［35］。それから二〇年後、ハーバード大学の経済学者ワシリー・レオンチェフはつぎのような見解を述べた。「新しい産業が、働きたい人たち全員を雇用できるとは思わない」［36］。しかし大量失業を心配する声がある一方、もっと楽観的な見方もある。グーグルの現在のチーフエコノミストのハル・ヴァリアンは、AIによる失業の可能性をつぎのように評価した。「『機械に取って代わられる仕事が増えれば』『退屈で不愉快な反復作業が取り除かれる』のかと尋ねられたら、答えはイエスだ」［37］。

自動化が労働者の物質的幸福にどのような影響をおよぼすかという質問には、ただひとつの明快な回答があるわけではない。他よりも大きな影響を受ける職業もあるだろう。専門家によれば、現時点では歯科医と聖職者はAIによる影響が比較的少ない［38］が、カスタマーサービス代理店、テレマーケター、会計士、不動産業者は憂慮すべきだという。さらに、自動化は特定の職種全体を取り除くのではなく、所属する人たちの大半の働き方に変化を引き起こす可能性のほうがずっと高い。スマートマシンが退屈な反復作業を引き受けてくれるなら、人間は認知能力や創造力が必要とされる作業に集中すればよい。

たとえば、自動運転車への移行の影響が社会全体で同じように感じられないのは間違いない。自動運転車に拾ってもらい、つぎの目的地まですぐに運んでもらえば、満足できる人もいるだろう。障害者や高齢者や泥酔者にとってコストの低い移動手段はゲームチェンジャーになる可能性を秘めている。しかしなかには、運転が単なる移動手段ではなく、職業の人たちもいる。アメリカでは、三五〇〇万人ちかくがトラック運転手として雇用されている。その四〇パーセント以上はマイノリティ〔39〕で、多くは中西部や南部など平均所得が低く、公益の充実度が低い地域に暮らしている。配送と無関係な人にとっては、野菜や果物を配達するのが自動運転車でも、人間が運転するトラックでも、どちらでもかまわない。しかし現場で働く関係者には、自動運転車への移行は深刻な結果をもたらし、生活を脅かされる社会階層が新たに誕生する恐れがある。

自動化が経済におよぼす総合的な影響はもっと複雑だ。労働者が解雇される可能性はコストのひとつだが、自動化は経済に有益な効果をもたらす可能性もある〔40〕。たとえば農業に新たな技術が導入されると、同じ面積の畑からの収穫量が増加したが、それと同様、自動化は職場の生産性を向上させる。自動化が進んだ世界では新しい職種が創造され、専門的なスキルの需要が高まるだろう。このように自動化の進んだ世界を構築するためには、大がかりな資本投資が必要とされる。したがって、特定の産業や個人に関しては人間の仕事のかなりの部分が失われるかもしれないが、あらゆる点を考慮して総合的に考えれば、自動化は物質的な充足の改善につながるだろう。

ある経済学者のチームはアメリカの最近のデータに注目し、全体的な効果を量的に把握することにした。具体的には、一九九〇年から二〇〇七年までを対象に産業用ロボット導入の推移を調べ［41］、コンピュータベースのテクノロジー採用が全体的な雇用や賃金におよぼした影響を確認した。その結果、ロボットの導入が増えると、それに関連して雇用と賃金のどちらも減少することがわかった。ひとつの地域でロボットが一台追加されるたびに、六・二人分の雇用が失われた。大きな影響だが想定内ではある。ただし、どの地域も孤立して活動しているわけではないので、こうした影響が経済全体にどのような意味を持つのか確認することが課題として浮上する。結局、ロボットを利用すれば生産コストが下がるだけでなく、経済の他の部分で新たな活動が生み出される可能性がある。このような相殺効果まで思慮に入れれば、ロボットが雇用や賃金に与える影響はかなり小さくなる。

このことが意味しているのは、自動化によって人間の営みの何が失われるのかだけでなく、その影響がどのように分配されるかという点に大きな関心を持つべきだということである。自動運転車に生活を脅かされるトラック運転手のケースからもわかるように、自動化のリスクの程度は、職業や所得層によって異なる［42］。ある試算によると、時給二〇ドル未満のケースでは、自動化によって失業する可能性がほぼ八三パーセントだが、時給四〇ドル以上ではほとんど影響を受けない。失業、家族への影響、新しいスキルの習得に伴うコストは馬鹿にならない。ところが現在のところテクノロジー企業は、自動化の推進の恩恵をこうむっていながら、その影響を受けた労働者の転職を正式に支援する責任を持たない。コストは政府に丸投げされている。

たとえば、アリゾナ州は自動運転車のテストの中心地で、一部の地元住民はそれを快く思わない。タイヤを切りつけ、車に石を投げつけ、道路から追い出そうとする。このように身の回りでは、ラッダイト運動が現代に復活したケースを目撃するようになった。一九世紀に勃発したこの運動では、いまに機械に職を奪われると確信する織物職人が、機械をつぎつぎと破壊した。翻って今日、ニューヨークなどの大都市ではタクシー運転手が、ライドシェアアプリを標的にして組織的な反対運動を展開している。バルセロナでは接客サービス業を守り、居住空間のこれ以上の高級化を防ぐため、エアビーアンドビーが取り締まりの対象になっている。近年ノーベル賞を受賞したポール・ローマーなどは、テクノロジー企業への怒りが沸騰すると、データセンターが爆破される可能性もあると警告する。しかし、ラッダイト運動の戦術が工業化の阻止という目標を達成できなかったように、暴力によってコンピュータを破壊しても、自動化の圧倒的な力を止めることはできない。

自動化すべきでないものはあるか

もしかすると、絶対に自動化すべきでないものはあるかもしれない。世界的なコンピュータ科学者で、カリフォルニア大学バークレー校の教授であり、人工知能に関して執筆した教科書が一四〇〇以上の大学で使われているスチュアート・ラッセルは、ある特定の領域では一線を超えるべきでないと考えている。二〇一五年、彼はAIやロボット工学の研究者を代表し、自律型兵器の使用に関する公開書簡を出した［43］。

自律型兵器は、「火薬と核兵器に続く、戦争における第三の革命」［44］と言われてきた。この兵器は、人間が介入しなくても標的を選んで攻撃することができる。遠隔操作するドローンや巡航ミサイルとは対照的に、自律型兵器では標的の決定に人間がいっさい関与しない。そのような自律型兵器を軍隊が使用するときは、標的に関して予め決められた基準を確認させたうえで、任務の遂行を兵器に任せる。人間はまったく関わる必要がない。

公開書簡のなかでラッセルは、ＡＩ兵器の軍拡競争が世界で展開される可能性を案じた。「暗殺、国家の転覆、反乱の制圧、特定の民族集団の殺戮などを目的とするなら、自律型兵器は理想的だ」〔45〕と警告している。ＡＩは人類に多大な恩恵をもたらし、戦場が以前より安全になったこともそのひとつだが、「人間による制御が不可能な攻撃用の自律型兵器」の禁止をラッセルは呼びかけた。

ラッセルが公開書簡を出して以来、三〇〇〇以上の個人や組織が自律型兵器の禁止に支持を表明し、「致死性のある自律型兵器の開発、製造、取引、使用の支持」〔46〕を拒否する誓約書に署名した。署名欄にはイーロン・マスク（スペースＸとテスラ）、ジェフ・ディーン（グーグルＡＩのトップ）、マーサ・ポラック（コーネル大学の学長）などテクノロジー業界の大物、あるいはグーグル・ディープマインドのような指導的立場の組織の名前もある。殺人ロボットの禁止を求める運動は世界中に広がり、国連に加盟する三〇か国が禁止を求めることを明確に支持した。ただしそこにアメリカは含まれていない。中国とロシアの名前もない。

自動化を厳しく制約するケースとして、おそらく自律型兵器は比較的わかりやすい。そもそも命がかかわる決定を機械に任せるべきでないという考え方に反論するのは難しいだろう。命がかかわるならば、最終的な決断は人間が責任を持つべきだ。自動運転車について決断するのと同じように、命がかかわる決断を自律型兵器に任せるのは、発想があまりに飛躍している。人間の判断を完全に取り除くのはリスクが高すぎる。人間が常に関わっていなければならない。

人間の営みが完全に取り除かれる状況を受け入れられない領域は、他にも存在する。たとえば、学校の授業計画の最適化は機械にも可能かもしれないが、授業はそれだけでは成り立たない。生徒が困っているのを察して手を差し伸べたり、何かを閃いたときに見せる目の輝きに気づいたりするのは、ＡＩシステムには不可能だ。あるいは、音楽や芸術や建築はスマートマシンを使って制作するほうが、時間をかけずに完璧に仕上がるかもしれない。しかし作品では完成までのプロセスも重視されるのに、それがなくなってしまう。私たちは作品が苦労して完成されたからこそ、鑑賞するために何らかの形で寄付をするのであって、作品が人間業と思えないときは特にその傾向が強くなる。

もちろん、機械のほうが効率よくこなせることであっても、自分で実行すれば喜びや意味を見出せるとしたら、その権利を手放したくない。美しいコンピュータコードの作成、複雑な数学の問題の解答、新しい社員の採用に成功したときの喜びは格別だ。どんな人間の営みに価値を置くのか認識するためには、人間による意思決定を優先する必要がある場所や、人間の関与を完全には取り除きたくない場所を特定しなければならない。

人間はどこに収まるのか

今日の新しい領域を進むための枠組みのひとつでは、人間の能力の排除ではなく増強することを目指す。ここでは人間はAIから助言を与えられ、最終的な決断を下す。このように人間が介在する形は、ヒューマン・イン・ザ・ループ〔47〕として知られる。

あるいは、世の中に直接働きかける能力を自律システムに積極的に持たせ、人間は必要なときだけ監督するケースもある。この二番目のモデルは、ヒューマン・オン・ザ・ループと呼ばれ、基本的には自律システムが意思決定を行なうが、必要とあれば人間が介在してAIの決断を覆す。自動運転車の場合、テスラのオートパイロットシステムは道路交通状況に対応して車を自動運転するが、人間は警戒を怠らず、危険が発生したら介入しなければならない。

人間の能力を拡大させることは人間の自由の本質だとアマルティア・センは考えたが、CEOや投資家やエンジニアの裁量に任せたら、それが重視される保証はない。会社経営者は単純に計算し、現在の市場刺激策のもとでは、人間の職場を奪う形でAIの開発を進めるほうがよいと算盤をはじく。自動化へのシフトで純利益が改善するなら、人間の労働を排除しないのは無責任でしかない。特に株主はそのように考えるだろう。おまけに、アメリカの税法がさらに状況を悪化させている。社員の税金を企業が負担するときの税率はおよそ二五パーセントだが、設備やソフトウェアの税率は五パーセントに満たない。これでは企業が職場を自動化するために機械やソフトウェアを購入すれば、補助金を提供されるようなものだ〔48〕。しかし、この選択には他の利害関係者も含まれる。たとえば家族や政府は失業が引き起こす結果に対処しなければならないが、そのような関係者は意思決定プロセスのどこに当てはまるのだろうか。

シリア出身のオーストラリア人コンピュータ科学者のイヤッド・ラーワンは、ベルリンのマックスプランク人間開発研究所の所長であり、コンピュータ科学と社会が交わる領域で長年研究を続けてきた。彼は、ＡＩの利用が進めば広く社会的影響がおよぶ可能性に注目し、「ヒューマン・イン・ザ・ループ」の先まで発想を広げるべきだと確信している。すなわち、自動化の波に私たち全員が巻き込まれるならば、機械がプログラムされて最終的に使用されるときに、社会の価値観が反映されなければならない。ラーワンはこれを「ソサイエティ・イン・ザ・ループ」［49］と呼んでいる。

テクノロジスト以外の人間は、これを権力闘争と呼ぶかもしれない。競合する価値のあいだでバランスをとる作業は、プログラマーやデザイナーやエグゼクティブだけに任せるべきでないとラーマンは主張する。さもないと、人工知能の進化に対する社会の信頼は、永遠に損なわれる恐れがある。たしかにこれは、理論上は強力なアイデアだ。しかし、仕事の新しい未来を形作ろうとするとき、具体的にどのような意味を持つのだろうか。

まず何より労働者の声に権限を与え、発言に耳を傾けなければならない［50］。これまでは労働者の力や組合組織が徐々に衰えた結果、企業の経営陣はほとんど好き勝手に組織の優先順位を設定し、コストを削減し、新しいテクノロジーに投資するようになった。しかも、こうした決断が職場におよぼす影響には十分に配慮しないのだ。おまけに国際貿易で市場の自由化が進んだ結果、「底辺への競争」〔外国などにより安価な労働力を求め、結果として労働環境や社会福祉などが最低水準に向かうこと〕が激しくなり、生活水準が低下しても労働者の生活は守られない。これでは、失業の影響を最も受けやすい人はさらに孤立を深める。不平等への取り組みを最優先に掲げるフォード財団の会長ダレン・ウォーカーは、つぎのように嘆く。「仕事の未来を検討するとき、テクノロジーが話題の中心になることが多すぎる。その影響を受ける人間は蚊帳の外に置かれる」〔51〕。

しかし別の道もある。たとえば、カリフォルニア州の医療機関カイザーパーマネンテが新たに始めた電子健康記録のプラットフォームでは、雇用や賃金の保証と職業訓練を組合が引き受け〔52〕、労働者が新しいテクノロジーを有効に活用する手段が提供された。このような動きを考えれば、これからの自動化の時代が、労働者組織の介在や企業構造の抜本的変化を求める時代になるのも意外ではない。すでにアマゾンの倉庫の作業員やグーグルのエンジニアは企業の抵抗をよそに組合結成への第一歩を踏み出し、経営陣の巨大な権力に対抗する必要性を認識している。そして労働者協同組合の数も増加している〔53〕。社員が所有と管理を引き受ける協同組合という新しいモデルでは、企業活動から発生する利益が従来よりも平等に分配される。米国労働者協同組合連盟によれば、こうした「民主的な」職場の数は三〇〇程度にすぎない。しかしヨーロッパ諸国を含む世界の他の地域では、協同組合は企業環境で共通の機能として受け入れられている。

雇用と賃金を保証される以外に、労働者は何を要求できるだろうか〔54〕。ここでは、自動化の影響は人間の職場を奪うことに限られない点に注目する必要がある。自動化によって職場環境が変容すれば新たなリスクが発生し、雇用者ではなく社員が矢面に立たされる。たとえばつい最近まで、ファーストフードレストラン、カーディーラー、カスタマーサービス電話窓口、ショッピングモールの店舗では、スケジュールが固定された勤務時間表の提供が義務付けられた。これは経営者には犠牲を伴った。というのも閑散期に供給過剰の労働者を抱え、賃金を支払う必要があったからだ。やがて、社員のスケジュールを調整するアルゴリズムのツールが導入され、人員配置の最適化を目指すようになると、経営者の立場からは効率が改善された。しかしこれは、社員に犠牲を伴った。「ジャストインタイム」方式のスケジュールを受け入れ、シフトや総労働時間は不安定になり、人間として基本的な欲求を満たすことも難しくなった。

実業界のリーダーも企業の役割を見直し始めている［55］。二〇一九年には、大手企業が参加するロビー団体のビジネス・ラウンドテーブルが「企業の目的に関する声明」を新たに発表し、一八一人のCEOが署名した。声明では株主の利益を最優先する原則を再確認する一方、企業の責任に関するビジョンを広範囲にわたって紹介した。そこには社員への投資、サプライヤーへの公平かつ倫理的な対応、職場が立地するコミュニティへの支援などが含まれる。しかし結局のところ公共政策に大きな変化がなければ、せっかくの原則も絵に描いた餅で終わってしまう。

マサチューセッツ州選出上院議員のエリザベス・ウォーレンは二〇二〇年の大統領予備選に出馬したとき、「責任ある民主主義」［56］という労働者重視のアジェンダを提案した。企業国家アメリカを変容させるため、企業の役員には以下の点が求められると彼女は考えた。すなわち株主だけでなく利害関係者全員の利益を考慮して、取締役会には一定数の労働者を参加させなければならない。社員持ち株制度を制約し、短期志向に走るインセンティブを抑えなければならない。

そして政治的影響力を行使するときや支出方法を決定するときは、労働者の声を反映させなければならない。いずれのアイデアも、アメリカ以外では特に画期的ではない。ヨーロッパの資本主義モデルには大部分が含まれ、企業が歩む道の決定を経営者だけでなく社員にも委ねている。

人間の能力を損なうのではなく増強させるような形に、政策立案者はＡＩの開発を誘導することもできる。ＡＩのテクノロジーを開発する方法は様々で、その影響も様々だ。たとえば人間の労働や認知力の代替手段としてＡＩを考えるなら、人間の営みや幸福は大きく損なわれる。しかし政治指導者が研究開発への投資を行なったり税制上の優遇措置を講じたりすれば、ＡＩによって生産性の高い仕事が人間のために創出される環境が整い、結果としてＡＩは生産性向上と成長の新たなけん引役になり得る［57］。たとえば教育では、個別化学習の方法や教師の職業が様変わりして、生徒の成績は向上するだろう。医療では、エックス線を読み取るロボットに放射線科医が仕事を奪われる心配がなくなる。医療サービス提供者は新たに設計されたＡＩアプリから、医療に関する助言や診断や治療方針をリアルタイムで提供される。

取り残された人たちに何を提供できるか

パズルの三つ目のピースは、自動化が富の配分に対して引き起こした結果への対処だ。物質的な充足の源を一時的または永遠に失う可能性のある人たちに配慮しなければならない。

アンドリュー・ヤンは二〇一九年に大統領選に出馬したとき、まったく無名の存在だった。四四歳だが、すでに実業界で活躍し、フェローシッププログラムのベンチャー・フォア・アメリカを創設した。このプログラムは、大学を卒業してスタートアップを設立した若者が、起業家としてのキャリアを歩むための支援を目的とする。アジア系アメリカ人が二大政党のいずれかで大統領候補の指名を勝ち取るために立候補したのは、ヤンが最初だった。そして得票数は気の毒なほど少なかったものの、選挙活動中の主張は人々の興味をかき立て、特に若者の心をとらえた。

彼の政策綱領は、あるひとつのアイデアを大きな特徴としている。それは体が「自由の配当」と名付けたユニバーサル・ベーシックインカム（UBI）で、アメリカの成人すべてが職業を問わず、毎月一〇〇〇ドルを支給されることを目指した。このアイデアはかねてより知識人や政策立案者のあいだで提唱されてきたが、ヤンのプランはAIの時代に合わせて調整されている点がユニークだ。彼はつぎのように説明する。「いまのアメリカは大きな罠に陥っている。人工知能や、自動運転の車やトラックが採用される機会が増えるほど、人間の仕事が消滅し、それを埋め合わせるための収入を確保できない」[58]。そこで、こうした社会システム全体へのインパクトを和らげる緩衝材となる無条件のベーシックインカムが必要となり、その財源は自動化の恩恵を最も受けるテクノロジー企業が負担すべきだとヤンは考えた。「ユニバーサル・ベーシックインカムの導入は付加価値税の導入と同じで、アマゾンの取引やグーグルの検索から得られる利益がアメリカ国民に分配される」ことになる。

ヤンが提案する解決策に、実業界のリーダーは反対すると考えるかもしれない。しかしビル・ゲイツもまた、「ロボット税」という概念を提唱している。これは機械の導入によって人間の職が奪われた企業を対象としたもので、新しい機械には人間の労働者とほぼ同じように税金が課される。ゲイツはこう語る。「現在、人間の労働者が工場で働いて五万ドルを稼いだとすれば、そこには所得税が課される。所得税以外にも、社会保障税などが徴収される。ロボットが同じ仕事をするために導入されたら、人間と同レベルで税金を課せばよい」[59]。さらにゲイツはこうして確保した資金について「少なくとも一時的に自動化の普及を遅らせ、他の種類の雇用を支援するために」利用すればよいと主張する。こうした財源は、ユニバーサル・ベーシックインカムをサポートするために使ってもよいだろう。

ユニバーサル・ベーシックインカムでは財源の確保が重要な問題になる。なぜなら、実現のためのコストは相当なものになるからだ。超党派のシンクタンクである予算・政策優先度決定センターの予測では、ベーシックインカムを年間にひとり一万ドル——ヤンの提案よりも二〇〇〇ドル少ない——に設定すると、政府の年間の負担は三兆ドルになる。ちなみに、現在アメリカ政府最大の社会福祉プログラムである社会保障制度の場合、二〇一八会計年度の負担は九八八〇億ドルだった。

ユニバーサル・ベーシックインカムの構想を進めるうえで、ヤンは頼もしい仲間に恵まれた。UBIの賛同者のリストには、マーク・ザッカーバーグやジャック・ドーシーなどテクノロジー業界の大物、人権活動家のマーティン・ルーサー・キング・ジュニア博士をはじめとする進歩的政策改革の擁護者、サービス従業員国際組合の元会長アンドリュー・スターン、全米家庭内労働者連合の事務局長アイジェン・プー、元財務長官のジョージ・シュルツやジェイムズ・ベーカーなど著名な政治家、ミルトン・フリードマンやマーティン・フェルドスタインなど保守的な経済学者の名前が含まれる。

ただし、自動化の悪影響を緩和するための解毒剤となる政策として、ユニバーサル・ベーシックインカムを導入するのはやや見当はずれな印象を受ける［60］。オバマ政権で経済諮問委員会の議長を務めたジェイソン・ファーマンは、二〇一六年の講演でこう語った。「問題は、自動化が大半の国民の仕事を奪うことではない。自動化によって高賃金の良い仕事が創出されても、それに見合うスキルや能力が労働者に欠けていることだ」［61］。そのうえで、国民の失業状態がいつまでも解消されないような世界を計画すべきでないと指摘して、つぎのような結論を述べた。むしろ、自動化が引き起こした変化を各世帯が乗り切るための支援を提供し、生産的で賃金の高い仕事に必要なスキルを養い、訓練を受けられる体制を整えるべきだ。

ユニバーサル・ベーシックインカムは、自動化がもたらす結果への対策として積極的な大型投資に注目するが、公的資金の使い方は他にも考えられる。たとえばアメリカ政府は、社会的セーフティネットを強化して、特に弱い立場の国民が一時的な失業を乗り切る手助けをしてもよい。具体的には、十分な失業手当、食糧援助、適切な医療、児童手当の提供が考えられる。教育や再訓練に積極的に投資して、自動化が進む経済圏で現世代や次世代の労働者が成功するための環境を整備することも可能だ。さらに、自動化がもたらす社会的コストは企業の意思決定の副産物だという点に注目するなら、政府がその結果に対処するのを企業が積極的に支援するのは理にかなっている。ゲイツが提唱するロボット税は、ヨーロッパで提案されたデジタルサービス税と同様、新たな巨額の支出を支える方法のひとつである。課税以外のアイデアについても活発に議論されている。たとえば、ＡＩから獲得した思いがけない利益を企業が寄付する［62］ことを義務付ける案も浮上している。

こうした議論からは、やたら大きくて効率が悪く、干渉的な政府プログラムが誕生する可能性を憂慮する声もある。しかしイデオロギーはさておき、ヨーロッパにはきわめて効率の高い社会的セーフティネットが存在し、人々を貧困から解放するだけでなく、優れた機会の確保と社会的地位の上昇に貢献している点に注目してほしい。こうしたセーフティネットがどのように実践されているか、ほとんどのアメリカ人は気づいていない。

政府の資金に限ってみれば、ヨーロッパ諸国は社会的支出への投資が非常に大きい。二〇一九年、社会福祉制度への支出がアメリカではＧＤＰのおよそ一八・七パーセント［63］だったが、ＥＵの平均は二五パーセントを上回った。しかし、ここにはもっと重要な事実が隠されている。税制上の優遇措置を考慮すると、年金、保険医療、家族手当、失業手当、住宅補助などによるアメリカの社会的支出は、かなりの規模になる［64］のだ。健康保険や年金拠出金などの社会手当を負担する民間企業に対し、その相当額を控除するための投資が含まれる。さらに、アメリカ国民が個人負担している社会福祉制度への控除を加えれば、アメリカの社会的支出はほとんどの先進国を上回るのが実情だ。問題は、支出が効果的に活用されないことである。

最も罪が重いのは保健医療だろう。アメリカ人は保健医療にかなりの金額を支出しているが、それが良い結果につながっているとは言えない。ほとんどの国では保健医療への支出の増加と共に、早期死亡が男女ともに減少している。アメリカは例外で、保健医療への支出が一〇分の一の国と早期死亡率は変わらない〔65〕。同じことは乳児死亡率にも言える。

社会的流動性に関しても結果はふるわない。アメリカでは収入を段階的に上昇できるというアイデアは、国のアイデンティティの中核を成している。ところが実際には、所得分布の底辺の二〇パーセントに属する家庭に生まれたヨーロッパ人が、最上位の二〇パーセントの分布まで上昇する可能性は、アメリカ人のほぼ二倍に達する〔66〕。ハーバード大学の経済学者ラジ・チェティによれば、『アメリカンドリーム』を実現するチャンスはアメリカよりも、カナダやスカンジナビア諸国のほうが高い」〔67〕。夢を実現するには、社会的支出の効果を高めなければならない。

自動化が引き起こす失業に取り組む政府のアプローチは、期待通りの効果を発揮しない。ユニバーサル・ベーシックインカムも、うまくいく可能性は低い。一時的な失業の影響を緩和すると同時に、将来新しい職に就くための準備となる教育や訓練を施す制度を構築するには、総力を挙げて取り組まなければならない。ただし、まったく新しい政策メカニズムが必要なわけではない。肝心なのは、社会的セーフティネットを十分に活用することだ。その結果アメリカの負担は現在よりも増えるかもしれないが、ヨーロッパに目を向けてほしい。大きな効果を生み出すためには、支出を増やすだけでなく、支出を有効に使わなければならない。

シリコンバレーは自動運転車の設計とテストの震源地なので、赤信号で止まったとき、すぐ隣に自動運転車を見かけるのはめずらしくない。車の屋根には、センサーがよく目立つ。ほとんどの人は自動運転車を見ればワクワクし、想像力を掻き立てられるだろう。しかし、自動化が進行する未来について冷静に考えると、これから待ち受けている重要な決断から目をそらすわけにはいかない。

テクノロジーの変化は、私たちの仕事や生活を一変させる。この移行にうまく対処できる人もいれば、波に乗り遅れる人もいるだろう。しかし結局のところ、自動化が私たちの社会におよぼす影響は予め定められているわけではない。未来は私たちの選択に左右される。どんなときにどんな場所を人間の判断に委ねるべきか見極め、人間の能力を強化すべきか、それとも機械の導入を優先するのか、決断しなければならない。これからは従来の役割や職業の一部が永久に消滅する一方、想像もしなかった役割や職業が代わりに登場する。そんなときに一人一人がどのように助け合うべきか、最善の方法を考えなければならない。

第七章　インターネットに言論の自由はあるか

二〇二一年一月六日、フランス領ポリネシアのプライベートアイランドで休暇を楽しんでいるとき、ツイッターのCEOジャック・ドーシーのもとに側近から緊急連絡が入った［1］。同社は、ドナルド・トランプ大統領をそのプラットフォームから一時的に排除すべきか決断を迫られていた。トランプがつぶやいた大統領選の不正に関する誤情報にあおられた支持者が、合衆国議会議事堂を襲撃したのだ。経営陣はアカウントを一二時間停止する決断を下したが［2］、それが解除されると、まもなく元大統領となるトランプは過激なツイートを投稿し続けた。そこで一月八日、ツイッターはトランプのアカウントを永久に凍結することにしてツイートを削除した。そして「大統領の声明は様々なオーディエンスを刺激して、暴力行為を扇動する恐れがある」［3］と投稿し、この決断を正当化した。ドーシーは後にこれをつぎのように弁護した。「オンラインでの演説がオフラインでの被害を招いたのは、まぎれもない事実だ。理由はこれに尽きる」［4］。

アメリカの現職大統領をプラットフォームから締め出す決断に、世界中がすぐさま反応を示した。危険な誤情報の発信源を取り除く行動がようやく実現したと賞賛する声がある一方、検閲や左翼的偏向を激しく非難する声もあったが、どちらも争点は、毎日何百万件も投稿されるヘイトスピーチや偽情報や誤情報へのソーシャルメディアプラットフォームの対応である。トランプのアカウントを凍結したツイッターの決断は、何年も前から取り組んできた問題への対応が世間の注目を集めて重大な結果を招いただけである。この問題は著名な政治家や目立ちたがり屋のセレブに限らず、はるかに大勢の人たちに影響をおよぼしている。大きなソーシャルネットワーク──ツイッター、フェイスブック、インスタグラムやワッツアップ（どちらもフェイスブックが所有する）、ユーチューブ（グーグルが所有する）、スナップチャット、ティックトック──は、どんなテキスト、オーディオ、画像、ビデオは投稿や共有が許されるか、日々決断を迫られている。そして時にはそうした決断が予想外の結果を招く。

#ＭｅＴｏｏ運動が勢いづいていた二〇一七年の秋、サマンサ・ビーの深夜トーク番組の女性ライターであるニコル・シルバーバーグが、「男はここを直そうよ」という投稿で様々な改善点を指摘した。するとたちまち、女性蔑視の悪意あるコメントが大量に押し寄せた。そこで彼女はコメントの一部をフェイスブックでシェアし、自分に向けられた悪口雑言を友人に紹介した。シルバーバーグの投稿には大勢の人たちがコメントを寄せ、コメディアンのメルシア・ベルスキーは「男は人間のくず」と書き込んだ。

ところが女性たちは衝撃を受けた。フェイスブックはベルスキーのコメントを削除して、彼女をプラットフォームから三〇日間追放したのだ。女性についての悪意あるコメントは許されているように見えるのに、「男は人間のくず」という投稿は許されないことに猛烈な怒りを覚えたべルスキーは、大勢の女性コメディアンで構成されるフェイスブックグループにたどり着いた。そして、「男はブタ」「男はゴミ」といったコメントで、すでに数人が投稿を削除されていたことを知った。そこで一斉に行動をとることにして、同じ日の夜、「男は人間のくず」というコメントを数十回にわたって投稿した。予想通り、フェイスブックは直ちにコメントをひとつ残らず削除した。フェイスブックのコミュニティの基準に確実に抵触したからだ。では、「男は人間のくず」はヘイトスピーチだろうか。特定の男性を対象に「男は人間のくず」とコメントするのは、一種の弱いものいじめなのだろうか。状況次第で、ヘイトスピーチや弱いものいじめと見なされるときと、そうでないときがあるのだろうか。ビッグ・テックのプラットフォームは、こうした疑問に際限なく直面する。そこで下される決断は、数十億もの人々に影響を与える可能性がある。

フェイスブックのアクティブユーザーは二八億人以上にのぼる。世界最大の人口を擁する国は中国だが、その人口のほぼ二倍の規模である。CEOのマーク・ザッカーバーグは、そうした巨大な情報環境の事実上の支配者である。「多くの意味で、フェイスブックは伝統的な企業というより、政府のような存在だ」［5］とザッカーバーグは語ったが、まさにその通りだ。しかし、この国は民主主義国家ではない。ザッカーバーグは国王であり、見方によっては、フェイスブックという非民主主義国家の専制君主である。結局のところフェイスブックは民間企業なので、合衆国憲法修正第一条にも、表現の自由の権利を謳ったいかなる人権宣言にも制約されない。

コンテンツを支配するフェイスブックの力はすさまじい。ビッグ・テックはあまりにも統制が厳しく、禁止事項があまりにも多く、削除する投稿があまりにも多いという批判もある。表現の自由の権利は自由民主主義社会で擁護され、様々な人権宣言の中核を成すが、フェイスブックはこの理想の実現を妨害しているというのだ。テクノロジー企業は逆の立場からも批判される。コンテンツの削除は少なすぎ、ヘイトスピーチや嘘を故意に許容しているかのようであり、偽情報や誤情報など有害なコンテンツを統制できていない。しかも、アルゴリズムは時として極端なコンテンツを拡散し、正確さよりもバイラリティが重視されている印象を受ける。

良い例が、二〇一九年にニュージーランドのクライストチャーチで発生したテロ攻撃だ［6］。モスクの襲撃では五一人のイスラム教徒が犠牲になったが、首謀者はこれを意図的にライブ配信する計画を立てた。恐ろしい映像は複数のプラットフォームでたちまち拡散した。フェイスブックの報告によれば、ライブ配信映像は同事中継のあいだに二〇〇回閲覧され、閲覧数が四〇〇〇回に達したところで削除された。それでも攻撃から二四時間以内に様々な人たちが映像の再アップロードを試み、その数は一五〇〇万回を超えた。フェイスブックは襲撃から時間を置かず、プラットフォームでの映像のライブ配信を全面的に禁止した。

この映像がテクノロジー企業のコンテンツの基準に違反していることは間違いない。ただし、拡散を防ぐ内部処理能力をテクノロジー企業は持たなかったため、白人至上主義者のグローバルコミュニティを勢いづかせてしまった。クライストチャーチの動画の一件は、削除すべきだと論証しやすい。このぐらい極端でないと、コンテンツモデレーションを巡る問題は簡単に答えを出せず、判断に悩まされる。

過激主義者の援軍となるようなヘイトスピーチであっても、アメリカでは言論の自由のもとで守られている。ナチスの支持者がスコーキー〔ホロコーストの生存者が多く暮らすイリノイ州の村〕で、白人至上主義者がシャーロッツビルでデモ行進することは権利として認められている。しかしオンラインの世界に関しては、ヘイトスピーチの禁止や削除を願う人は多い。では、もっと一般的な政治コミュニケーションの場合はどうか。二〇二〇年のアメリカ大統領選で議論になったように、テクノロジー企業のプラットフォームは、政敵が不正に細工した動画を削除すべきだろうか。あるいは、投票に関する不正行為や詐欺行為についての根拠のない憶測はどうか。プロパブリカが二〇二〇年に行なった調査［7］によると、フェイスブックはボーター・サプレッション〔対立候補を支持する有権者にうそをついたり脅したりして、投票に行かないように抑制すること〕に反対する方針を掲げているが、ボーター・サプレッションを狙った偽情報がプラットフォームにはあふれ、郵便投票詐欺や不正選挙にまつわる陰謀論の投稿が後を絶たない。しかし偽情報のキャンペーンは、相手にとって中傷広告に他ならない。実際、言論の自由は政治の領域において、どこよりも神聖であるべきだ。

いまの私たちはトリレンマ、すなわち三つの重要な価値のあいだの選択を迫られている。一番目の価値は表現の自由だ。干渉を受けることなく発言して耳を傾けてもらう権利を個人は有しており、そのおかげで、アイデアが広く行き交う多様な市場が成立している。ところがデジタル時代には、言論の自由を重視するあまり二番目の価値――民主主義それ自体――が危険にさらされている。テクノロジー企業は表現の自由の名のもとで、ユーザーが作成したコンテンツをほぼ無制限に許容している。しかしその結果、多くの民主主義社会で悪意を持つ外国人による選挙への干渉や、あらゆる問題に関して偽情報や誤情報のキャンペーンが定着してしまった。二〇一六年のアメリカの選挙におけるマケドニアのティーンエージャーやロシアのインターネット調査機関による政治的な投稿は、言論の自由という規範によって保護されるべきだろうか。同じ情報が外国人ではなく、アメリカ市民によって拡散される場合には問題視するべきなのだろうか。民主的に選出されたリーダーや公職への立候補者の言論は、一般市民の言論と差別化するべきなのだろうか。そしてフィルターバブルの影響で、ユーザーの行動特性や思想と合致する情報ばかりが作為的に表示される現象も見逃せない。そのおかげで分極が進み、過激に走る傾向が強まり、社会的信頼が損なわれ、ひいては民主主義の健全さが脅かされている。

デジタル時代における言論の自由への揺るぎない献身は、三番目の価値をも脅かしている。それは個人の尊厳だ。インターネットこそが、ニコル・シルバーバーグが直面した状況をつくりだしたのだ。女性を蔑視する発言やヘイトスピーチがオンライン上には溢れかえっている。さらにトローリング〔挑発的なメッセージの投稿〕、いじめ、ドキシング（特定の個人に関する悪意ある情報を投稿する行為で、電話番号や自宅の住所が公開される）などもインターネットによって可能になったもので、どれも個人の尊厳を脅かす恐れがある。二〇二〇年の夏には外部監査チームがフェイスブックからの依頼によって、一〇〇以上の公民権団体に聞き取り調査を行なった。その結果、フェイスブックは際限なく表現の自由にこだわり、ヘイトスピーチを無制限に助長している実態が明らかになった。この監査結果を受けて、全米二〇州の法務長官がフェイスブック経営陣に公開書簡を送り、危険で有害になりかねない文章の拡散を防ぐだけでなく、脅迫や嫌がらせ——暴力やデジタル上の嫌がらせを含む——の犠牲になったユーザーへの救済措置をとるよう求めた［8］。矛盾するようだが州の法務長官は、同じ内容が公園や抗議運動での発言ならば、暴力を誘発しないかぎり、合衆国憲法修正第一条のもとで言論の自由を守る義務がある。

こうした状況を一通り把握して何をすべきか決断するためには、今日のデジタルの言論環境が、デジタル以前の環境と様変わりしたことを理解しなければならない。

言論の氾濫とその結果

一九九二年、キース・ラボイス〔9〕というスタンフォード大学ロースクールの一年生が、講師でありレジデントフェローのデニス・マチスの住居に接近して、こう叫んだ。「ホモ野郎！ エイズで死んじまえ！ 死ぬのが待ちきれないぜ、ホモ野郎！」この不愉快な中傷は大勢の人の耳に入った。事件は大学の事務局に報告され、学生新聞に詳細が記された。これが大論争を巻き起こしたことは想像に難くない。多くの学生団体やキャンパスのリーダーがラボイスを非難して、大学のヘイトスピーチ・コードに基づき罰するべきだという意見もあった。ほどなくラボイスは、注目を集めるための意図的な行動だったことを明らかにした。そしてデニス・マチスを罵倒したのは事実だが、彼を個人攻撃するつもりではなかったと学生新聞で釈明した。「発言が新入生の耳に届き」〔10〕、誰かが勇気づけられ、ラボイスが閉塞的だと考えている多文化主義的なポリティカル・コレクトネスに反発するようになることを期待したのだ。最終的に大学の指導部は処分を行なわず、つぎのように結論した。「この悪質な三つの表現には、合衆国憲法修正第一条で謳われている言論の自由が適用される」〔11〕。ラボイスは結局スタンフォードを去って、ハーバードで法律の学位を取得した。いまでは著名なベンチャーキャピタリストである。

もしも今日、ラボイスがオンラインで同じ発言をすれば、言論の自由で守られるべきだと判断される可能性はきわめて低い。その理由のひとつは、彼が学生時代を一時的に過ごしたカリフォルニア州の私立大学は合衆国憲法修正第一条の制約を受けるものの、すぐそばにあるフェイスブック、グーグル、ユーチューブ、ツイッターは民間企業であるため制約を受けないからだ。民間企業は独自のスピーチコードを制定し、ユーザーの表現を様々な方法で制限することができる。

ただしここで注目すべきは、合衆国憲法修正第一条の法的な意味だけではない。オンラインの世界は、表現の自由の性質そのものを根本的に変えてしまった。

かつて発言や画像や動画を拡散するのは困難だったが、インターネットでは呆気ないほど簡単に実現する。一九九二年、同性愛者を嫌悪するラボイスの暴言は、たまたまその場に居合わせた小さな集団にしか聞こえなかった。変わり者、伝道者、活動家、運動員、広告主が過激な主張を世の中に伝えたければ、街頭に立って通行人に大声で訴える行為が言論の自由によって許されていた。金銭的余裕があればパンフレットを発行し、郵便物を送り、新聞やラジオやテレビに広告を出すこともできた。ただし広告料金を支払う余裕があっても、普及させる経路は限られた。実際、アイデアや意見の拡散が難しいことは、合衆国憲法修正第一条や言論の自由の価値の重要な理論的根拠だった。発言の許容範囲を定義できるなら、政府が検閲官の役割を果たし、アイデアの拡散を防ぐことも可能だ。

しかしいまや、インターネットとソーシャルメディアがすべてを変えつつある。ここで二〇二〇年まで時間を進め、ビル・ゲイツに関する明らかに間違った見解を広めたいとしよう。ゲイツの慈善団体はコロナワクチンの開発を支援しているが、それはワクチンを接種した人たち全員の体内にマイクロチップを埋め込むためだという見解である。あるいは、「不正」選挙に関する根拠のない主張を繰り返したいとしよう。あなたはツイッターでつぶやくだけでよい。そうすればフォロワーが情報を拡散してくれる。もう少しネット環境に慣れていれば、ボットを作成してもよい。そうすればソーシャルメディアでの投稿を何千回も繰り返すことができる。そして、誰かがあなたの投稿を見て自分のネットワークでシェアすれば、口コミで広がってさらに多くの人たちに伝わっていく。このように過激な主張を増幅する傾向がプラットフォームに備わっているのは、ユーザーエンゲージメントを目標にアルゴリズムが最適化されているからだ。そしてユーザーの多くは、過激な主張に関与したがる。

以上のことは単なる仮説ではない。二〇一六年のアメリカの選挙の後、バズフィードニュースはつぎのように報じた。選挙に関してトップで報じられたフェイクニュースは、「大手報道機関一九社がトップで報じた選挙関連ニュースの合計よりも、フェイスブックでのエンゲージメント数が多かった」[12]。コロナ禍のあいだ、ゲイツのワクチン陰謀論に関するフェイスブックのある投稿は、わずか数日で四万回以上もシェアされた。二〇二〇年五月に実施された世論調査では、アメリカ人の二八パーセント、共和党員にかぎっては四四パーセント以上がゲイツに関するでっちあげを信じていた[13]。ワクチンへの抵抗が強くなるのも無理はない。こうした見解の拡散について意見を求められたゲイツは、ソーシャルメディアを躊躇なく非難した［14］。ソーシャルメディアを聖杯ならぬ「毒杯」と呼び、政策立案者に行動を呼びかけてこう語った。「私は個人的には、政府はこうしたタイプの嘘や欺瞞や児童ポルノを許すべきでないと確信している」。

ラボイスのようなヘイトスピーチにせよ、陰謀論が提供する偽情報にせよ、インターネットなら誰でも世界中のオーディエンスを獲得できる。二〇一八年、マーク・ザッカーバーグはフェイスブックを設立した動機について、人々の力を世界中に拡散することだと語った。「私たちの多くがテクノロジーに関わるのは、民主化を進める力が備わっていて、人々の手に権力を委ねてくれると信じるからだ。私は常にこの点を大切にしてきたので、我が社のミッションでは『人々に力をもたらす』ことを真っ先に掲げた」［15］。しかしこの状況を別の角度から眺めれば、誰もがインターネットにつながる結果、何でも好きなものをデジタル公共圏に持ち込めるわけで、その結果、真に独創的な表現だけでなく、ヘイトスピーチ、偽情報、デマ、とんでもない陰謀論までも広く拡散してしまう。ザッカーバーグも、テクノロジーに民主化を進める力が備わっている点だけに注目したのは、あまりにも楽観的すぎたと認めてこう語った。「二〇億の人たちを結びつければ、人間の美しさも醜さもすべて見えてくる。これは私が大きな痛みを伴って学んだ教訓のひとつだ」。

いまの新しい状況は、インターネットとソーシャルメディアが過剰なまでに大量の言説をうみだしている点に注目すると最もわかりやすい。文章、短文の投稿、音声、画像、動画など、何十億もの新しいコンテンツがフェイスブック、インスタグラム、ワッツアップで毎日投稿されている［16］。ユーチューブは「毎分ごとに三〇〇時間以上の動画がアップロードされている」［17］と豪語する。ツイッターでは、ふつうの日には五億以上のツイートが投稿されるという［18］。

これだけ言説が溢れかえっていると、本当にほしい情報を見つけてフィルタリングするための助けが必要になる。かつては新聞をひとつかふたつ購読し、限られた数の夜のニュース番組からひとつ選んで視聴して、必要な本を見つけるために図書館で司書の手を借りたものだ。ところがいまでは、最も適切な結果やアルゴリズムを見つけるために検索エンジンを使えば、自分はソーシャルメディアで何を見つけたいのか理解することができる。コンテンツの量は爆発的に増加したものの、情報のエコシステムには従来のようなキュレーターが存在しない。

言論の自由という問題は、かつては新聞の編集員、テレビ番組のプロデューサー、あるいは政府によって論じられていたが、いまではテクノロジー企業によって取り上げられる機会のほうが多い。オンライン上ではあらゆる人がパブリッシャーであり、エディターはほとんど存在しない。インターネットは従来のゲートキーパーを取り除き、発言の民主化を促した。真実を追求し、事実を確認し、専門知識を尊重するプロは、表現の自由を振りかざす人たちの前に立ちはだかることができなくなった。

この劇的な展開は、確実にいくつかの恩恵をもたらした。たとえば実質的にどんなトピックについても学び、友人と写真やビデオをシェアし、共通の趣味を持つ人を遠い場所から探し出し、望めば実に様々な見方を経験できる能力が手に入った。しかし反面、誰でもインターネットに簡単にアクセスできる結果、ブログやバイラルなソーシャルメディアを通じ、有害な言説を世界中のオーディエンスに直接届ける能力も手に入った。オープンなやりとりは自己表現の民主化につながるが、ゲートキーパーが不在だと、民主主義の情報の健全性が損なわれ、一部の人たちの尊厳を傷つける言説が拡散してしまう。そしてオンラインで偽情報やヘイトスピーチが大量に出回ると、オフラインでも人々に多大な被害がもたらされる可能性がある。

このような変化の重要性を理解するため、一七六八年に遡ってみよう。この年、スコットランドのエジンバラでブリタニカ百科事典がはじめて出版され、ほどなく英語圏の世界では信頼できる情報源として賞賛された。数千ページから成る大作には、著名な著述家や学者が寄稿者として名を連ねた。やがて二〇世紀はじめ、ブリタニカは――名前を考えれば皮肉にも――アメリカの企業によって買収され、名声はさらに高まった。寄稿者のなかには、ミルトン・フリードマンやアルバート・アインシュタインなど、ノーベル賞受賞者の名前もあった。インターネットが登場すると、ブリタニカのオンライン版登場は自然の流れだった。二〇一二年にはプリント版が廃止され[19]、いまではデジタル版だけが販売されている。

二〇〇一年一月には、ブリタニカのプリント版の廃止を予感させる出来事があった。ジミー・ウェールズとラリー・サンガーがオープンソースソフトウェア運動に触発され、有機的検索型オンライン百科事典のウィキペディアをつくったのだ。ウィキペディアはユーザーコミュニティによって構築され、最新情報が無料で提供される。そしてブリタニカなどのソースとは対照的に、中央集権的な統制をいっさい受けない。おかげでウィキペディアには百科事典として過去に例を見ない能力が備わり、急成長を始めた。二〇一七年の時点では、英語版だけでも三九〇万本以上の記事が集まった[20]。対して、ブリタニカの記事数はおよそ一二万本である。いまではウィキペディアの記事数は六二〇万本を超え[21]、世界全体でのページビューはひと月で八〇億回以上に達する。誰もが最初からウィキペディアに情報を求めてくるわけではない。ウィキペディアを訪れる人の三分の二は、グーグルなど検索エンジンのクエリから誘導されてくる[22]。

インターネット上の情報の世界は、ウィキペディアをはるかに上回る規模で拡大している。検索エンジンが情報を大量に流通させる手段になると、専門家や編集者でなくとも、いかなる個人もウェブで情報を公表できるようになったが、ウィキペディアはその典型例のひとつだ。こうした状況からは、ふたつの関連し合う重要な現象が発生した。ひとつめに、従来は専門家が調査や事実確認などを行なってきたが、こうした編集の権限が大衆の手に移行した。その結果として大量の情報が生み出され、たとえばウィキペディアの記事数は、僅か数年でブリタニカの三〇倍に増加した。ただし、情報の信頼性はかなり低い。もうひとつは、検索エンジンやソーシャルネットワークがインターネット上で情報を広める場所として台頭すると、コンテンツのランクアップやランクダウンやフィルタリングを手がけ、ユーザーが検索結果やニュースフィードで実際にどんな情報を目にするか決定する権限が、一握りの企業にほぼ独占されてしまった。

いまでは検索エンジン最適化（SEO）、つまりウェブサイトを検索順位で目立つ場所に登場させるための技術がひとつの産業として確立した。ひいき目なしに率直に言うと、検索エンジンの最適化では、検索順位を上昇させるために結果が操作される。そのためにあらゆる戦術が駆使され、なかにはとんでもなく悪質なものもある。ウェブ検索の初期には、ページの下の空白に辞書の単語がひととおり書き込まれたウェブページがあった。ただし単語は、白いページに小さな白いフォントで書き込まれているので、人間の目には見えない。しかし検索エンジンは読み取り可能なので、そうなると辞書と同じ言語が使われているかぎり、ウェブページはいかなるクエリにもマッチする可能性がある。こうしたテクニックは「ウェブスパム」として知られ、メールスパムと似ている。特定のコンテンツを読んでもらうことや、特定の製品を購入してもらうことがしばしば明確な目標に定められ、情報がユーザーの前に持ち出される。SEOはビッグビジネスである。二〇二〇年には、SEOへの支出は八〇〇億ドルに迫ったと推定される[23]。ウェブスパムには、どの検索エンジン関連企業も競って取り組んでいる。評価の低いSEOは、あらゆるテクニックを駆使して検索順位の上昇に努める。たとえば何千もの偽のウェブページをつくりだし、注目を集めたいページにリンクさせる。あるいは、かつては人気があってもいまは使われていないウェブドメインを買い占めて、新しいリンクをつくりだす方法もある。さらに、ランキングを生成するアルゴリズムを逆方向から解析することで、ページを上位にランクさせる要因を突き止めることもある。

　ウェブが登場する以前、人々はもっぱら信頼できるソースから情報を引き出した。どんな情報がほしいのか決断したうえで、目当てのものを手に入れる――「引き出す《プル》」――ために努力したものだ。これに対し、ソーシャルネットワークなどのコンテンツプラットフォームでは、「押し出される《プッシュ》」情報を受けとる。フェイスブックやツイッターやティックトックを覗くとき、何か特定のものを探していることは多くない。むしろ、「興味深い」ものが見つかることを期待する。友人はどんな行動をとり、何を読み、何を観て、どんな発言をしているのか知りたいと思う。「押し出される」情報を受け取るときには、延々と続く投稿のリストをスクロールして特定の情報が選ばれた経緯について、発言権を持つわけではないし、理解しようとも思わない。情報を消費する習慣は様変わりした。かつては新聞にくまなく目を通し、対照的な内容の記事や視点の異なる論説も読んだものだ。しかしいまでは、提供されたおススメの記事を素直に受け入れる。もちろん、これはフェイスブックに限らない。ユーチューブはつぎに視聴すべきビデオを勧め、アマゾンはつぎに購入すべき製品を勧め、ドアダッシュはつぎに食べる食事を勧める。かつては情報を貪欲に探し求めたが、いまや提供される情報を素直に受け入れる形が定着した。プラットフォームは探し物の手伝いを装いながら、私たちが好きになるべきものを決定する役割を担っている。そして私たちは往々にして、他にどんな選択肢があるのか考えず、理解もせずに勧められた情報を消費する。

　ここではフィードバックサイクルが働いている。もしもあなたが、個人の自由を保護する合衆国憲法修正第二条の重要性を強調する記事を読むと、将来は銃についての記事だけでなく、銃を持つ権利をはっきりと擁護する記事も目にする可能性がある。もちろん、検索エンジンやソーシャルメディアプラットフォームは記事を紹介するだけでなく、個人広告を売りつける。したがって銃を持つ権利について多くの記事を読めば、銃製品の広告を見せられる可能性が高い。要するに、プラットフォームがエンゲージメントやクリックの最大化に努めるのは、異なる意見や世界観を紹介するためではない。あなたがクリックしたくなるものを増やすための最適化を目指す。以前に読んだことがある情報と似ていて、補足になりそうなものを見るように仕向ける。言説は溢れかえっているかもしれないが、あなたが賛同しそうな一握りの情報が提供されているだけなのだ。

言論の自由が民主主義や尊厳と衝突するとき

言論の自由は、ほとんどの社会で神聖な理想である。主な人権宣言では、表現の自由が力強く擁護されている。民主主義が順調に機能するためにも、あらゆる個人が自由と繁栄を享受するためにも、言論の自由は不可欠だと見なされてきた。「もしも国家が言論の自由を持たずに自由になれば……かつてなかったものを手に入れることはできないし、将来も決して手に入らない」とトーマス・ジェファーソンは記している［24］。言論の自由がなぜ民主主義を支えるのかといえば、意見の自由市場が生み出されるからで、市民が情報を手にすることで、健全な政治的決断に必要な話し合いや議論の場が準備されるからだ。そして、人間の繁栄になぜ欠かせないかといえば、人生の最も根本的な疑問のひとつ――「どう生きるべきか」――に答えられる条件が整うからだ。表現の自由を阻む社会は、誰もがベストアンサーにしたがって生きる自由を損なってしまう。

言論の自由を擁護した著名人のひとりが、一九世紀イギリスの哲学者ジョン・スチュアート・ミルだ。いまでは馴染み深い意見の自由市場という比喩は、彼の著作から生まれた。一八五九年に出版された『自由論』のなかで、ミルは表現の自由に関して熱のこもった議論を多角的に展開している。真理と事実の探求、個人や社会の啓発、権力者に伴う責任、個人の自主性は、いずれも言論の自由に対する強い決意に影響されるとミルは確信していた。個人が公の場で意見や提案を表明し、それをきっかけにアイデアをぶつけ合い活発な議論が展開される環境では、人間の幸福は増す。逆に表現の自由が抑圧されれば、個人も社会も閉塞感に苛まれるとミルは考えた。

真実に関する見解には個人差があるが、それを認めてこそ表現の自由には価値がある。誰でも絶対に間違えない保証はないとミルは指摘する。「相手の意見は間違っていると確信して耳を傾けないのは、自分の確信が絶対に正しいと思い込んでいるからだ」[25]という。科学の進歩や新しい知識の発見、事実の立証のためには、自分と異なる様々な意見にも心を開かなければならない。こうして多様性が定着すれば、誰もが人生で最高の進路を選択する自由を行使することができる[26]。「人生の計画を他人任せにする人物には、サルのように人まねする能力以外に何も必要ではない」とミルは語る。言論の自由を否定するのは、「現世代だけでなく後世の人類からも大事な権利を奪う行為に等しい」[27]。

言論の自由をミルは見事に弁護した。しかしインターネットの時代には、言論の自由に際限なく固執すると、民主主義を支えるどころか損なってしまう。言説が溢れかえっているときには、アイデアの自由市場がかつてないほど大きく膨れ上がる。そのため、匿名の発言者が暗躍する可能性もあれば、ボットが本物のユーザーになりすまし、特定の言説を大量に拡散する恐れもある。その結果、すでにおわかりのように、市場には有害な偽情報や誤情報が氾濫する。

ミルのように言論の自由市場の価値を信じて疑わない人は、言論が大量に溢れかえり、匿名の発言者が存在し、ボットが人間になりすます状況を問題にしないだろう。結局のところ聞き手にとって、対立する様々なアイデアに触れる機会は貴重な恩恵であり、たとえ発言者の身元がわからなくても、あらゆるアイデアの中身を検証する機会が与えられる。要するに、悪質な言説への適切な対応は、悪質だから制限することではない。優れた言説、あるいはより優れた言説で対抗するのだ。ただしそうは言っても、デジタルの公共広場が真実や正しい知識に導いてくれる証拠はほとんどない。バラク・オバマが生まれたのはケニアではないという嘘の修正にインターネットは役立っただろうか。いや、ソーシャルメディアの現在のインフラは、こうしたメッセージの影響がおよぶ範囲を拡大したため、メッセージを受け取って嘘を信じ込む人を増やしてしまった。そして、嘘や偽りの陳述で情報エコシステムを汚染しようと目論む一握りの個人に、不釣り合いなほど大きな力を授けてしまった。

実際、フェイスブックやツイッターやユーチューブの時代には、バイラルなアイデアが猛スピードで拡散するため、虚偽やプロパガンダの修正はきわめて難しい。たとえば最高裁判事のルイス・ブランダイスは一九二七年、つぎのように記した。「話し合いを通じて嘘や間違った考えを暴きだし、教育のプロセスを通じて悪事を回避する時間的余裕があるときには、言論の解放が救済策として適用されるべきだ。沈黙を強制するべきではない」[28]。しかしインターネットの時代には、(出典は疑わしいものの)しばしばウィンストン・チャーチルの発言だとされる警句のほうが適切だろう。すなわち「真実がブーツを履き終わる前に、嘘は世界を半周してしまう」。

いかなる民主主義社会が成功するためにも、教養と知識を備えた有権者から成る健全な情報エコシステム、理路整然とした交流や話し合いの機会、事実と作り話を見分ける能力、市民同士もしくは市民と指導者のあいだの信頼関係が必要とされる。しかしインターネットの時代には十分な根拠に基づき、言論の自由がこれらの条件を支えられない可能性が憂慮される。実際、民主主義社会がかねてより公約として掲げてきた言論の自由が、いまでは大きな民間プラットフォームの有害なネットワーク外部性を通じ、損なわれていると信じるだけの理由がある。意見の自由市場はうまく機能していれば、自己修正するものだ。しかしオバマ元大統領が二〇二〇年のインタビューで結論したように、オンラインの世界には事実と嘘を見分ける能力が欠如している。それは「民主主義にとって唯一にして最大の脅威であり」[29]、専門家がもはや信用されなくなった状況は「認識論の危機」に他ならない。

言論の自由にこだわるあまり公共広場で偽情報や誤情報が拡散すると、民主主義だけでなく個人の尊厳も脅かされる。特定の人物やグループを標的にしたコンテンツを誰かがアップロードすれば、個人の尊厳を脅かす言説がレシピとして提供され、誰でも利用することができる。なかでも最も一般的で厄介なのはヘイトスピーチだ。ただし、人間の尊厳を傷つけるオンラインコンテンツには、トローリング、いじめ、ドクシング、リベンジポルノ、挑戦的な言葉、暴力行為の扇動、児童虐待など、他にも様々な形態がある。他人の尊厳を傷つける言説にはふたつの形がある。ひとつは心理的なダメージを引き起こすもの、もうひとつは実際の暴力行為に発展するものだ。もちろん、ヘイトスピーチはインターネットが登場する以前から存在していたが、オンラインでの言説は特に悪質になりやすい。なぜなら匿名での投稿が可能で、ボットで拡散し、無責任なプラットフォームによって増幅されるからだ。そのため、オンラインでスピーチの被害を食い止めるのはきわめて難しい。

こうなると、言論の自由に執着する人さえも、発言には何らかの制約があるべきだと認めないわけにはいかない。発言や画像や動画が肉体的な暴力を引き起こし、危害をおよぼす脅威が差し迫ったときは、その発言は削除しなければならない。わかりやすく説明するために古くからの事例を紹介しよう。満員の劇場で「火事だ！」と叫んではならない。みんなが出口に殺到すれば、身体的危害がおよぶ可能性があるからだ。同様に、最高裁判所は暴力行為の扇動や「挑発的な言葉」に制限を課すことを許容している[30]。暴力をふるったり口汚くののしったりすれば、相手に危害を加える可能性や、直ちに治安が妨害される恐れがあるからだ。これはおおむね、ミルの見解と一致している。あなたは政府など他人からの干渉を受けず、表現の自由を広範囲で認められるが、他人を傷つけてはならない。

民間団体にはスピーチコードを設定する自由が与えられているが、大きなテクノロジープラットフォームはその自由の一環として、尊厳を傷つけるスピーチに制約を加えている。フェイスブックは、投稿されるコンテンツのコミュニティ基準の強化に取り組んだ成果について、四半期ごとにデータを提供している。ツイッターとユーチューブも同様の報告を行なっている。さらに主要なプラットフォームのすべてが自動検出、人間によるモデレーション、ユーザーからの報告の三つを組み合わせ、児童に危険なコンテンツ、いじめや嫌がらせ、テロリストや組織化されたヘイトグループのコンテンツの削除に努めている。大人の裸や性行為は法律的には許されるが、最も頻繁に削除されるコンテンツに含まれる。たとえばフェイスブックは二〇一九年、こうしたコンテンツを一億二〇〇〇万以上削除した。

では、ヘイトスピーチにはどう対処すべきか。クライストチャーチで事件を起こしたテロリストは、オンラインフォーラムで何年間も白人至上主義者のコミュニティを探しまわった。しかし虐殺を実行するに先立ち、彼は8ちゃんねるにマニフェストをアップロードしている。8ちゃんねるはコンテンツがほとんどチェックされないため、過激主義者が好むプラットフォームとして知られ、「みんな、クソみたいな書き込みはやめて、本物の人生を投稿しよう」〔31〕と呼びかける。ヘイトスピーチの後に事件が起きるとかならず――原因と見なされるときは特に――それをきっかけに言論の自由の制約を求める声が高まる。ただし、発言が実際に現実の世界で暴力行為の原因になったのか見極めるのは難しい。

ここではかなり要求の基準が高い。実際、ヘイトスピーチを取り締まる法律を支持する人たちは、身体的危害だけでなく、感情的・心理的危害のケースでも制約を正当化すべきだとしばしば主張する。人種、性別、出身国など集団の特性に基づいて標的を攻撃するヘイトスピーチ、あるいは人間を動物にたとえるヘイトスピーチは、相手の人間性を奪い取ってしまう。苦痛やトラウマを引き起こし、個人の尊厳を侮辱する可能性がある。

最近では、大型プラットフォームの対策はいじめ、嫌がらせ、ヘイトスピーチに焦点を絞っている。フェイスブックは、ヘイトスピーチの確認に積極的に取り組んで成果を上げている。二〇二〇年の前半には、自動化ツールで五〇〇〇万件以上のコンテンツを削除したと報告している。ただしヘイトスピーチは多種多様で、コンテクスチュアル〔文脈や状況を読み取り、その内容に合わせて配信される〕でもあり、評価が分かれてしまうので、問題はなかなか解決されない。二〇二〇年には、ユーザーが閲覧した一万件のコンテンツのうち七、八件が、ヘイトスピーチだった［32］とフェイスブックは推測している。では、大手テクノロジー企業の自助努力に頼る代わりに、民主政治はこれらの企業にルールや基準を課すべきだろうか。

民主主義社会は個人の尊厳の擁護に熱心だ。その証拠に人権に関する公文書の冒頭では、すべての人の尊厳を守ることがしばしば宣言される。多くの国では、ヘイトスピーチ関連法という形で表現の自由が制約される。ところがアメリカは例外で、ヘイトスピーチの規制がほとんど存在しない。

だからキース・ラボイスが悪態をついて、それを活字で繰り返しても、言論の自由を守る名目のもとで許されたのだ。では同じ言葉がオンラインで投稿されたら、状況は異なるのだろうか。インターネットとソーシャルメディアは、ヘイトスピーチを拡散する手段を提供するだけでなく、ボットやフェイクアカウントを介し、ヘイトスピーチを匿名で広げるインフラも提供している。その結果オンラインには、コストをかけずに憎しみを表現できる環境が整っているようだ。しかも誰もが知っているように、オンラインでは特定の人たちが悪口雑言の標的になる。フレーミング、ドクシング、執拗な嫌がらせによって、相手をプラットフォームから追放しようと目論む。そうなると、インターネットは意見の自由市場という理想から大きく外れ、伝達の自由や個人の尊厳をすべての人に平等に提供できない環境が出来上がってしまう。

オンラインのスピーチはオフラインにどんな危害を加えるか

二〇〇一年、ハーバード大学教授のキャス・サンスティーンは、ソーシャルメディアが民主主義と人間の尊厳におよぼす悪影響について警告した。彼にとって大きな気がかりだったのは、オンライン空間では「孤立集団《エンクレーヴ》」〔主張が極端化し、閉鎖的になったグループ〕による話し合いが好まれる点だった。同じ考えの人たちが情報や議論を交わして既存の見解の強化に努め、異議をさしはさむ機会がない。孤立集団による話し合いはそれ自体が危険というわけではないが、話し合いの中で集団極性化現象を悪化させる傾向がある。過激主義が育まれ、「社会の安定が危険にさらされる」[33]。過激派集団が偽情報の拡散にソーシャルメディアを利用している点に注目したサンスティーンは、目の付け所がよかった。では彼が警告してから二〇年後の現在、事実はどのようになっているだろうか。

この問いに答えるのは難しい。哲学者のジョシュア・コーエンは、状況をつぎのようにたとえた。「ウイルス突然変異の確率が高い環境で暮らし、原因不明の病気に苦しむ季節労働者に対する医学的介入がどのような影響をおよぼすか、疫学者に尋ねるようなものだ」[34]。社会科学者の仕事はとてつもなく困難だ。公衆衛生の研究者が一年にわたって新型コロナウイルスの解明に奮闘してきた努力を見れば、十分に納得できる。

この領域の学術研究がこの数年で飛躍的に進歩した[35]のは、明るいニュースだ。それでもこれまでのところ、説得力のある証拠は提供されていない。サンスティーンの懸念の正しさが十分に証明されたわけではないし、プラットフォームやそこから拡散される言説が無害だと確認されたわけでもない。

では、オンライン環境を悲観する人たちの大きな懸案事項から考えていこう。悲観論者によれば、オンラインでの交流は人々が多様な見解に触れる機会を制約する。そのためユーザーは、同じ考え方の人ばかり集まるフィルターバブルに包み込まれ、結果として分極化が進む。もしもこの見解が正しければ、民主主義には壊滅的な影響がおよぶ。ところが調査結果からは別の傾向が推測される。最近実施された調査は、つぎのように結論している。「ソーシャルメディアでの政治的交流のほとんどは、似たようなアイデアの持ち主とのあいだで行なわれる。しかしそれでも、分野横断的な交流は一般に思われるよりも盛んで〔36〕、多様なニュースに触れる機会は他のタイプのメディアよりも高い。ランキングアルゴリズムは、消費するニュースのイデオロギー的バランスに大した影響を持たない」。これは、ソーシャルメディアが最も身近な社会集団の外——同僚、別の場所に住む親戚、知り合い——で個人的な交流を拡大しているからだと考えられる。そのため自分とは考え方が異なる人たちと、イデオロギー的に多様な情報を共有できる。

この事実は、一般的な認識と相容れない。なぜなら、ソーシャルメディアはエコーチェンバーしか生み出さず、社会の分極化が進むと考えられているからだ。こうした対立を解消するためには、ソーシャルメディアで発生することの多くに関わっているのが、過激で党派心の強い個人から成る小さな集団である点に注目すべきだ。たとえば二〇一二年の選挙に先立ち、ツイッターには超党派のコンテンツが拡散されたが、その圧倒的多数に関わっていたのは、ツイッターを頻繁に使う少人数のユーザーだった［37］。別の調査によれば、大多数の人は主に中道派のウェブサイトのニュースを閲覧する［38］。これに対し、政治的偏向の強いウェブサイトを訪問する少数派は、ニュースを貪欲に消費する傾向が強く、あちこちのサイトを訪れる。

ソーシャルネットワークによって形作られた信条はぶれないが、ほとんどの人のネットワークは驚くほど多様だ。あるグループは、フェイスブックの一〇〇〇万人以上のユーザーが配信するニュースフィードのイデオロギー的内容を調べた。その結果、リンクする友人のほとんどはイデオロギーが同じだが、多くの友人（保守層では二〇パーセント、リベラルでは一八パーセント）が、イデオロギーの異なるグループに属していた。さらに、個人のニュースフィードに含まれるニュースのおよそ三〇パーセント［39］は、イデオロギーに分野横断的な傾向が見られた。オンラインの状況を他の通信モードと慎重に比較するなら、つぎのような結論を否定できない。ほとんどの人が政治的信条の異なる意見に触れる機会［40］は、現実の世界で社会的につながるときよりオンライン上のほうが多い。

では、こうして政治的に多様な意見に触れることと、分極化とはどのように関わっているのか。スタンフォード大学の同僚マシュー・ジェンツコーをはじめとする経済学者のグループは、この問題にふたつの効果的な方法で取り組んだ。まず、一九九六年以降のアメリカのすべての年齢群を対象に、八つの異なる方法で分極化を測定した。党公認候補者に投票する傾向、他の政党のメンバーに対する感情などだ。そこからは、驚くべき結果が得られた。インターネットやソーシャルメディアを使う可能性が最も低いグループ——最も高い年齢層［41］——のあいだで、分極化は最も進んでいたのだ。この証拠に基づいて考えるなら、ソーシャルメディアそのものが分極化の大きな要因とは結論しにくい。

もっと最近の研究は、ソーシャルメディアの利用と分極化との因果関係の確認［42］という課題に真正面から取り組んでいる。ジェンツコーは論文の共著者と一緒に、独創的なプランを考案した。フェイスブックのユーザーに対し、アカウントを四週間停止してもらうために金銭的インセンティブを提供したのだ。このアプローチならば、フェイスブックへのアクセスの減少が、情報摂取の姿勢や政治姿勢の変化に結びつくかどうかを研究チームが確認できる。金銭的インセンティブは大きなサンプルから無作為に選んだ一部の人たちに提供されたので、提供されないグループと比較して、フェイスブックのアカウント停止に金銭的インセンティブがおよぼす影響を調べればよい。そして実験の結果、フェイスブックを使わないと時事問題に関する知識は明らかに少なくなるが、ソーシャルメディアの利用回数が減少しても、分極化の傾向はほとんど影響を受けないことがわかった。

ソーシャルメディアや分極化に関する最悪の不安の多くは、このデータで裏付けがとれなかった。それでも現実には、ソーシャルメディアには誤情報が溢れかえり、過激な思想や憎しみのこもったレトリックが大歓迎される。私たちの社会の分極化は、ソーシャルメディア以外にも多くの要因に影響されるのかもしれないが、誤情報や悪意のあるスピーチが深刻な結果をもたらす可能性は否定できない。

情報エコシステムを汚染する主なソースのひとつが誤情報、すなわち「立証可能な事実に関する共通の理解とは相容れず、内容の歪んだ主張」〔43〕である。誤情報は様々な方法で広がる。政治指導者の発言、記事の発表、ブログの投稿、ツイート、さらには広告を通じて拡散する。一方、偽情報は誤情報のなかのサブセットで、事実から目をそらせるために意図的に伝えられる。そして、検証可能な事実に関する的確な選択や判断能力を損なわせることを目的とする。

二〇一六年の大統領選にロシアが介入すると、ソーシャルメディアを使った偽情報拡散への不安はいきなり表面化した。マケドニアのヴェレスという町のティーンエージャーたちが、トランプ支持のフェイクニュースサイトを一〇〇本あまり立ち上げて偽情報を拡散し、ひと月につき各自最大で八〇〇〇ドルの報酬を支払われたのだ。サイトにはUSADailyPolitics.com.など、害のなさそうな名前が使われた。「トロール・ファクトリー」〔インターネット上に多くの偽情報を発信するための組織〕のひとつであるロシアのインターネット・リサーチ・エージェンシー（IRA）によって、膨大な量の偽情報が作り出された。ツイッターによれば、IRAは三八一四件のアカウントを運用しており、各オペレーターは日々大量のコンテンツを作成する。毎日新しい記事に最大で五〇件のコメントを寄せ〔44〕、フェイスブックでは最大六ページに毎日複数の投稿を行ない、ツイッターの一〇件のアカウントに毎日少なくとも五〇のツイートをすることが義務付けられているという報告もある。

こうして生み出された偽情報は、実際にサイトのユーザーに印象を残したのだろうか。あるチームは二〇一六年の選挙の投票日までの五週間、二五〇〇人以上の大人の追跡調査〔45〕を行なった。そしてソーシャルメディアの活用動向を調べ、既存の「フェイクニュース」との関連性を確認した結果、アメリカ人の四分の一以上が、この時期に少なくともひとつはフェイクニュースに触れていたと推測した。これはかなり大きな数字だが、実際にフェイクニュースのサイトに関わった事例はかなり少ない。「硬派記事」のサイトを訪れたケースのなかで、フェイクのニュース記事に関わった割合は二パーセントに満たない。

もっと気がかりなのは、一部の人たちはオンラインで遭遇した偽情報をシェアするリスクがかなり高いことだ。フェイクニュースを共有する行動の最も重要な予測因子は年齢であり、高い年齢層はフェイクニュースの記事内容を友人に伝える可能性が大きい〔46〕。ロシアのIRAは、この弱みに付け込んだ。具体的には、党派色が大きく偏ったアメリカ市民になりすましてアカウントを頻繁に作成するが、偽情報が共有されるのは全体の二〇パーセントにとどめた。提供するニュースのほとんどはローカルニュースから集めた本物の素材なので〔47〕、アカウントへの信頼性が構築され、なりすました人物は同志と見なされ、興味や価値観が注目される。

不愉快なコンテンツに異議を申し立てるときと同様、誤情報や偽情報への最善の対策は常に明快とはかぎらない。誤情報が検出されたら、それよりも正確な情報の提供を心がけるべきなのだろう。ただし正しい情報を提供しても、従来の考え方がかならず変わるわけではないし、場合によっては失敗する可能性もある。一連の調査からは、自分の政治理念と矛盾する事実を提供されると、従来の間違った考えへの執着がさらに強くなる〔48〕ことがわかった。心理学者はこの厄介な傾向を動機づけられた推論と呼んでいる。すなわち、世界に関する新しい事実を知らされると、自分の最終目標に無理やりこじつけて解釈する。こうしたバックファイア効果――間違いを指摘されるほど頑なに自分の考えを信じる傾向――がどれだけ普及しているのか、研究者のあいだでは意見が分かれる。しかし、事実と異なる誤情報に基づいて判断させないようにするためには、誤解を修正するだけでは十分でないことは証拠からも明らかだ。

この危険性は現実的なものである。個人が誤情報を信じてこだわり続けると、大きな政策の結果にまで影響がおよぶ可能性がある。その一例が「死の委員会」（臨終相談）〔終末期患者の医療費を節約するため、生命維持装置を予め辞退するよう奨励する委員会〕にまつわる神話で、頻繁に繰り返された誤情報が、二〇〇九年には医療制度改革を巡る議論に影響を与えた。ある専門家はつぎのように総括する。十分な情報を与えられない市民は間違いなく理想的ではないが、誤情報を信じる市民は危険な存在だ[49]。

誤情報や偽情報と同じくヘイトスピーチにとっても[50]、主要なソーシャルメディアプラットフォームは快適な環境である。ただしヘイトスピーチは、オンラインで投稿されるコンテンツのなかで非常に少ない。ある調査チームは、二〇一五年から二〇一七年にかけて政治家がつぶやいた七億五〇〇〇万件以上のツイートと、アメリカ市民から無作為に選んだ四億件のツイートを分析した[51]。その結果、どの日をとっても、ヘイトスピーチの割合はツイート全体の〇・〇〇一パーセントから〇・〇〇三パーセントのあいだにとどまり、アメリカでツイッターのユーザーが作成するコンテンツのごくわずかであることがわかった。もちろんこれは、実際に投稿されたヘイトスピーチの数より少ない可能性がある。なぜなら企業は、こうしたコンテンツが誰かに見られる前に、大量に削除するからだ。フェイスブックはユーザーから問題を報告されないうちに、同社のヘイトスピーチに対するポリシーに違反する投稿の八九パーセントを削除するという[52]。しかし、ヘイトスピーチの投稿数がわずかでも、存在していれば目に留まらないわけにいかない。実際、一五歳から三〇歳までのインターネットユーザーを国際比較した調査からは、ヘイトスピーチをオンラインで見たアメリカ人は、全体の半分以上に達した。他の国でもこの割合は高く［53］、フィンランドは四八パーセント、イギリスは三九パーセント、ドイツは三一パーセントだった。

ヘイトスピーチを積極的に広げる集団は、人数は少ないが精力的に活動する［54］。頻繁にツイートし、毎日たくさんの人をフォローして、自分以外にヘイトスピーチを行なう人たちのネットワークに深く関わり、コンテンツをリツイートし合う。意外にも、常に最初から女性や人種に差別的なヘイトスピーチを行なうわけではない。最初はもっと穏やかで間接的な表現の投稿［55］だが、次第に過激なソーシャルネットワークに入り込み、社会的スティグマ〔一般と異なるため差別や偏見の対象となる属性〕を気遣う必要がなくなると、悪意に満ちた言葉を使うようになることが証拠から推測される。こうしたネットワークは緊密で小さいので、ある調査チームは二〇一五年にパリでテロ攻撃があった後、フランスで反イスラム的なツイートをする可能性のあるユーザーを正確に予測した［56］。ユーザーは以前のツイートで、ムスリムやイスラムについていっさい触れていなかったのだが！

そこからは、もっと重大な懸念が浮かび上がってくる。すなわちオンラインの言説がオフラインで実際に影響をおよぼすために、ソーシャルメディア全体を独占する必要はない。わずかな数の投稿でも、現実の世界で暮らす人々の幸福に深刻な結果をもたらしかねない。少人数の有害な集団を扇動して結束させると、特に始末が悪い。

白人至上主義者のディラン・ルーフは、二〇一五年に南カリフォルニアのチャールストンにあるエマニュエル・アフリカン・メソジスト監督教会で九人を殺害したが、過激なキリスト教集団がオンラインでシェアするコンテンツからインスピレーションを受けた。二〇一八年にピッツバーグのツリーオブライフ・シナゴーグを攻撃した犯人は、右翼のソーシャルネットワーク「ギャブ」で悪意のあるコンテンツに触れた。そして二〇一九年にニュージーランドのクライストチャーチでモスクを襲撃した殺人者は、オンラインで過激な傾向を強めたと報じられた。これらの事例では、加害者がオンラインのコンテンツに触れた結果として見解を改めたのか、何らかの形でそれが行動と因果関係にあったのか、はっきりとわからない。しかし、ソーシャルメディアが過激な言説を共有する空間を創造し、そこでポジティブなフィードバックを受けられる事実には議論の余地がない。

オンラインでのヘイトが現実の世界で暴力を引き起こすことは、調査によって明らかになりつつある。ドイツでの研究〔57〕からは、難民への反感がオンラインで顕著だったとき、フェイスブックの利用者が多い地域で難民を標的にしたヘイトクライムが突出して増えたことが明らかになった。そしてこれらの地域でインターネットが機能停止になってサービスが中断されると、ヘイトクライムは沈静化した。このことからは、ふたつのあいだの因果関係が推測される。同様にアメリカでは〔58〕、二〇一六年にトランプの選挙キャンペーンが始まって以来、ツイッターの利用者が多い地域でイスラム教徒へのヘイトクライムが増加した。しかもそれは、ツイッターのアーリーアダプターだった地域で特に顕著だった。ヘイトスピーチが社会全体に広がることは稀だ。しかし特定の集団に集中し、それが深刻な結果を引き起こす可能性があるのだから、情報エコシステムの汚染に取り組むときの課題として取り組まなければならない。

これは悩ましい状況だ。言論の自由、民主主義、個人の尊厳はいずれも尊重されるべき十分な理由があるのだが、三つを同時に最大化することはできない。テクノロジストが構築した世界では、苦しいトレードオフに直面する。二〇一六年の大統領選挙でケンブリッジ・アナリティカの不正行為が明らかになると、テクノロジストからは問題を確認して悪い部分を認識したという報告があった。それから謝罪したうえで、修正に真剣に取り組むことを約束した。ところが二〇二〇年の選挙もやはり混乱をきわめ、独自の問題を抱えた。候補者を標的にした意図的な虚言や不正に加工した動画がばらまかれ、不正選挙に関する誤情報が拡散したのだ。誤情報の一部はテクノロジー企業によって違反と断定され、二〇一六年よりも確実に状況は改善したものの、まだ多くの問題が未解決だった。そして二カ月後にアメリカの合衆国議会議事堂で事件が発生すると、誤情報やヘイトスピーチの危険が現実のものだと思い知らされた。個人だけでなく、高潔な民主主義制度まで危険にさらされてしまう。では民主主義を貶め、尊厳を傷つける有害なコンテンツの問題には、技術的な解決策があるのだろうか。

AIはコンテンツの過激な傾向を和らげられるか

強力なAIアルゴリズムが、テクノロジーのプラットフォームでコンテンツをランクアップさせて私たちの目に入るようにできるとしたら、同様のテクノロジーを使えば有害なコンテンツを特定してランクダウンさせ、場合によっては完全に削除できるだろうか。グーグル、ユーチューブ、フェイスブック、（特に）ツイッターは、まさにその作業に取り組んでいる。毎日何十億ものテキストや画像や動画がアップロードされるのだから、それは必要不可欠だ。溢れかえるコンテンツをアルゴリズムが整理する能力は、プラットフォームの中心的な機能だとも言われる［59］。ほとんどの大型プラットフォームにとって自動レビューは、コンテンツモデレーションの第一歩である。好ましくない素材――ヌード、児童虐待、テロリズム、ヘイトスピーチ、いじめ――が確認されると、つぎに人間のモデレーターが改めて検討する。「人工知能は……すでに［フェイスブックのコンテンツモデレーション］チームに送られる報告全体のおよそ三分の一を作成する。チームはそれを参考にして、我々のコミュニティのためにふさわしいコンテンツを改めて検討する」とマーク・ザッカーバーグは説明する［60］。

これらのシステムの内部は、すでに論じた深層学習と同じ形式に従っていることが多い。システムの弱点を利用されないように、一般的に中身は公表されない。ただし透明性向上の名のもとで、フェイスブックはコミュニティ規定施行レポート［61］を公開し、内部システム――AIと人間のモデレーターを含む――を使って基準に違反するコンテンツを見つけ出した結果をまとめた統計を公表している。ここでは、ユーザーから指摘される前に不愉快なコンテンツをシステムが見つけた割合が、レースの結果報告のような形で紹介されている。カテゴリーごとの報告からは、基準への違反の見つけやすさにはバラつきがあることがわかる。二〇二一年二月の報告［62］によれば、「大人の裸と性行為」の基準に違反したコンテンツは九九パーセントが、ユーザーから指摘される前に確認された。「自殺と自傷行為」に関しては、それよりも低くて九二パーセントだった。「いじめと嫌がらせ」に関しては、五〇パーセント程度でしかない。これだけ結果にバラつきがあるのは、評価の対象となる素材ごとの微妙な違いや主観性が反映されるからだ。裸を見つけるのはやさしい。画像のなかに素肌のピクセルがたくさんあって、露骨に性的な言葉が添えられていることを確認するだけでよい。

ヘイトスピーチを特定するのはもっと難しい。「男はくず」といった書き込みに対して行動を起こすべきか決断するには、そこにどんな文脈や文化が関わっているのか判断しなければならない。この件に関してフェイスブックは行動を起こしたが、その際、投稿に特定の言葉が含まれているか分析するだけでは十分ではない。言葉にはどんな意味があり、誰が発言し、誰に向けられたものか分析する必要がある。こうした決断には人間の知恵が必要で、完全に自動化されたシステムにはかなり難しい。文脈によっては、誰かをゴキブリと表現するのはカフカの短編「変身」への言及や暗示として解釈される。ルワンダでは、これは人間性を奪い取る侮辱であり、一九九四年のジェノサイドの恐ろしさへの言及である。いじめの状況は、さらに判断が難しい。どんな状況にあり、どんな人物が関わっているかによって、コンテンツの基準がさらに大きく変動するからだ。この点についてはフェイスブックも率直に認め、こう発言している。「いじめや嫌がらせは本来きわめて個人的なものである。多くの事例では、何をされたか関係者からあらかじめ報告を受けないかぎり、特定も削除も不可能だ」[63]。

AIは今後も進化し続けるだろうが、結局のところ防御の第一段階にすぎない。プラットフォームにあふれる大量の情報への取り組みには、大勢の人間のコンテンツモデレーターが必要とされる。二〇一七年にユーチューブのCEOのスーザン・ウォシッキー［64］は、同社が翌年には一万人のコンテンツモデレーターを採用すると発表した。その翌年、マーク・ザッカーバーグはつぎのように記した。「これら〔コミュニティ標準〕のポリシー実行を担当するチームは、およそ三万人で構成される……チームは毎日、二〇〇万件以上のコンテンツのレビューを行なう」［65］。実際、ビッグ・テックのプラットフォームはコンテンツモデレーションに積極的に取り組み、大勢のコンテンツモデレーターを採用している功績を認められるべきだろう。

ただし、コンテンツモデレーターになることには代償が伴う。かつてフェイスブックのコンテンツモデレーターだったセレナ・スコラは、仕事のストレスから心的外傷後ストレス障害（PTSD）を発症したとして、二〇一八年に同社を訴えた。訴えによれば、仕事の一環として「レイプ、自殺、斬首などの殺害場面を撮影したおぞましいビデオや写真」［66］を見せられたという。この訴訟には、他にも複数の元コンテンツモデレーターが加わった。いずれも似たような経験をしており、「フェイスブックは安全な職場の提供を怠った」［67］と主張した。二〇二〇年五月、フェイスブックは過去および現在のコンテンツモデレーターとの和解に同意して、全部で五二〇〇万ドルを準備した。コンテンツモデレーターは一人につき一〇〇〇ドルを受け取り、精神障害と診断されればさらに上乗せされた。

不愉快なコンテンツのほとんどは簡単に確認できたとしても、そのあとに最も大変な課題が待っている。競合する価値のなかから取捨選択を行ない、コンテンツをどのように処理すべきか決めなければならない。スタンフォードの同僚のナサニエル・パーシリーは、幅広い選択肢を「DS」[68]とひとまとめにして紹介している。どれもDから始まる単語で、削除、降格、開示、遅延、錯覚、移転、制止、デジタルリテラシーが含まれる。

プラットフォームのルールに違反したコンテンツには、削除が魅力的なアプローチに思えるかもしれない。ただしこれだと、投稿した人物はコンテンツが禁止されたことを認識し、今度は異なる（あるいは形を変えた）文章や画像や動画で投稿することができる。検索エンジン最適化のケースと同様、不愉快なコンテンツの削除を試みるプラットフォームと悪意のあるユーザーのあいだでは、いたちごっこが繰り返される可能性がある。ユーザーは時にはボットを使い、不愉快なコンテンツの拡散を試みる。ザッカーバーグはまさにこの現象について、こう指摘する。「我々は［コンテンツモデレーションに関して］着実に進歩したが、敵は狡猾で十分な資金を確保している。決してあきらめず、進化し続けるだろう」[69]。ディープフェイク——複雑な機械学習と画像処理技術によって作られた偽物の画像や動画——の台頭は、ほんの一例だ。AIは、誤情報や不愉快なコンテンツのフィルター処理に利用できるかもしれないが、新しい形のフェイクの創造にも利用可能なので、アルゴリズムも人間もさらなる難題を突き付けられる。

降格と遅延もよくあるアプローチで、コンテンツ作成者からは発見されにくい。この場合は、不愉快なコンテンツをランクダウンさせる。フィードから消えるわけではないが、たどり着くまでスクロールする時間がかなり増える。つまり、「偽物と判断された投稿は降格される結果、将来表示される可能性が平均で八〇パーセント減少する」[70]。ここではAIが特に重要な役割を果たす。人間がレビューする前にコンテンツを速やかにランクダウンさせれば、あるいは表示されるタイミングを遅らせれば、削除すべきかどうか人間が最終的に判断する以前に拡散を防ぐことができる。選挙前に行なわれれば、結果に大きな影響をおよぼすだろう。

開示と移転も可能性として考えられる。この場合は、不愉快なコンテンツのソースを特定するか、オリジナルの投稿と一緒に別の情報を提供して、ユーザーが十分な情報に基づいて判断できる環境を整える。もちろんここでは、こうしてタグ付けされたコンテンツによってユーザーの評価が実際に変化すること、そして不適切なコンテンツに注目したユーザーが好奇心から目を通し、予期せぬ結果がもたらされないことが前提とされる。ＡＩはどんどん進化しているが、少なくとも当面は、技術的な解決策だけでは十分ではない。コンテンツに関して微妙な決断が求められる情報は少なくない。書き込んだときの状況、見た人が画像から予想する内容、世界で進行中の出来事などは、機械学習モデルからの入力情報だけでは対応できず、適切か否かを正確に決断できない。こうした決断の多くは、人間にとっても難しい可能性がある。

ＡＩだけでは問題を解決する能力がないことは、コロナ禍が始まると明らかになった。ユーチューブやツイッターやフェイスブックは、コンテンツモデレーターを含め職場で働く社員の人数制限を考えた。ただしユーザーのプライバシー保護が、家庭のコンピュータやネットワークからのデータアクセスでは障害になった。そもそも企業のガイドラインでは、コンテンツモデレーターは企業のオフィス内の安全な場所だけで働くことがしばしば義務付けられている。そうなるとコンテンツモデレーションの作業ではＡＩへの依存度がどうしても高まるが、その影響についてツイッターは二〇二〇年三月の投稿でつぎのように認めた。「虐待的で扇動的な可能性のあるコンテンツを広範囲で取り締まるため、機械学習と自動化を使う機会を増やしたが、つぎの点は明確にしておきたい。システムに一貫性が備わるように努力しても、我々のチームが設定する条件に機械は対応できないときがあり、その結果として我々は間違いを犯す可能性がある」[71]。ユーチューブも同様の声明を発表し、つぎのように述べた。「通常は人間のレビュアーが手がけている業務の一部を補うため、テクノロジーへの依存をこれから一時的に増やす。そうなると自動化システムは人間のレビューに頼らず、一部のコンテンツを取り除いてしまう……その結果、ユーザーやクリエーターはビデオを削除される機会が増え、なかにはポリシーに違反していない動画も含まれるだろう」[72]。

ユーチューブのユーザーのほとんどは、自分がアップロードを試みた動画をAIが間違って削除してもわからないだろう。しかし、フェイスブックの状況はよくわかる。投稿――コロナに関する適切なコンテンツが多い――がフィルター処理されると、「あなたの投稿はスパムに関する我々のコミュニティ基準に違反します」というメッセージが現れる。これにはユーザーも心中穏やかではなかった。フェイスブックの厳しい検閲を非難する者もいれば、投稿を削除された理由がわからず、戸惑う者もいた。最終的に、フェイスブックで公正性の取り組みを統括するガイ・ローゼンからつぎのような回答が寄せられた。「これは自動化システムの問題です。システムの目的は虐待的なウェブサイトへのリンクを取り除くことですが、間違ってそれ以外の投稿も数多く削除されました」[73]。たしかに悪意は感じられないが、コンテンツモデレーションの問題解決をテクノロジーに全面的に頼る方針の欠点が、この件をきっかけに明らかにされた。

フェイスブックは最高裁？

ビッグ・テックのミッションステートメントは壮大で、世界をより良い場所にすると高らかに宣言している。しかし分極化、誤情報、ヘイトスピーチといった問題が明らかになると、どの企業もミッションステートメントを変更しなかったものの、オンラインコンテンツのプラットフォームに内在するリスクを認めた。

その結果としてビッグ・テックは、コンテンツモデレーションに関する社内ポリシーを継続的に発展させてきた。こうして出来上がった「コミュニティ基準」は、ユーザーが作成するコンテンツの許容範囲を明確に定めたうえで、基準に違反するコンテンツを投稿したユーザーへの様々な罰則を列挙している。知的所有権の侵害や犯罪活動への関与など、実際に法律に違反するコンテンツを除くと、厳密にはコンテンツモデレーションのほとんどが、アメリカの既存の法原理の対象外である。ポルノはほとんどが法律違反ではないし、ヘイトスピーチ、誤情報、偽情報も違反ではない。実際、ユーザーが作成するコンテンツに場を提供する民間のテクノロジープラットフォームには、合衆国憲法修正第一条ならびに一九九六年の通信品位法によって、かなりの自主性と特権が与えられている。そして、ユーザーベースの拡大という経済的動機に促されながらも、プラットフォームの管理という企業の責任を引き受け、社会に広範な影響をおよぼすことを目標に掲げるテクノロジー企業は、どこもコンテンツの監視にかなりの資源を費やすようになった。

法学者のケイト・クロニックによれば、これらの企業は民間の立場から言論を監督する新しいタイプの支配者〔74〕だという。しかもユーザーのコミュニティには何百万、いや何十億もの人々が参加しているのだから、「コミュニティ基準」を設定して実行に移す一握りの人物は、世界最大の権力者に数えられる。そのため近年では、巨大企業は手に入れた権力の合法性を拡大するため、説明責任を果たして透明性を高めることへのこだわりが強くなった。

フェイスブックは二〇一八年、「最高裁」の新設という新たな構想を発表した。これは、コミュニティ基準にしたがって下された削除の決定を見直すための独立監視委員会である。「フェイスブックは、表現の自由や安全に関する多くの重要な決断を自らの一存で下すべきでないと、私は確信を強めた」〔75〕とザッカーバーグは記した。二〇二〇年、同社は監視委員会の最初の四〇人のメンバーを指名した。そこには学者、市民団体の指導者、元議員が世界中から集められた。

委員会の運営資金はフェイスブックが設立した独立系の信託から提供され、フェイスブックからの独立性が徹底された。実際の米国最高裁と同様、監視委員会には申し立てを受理するかどうか決定する権限がある。現在の憲章によれば、この独立機関の決定はフェイスブックに対して拘束力を持つ。したがって、ユーザーが委員会に訴えて勝訴すれば、フェイスブックはコンテンツを回復しなければならない。

委員会は二〇二〇年末から活動を始め、二〇二一年初めには最初の決定を発表した。このときは五件のコンテンツ削除のうち四件を無効とする判断が下され、プラットフォームに異議を唱え、外部機関による見直しの権限を強化する意思を示した。そしてつぎに、世界的な影響力を持つ訴訟の審理に同意した。二〇二一年一月六日にアメリカ合衆国議会議事堂で暴動が発生した後、フェイスブックはトランプのアカウントを無期限に停止したが、その決定の正当性が争点になったのだ。二〇二一年春、委員会はトランプのアカウントを停止したフェイスブックの決定を支持したが、無期限の禁止は不適切だと判断した。そのうえで六か月以内に再検討を行ない、禁止の継続に関して明確な公的基準を設定するよう求めた。こうして勝者も敗者もいない判決を下し、最終的な決定はフェイスブックに委ねたのである。プラットフォームで言論の許容範囲を決定するフェイスブックの権力に歯止めをかけ、抑制するのが監視委員会設立の目的なのだから、これは何ともおかしな選択である。

フェイスブックの「最高裁」が成功するかどうか現時点ではわからない。しかし、説明責任と透明性を備えた新しいメカニズムが少なくともひとつは創造され、民間プラットフォームのガバナンスについて公の場で広く会話が交わされるきっかけが生まれた結果、重要な第一歩が踏み出された。結局のところ現時点で監視委員会は、フェイスブックが取り組む自主規制の一部である。運営に関する独立性は確保しているが、メンバーの最初の人選はフェイスブックによって決定され、委員会の憲章はフェイスブックによってつくられ、委員会の決断はフェイスブックのみに適用され、他の企業は対象外である。さらに、委員会の役割はかなり制約される。メンバーにとってこれはフルタイムの仕事ではないので、訴えを受理できるのは全体のほんのわずかだ。それから、委員会が決定するのはコンテンツに関する行動だけで、コミュニティ基準のポリシーなど、もっと広範な原則には取り組まない。なかにはこれを、フェイスブックが反トラスト法やプライバシーで抱える問題から注目をそらすための陽動作戦だと疑う人もいるだろう。あるいは、将来コンテンツ削除への不服が申し立てられたときに監視委員会は、判断の責任を押し付けるための便利な手段にすぎないのかもしれない。しかし最初の判決でフェイスブックの決断を無効にしたことからもわかるように、委員会は主体性の確立に向けて前進している。ひょっとして時がたてば、もっと正当性が備わり、創設に携わったフェイスブック関係者の期待に応え、他の企業のモデルになるかもしれない。イギリスの元副首相であり、現在はフェイスブックでグローバル政策とコミュニケーションの部門を統括するニック・クレッグの言葉を借りれば、「政府が何らかの形で取り入れてもよい」[76]組織だ。

自主規制を超える

マーク・ザッカーバーグやジャック・ドーシーが、ソーシャルメディアで言論の調停者になりたがらない理由はよくわかる。ツイッターもフェイスブックも二〇二〇年には、新型コロナウイルスや大統領選に関するコンテンツの規制への取り組みで苦労したからだ。では、政府が言論統制に関わるのは理にかなっているのだろうか。

ほとんどのアメリカ人は、そんな考えに怖気《おぞけ》をふるうだろう。実際、合衆国憲法修正第一条には、きわめて明確にこう記されている。「連邦議会は……言論の自由を奪う法律を制定してはならない」。一部のプラットフォームは制約を受けながらも、オンライン上でのコンテンツの管理に真剣に取り組んでいる。特定の価値を守るため、経済的動機に促されたため、ユーザーや広告主のベースを満足できる状態で維持するため、企業としての責任を感じるためなど、理由は様々だ。時にはコンテンツに関する決定に合法性を持たせようとさえ考え、たとえばフェイスブックは独立した監視委員会を設置した。ただし、オンラインコンテンツの影響を監督するためのこうしたアプローチには、致命的な弱点がある。どの企業も利益第一主義で、お互いに結束しているわけではないのだから、誰にとっても重大な関心事、すなわち民主主義の健全性を守ってもらうことは期待できない。公共圏の健全な未来を一握りの強力な企業の手に委ねるのは筋違いだ。ここは政府が関与して、表現の自由と他の大切な目標のバランスをとるべきだ。

そうなるとまず、特定の種類の言説を禁止するという決断を政府に任せるべきかという問題が浮上する。ほとんどの民主主義政府が言論の大きな制約を避けてきたのは、表現の自由が民主主義の繁栄に欠かせないからだ。実際、世界で民主主義の発展に関わってきた人たちのなかには政治的・社会的な革命家が多く、君主、独裁者、聖職者、軍部指導者による言論統制に、自分の命を危険にさらしてまで挑んできた。

アメリカでは「危険なスピーチ」への対策において、常に言論の自由が考慮される。発言権を政府の介入から守ることへの関心は強く、発言が害をおよぼす可能性よりも言論の自由が優先されるケースがほとんどだ。最高裁は、発言が「直ちに違法行為を刺激または引き起こすことを意図する」場合など、わずかな例外を設けている。しかし実際には、最高裁はこうした例外さえ大きく制約している。最も有名な事例は、クー・クラックス・クランに関する判決だろう。あるメンバーが一九六四年にオハイオの集会で、政治改革実現のための暴力行為を擁護して有罪になったものの、最高裁はその有罪判決を覆したのだ。武装したメンバーも出席した公開イベントで、件の人物はこう語った。「我が国の大統領、議会、最高裁が白色人種を抑圧し続けるなら、何らかの報復［原文ママ］が引き起こされる可能性もある」［77］。ところが裁判所は、これを有罪と見なさなかった。裁判官たちは、見解を述べるだけの発言と直ちに暴力行為を引き起こしかねない発言の区別が、合衆国憲法修正第一条では義務付けられている点に注目したのだ。人種や性別や宗教に基づいて相手を攻撃または誹謗する目的の発言が、アメリカでは法律によって守られている。その実態は、この他にも最高裁判所の複数の判決で明らかにされてきた。結局アメリカでは、発言が直ちに確実に暴力行為を引き起こすケースを除き、ほぼすべての発言が違法とは見なされない。

言論の自由に絶対的にこだわるアメリカは例外的存在であり、民主主義の伝統が長い国のなかでも際立っている。たとえばドイツは、別のアプローチの典型例として有名だ。ナチズムと反ユダヤ主義の拡散が国民を恐怖のどん底に突き落とした後、ドイツ政府は一部の発言への検閲強化に関し、強力な社会的合意を形成した。人種差別的な表現や反ユダヤ主義的な表現は最も強く検閲されたが［78］、ホロコーストを否定する発言、外国人への反感、さらには侮辱や冒涜的な言動も検閲の対象に含まれる。ヘイトスピーチは有罪で懲役刑を伴う可能性があり、政治家を嘘つき呼ばわりすれば名誉棄損で訴えられることもある。ドイツ国民はこうした制約に慣れており、いわゆる「自衛能力を持つ民主主義」の一環としておおむね認めている。

ドイツだけではない。カナダのヘイトスピーチ法は、差別の防止が最優先事項である。そのため表現の自由は尊重されるが、平等な待遇の権利が脅かされる恐れがあれば、発言権は迷わず制約されるべきだと認識している。したがってカナダの法律では、言論の検閲基準に対する制約がかなり緩い。発言によって暴力が誘発されたり、治安が脅かされたりしなくても、特定の集団に対する嫌悪や差別が引き起こされるだけで検閲の対象になる。実施する方法は国ごとに異なるが、他にもイギリス、アイルランド、ブラジル、インド、欧州連合などが、たとえ暴力を誘発するという証拠がなくても、嫌悪や差別を引き起こす発言に制約を設けている。

ソーシャルメディアのプラットフォームは、こうした各国ごとの法律の違いにすでに対応しているはずだが、オンラインでの言説に関する法律がドイツで新たに制定されると大きく注目した。二〇一八年に成立したこの法律では、ヘイトスピーチを含む「明らかに」違法なコンテンツを企業が二四時間以内に削除することが義務付けられ、従わなければ企業も個人も罰金を課される。フェイスブックをはじめドイツで活動する企業はこの変化を受け、政府から厄介な行動を起こされないためコンテンツモデレーションの能力を倍増する必要に迫られた。オーストリアやイギリスなど、他の国も同様の措置について議論を始めた。

ヘイトスピーチの許容範囲についての見解は様々だが、スタンフォード大学インターネット観測所に所属する同僚のレネー・ディレスタが指摘するように、言論の自由は無制限に保証されるわけではない[79]。言論の自由のもとで、個人は本音を語ることを許されるが、アルゴリズムで増幅させる権利は含まれない。常軌を逸した意見を新聞で公表する権利がないのと同様、常軌を逸した投稿をリツイートしたり拡散したり、勧めてもらう資格はない。この点でソーシャルメディアプラットフォームへの投稿は、個人宛のテキストメッセージと根本的に異なる。私たちは言論の自由のもとで検閲を受けず、メッセージサービスを介して他人と直接コミュニケーションを交わすことに大きな期待を寄せる。ただし言論の自由を保証されても、印刷媒体にせよアルゴリズムにせよ、政府や企業からどんな発言の拡散も許されるわけではない。

有害な可能性のある発言がアルゴリズムによって拡散する事態を、企業はかなり自由に制約できる立場にあるが、民主政府はどんなときにオンラインでの発言の禁止や制約を求めるべきなのか。ここで制約に伴う価値を比較検討する際には、民主主義の見解が指針となる。民主主義の目標は、「最善」あるいは「正しい」結果を生み出すことではなく、最悪の事態を回避するためのガードレールを設けることだ。そこに込められている意味は明らかだ。すなわち、政府が言論を抑制する機会は極力制限されるべきだ。否定的な固定概念を長続きさせるような表現、差別的なあだ名を使った表現、集団の地位を脅かす表現などを合法的に取り除く役割を政府に求めることは、たとえインターネットの時代でも手軽な解決策として考えるべきでない。これは簡単に納得できないかもしれない。人種的偏見、差別、制度的人種差別に対する懸念が公開の場の討論で大きく取り上げられるときは特に、政府に問題の解決を任せたくなるものだ。しかし、政府の検閲が誤用された場合のリスクは無視できず、民主主義にとってさらに深刻な問題が生み出される恐れもある。ドイツを含め、ヘイトスピーチ法が実施されている地域［80］でのきわめて有力な証拠からは、制約されても公共の場で話し合われる機会が減るだけで、法律による取り締まりの対象である有害なヘイトスピーチや誹謗中傷は、地下で拡散する実態が明らかにされている。

デジタル時代の言論の自由について考え直す際には、つぎの点に留意すべきだ。政府は検閲を強化するよりもむしろ、自由に発言する権利がすべての人に平等に行き渡ることを保証しなければならない。ティム・ウーによれば、政府や法律の役割は「オンラインでの発言の主要経路を詐欺、欺瞞、嫌がらせなどによる妨害や攻撃から守る」［81］ことである。そうなると法執行機関には、言論の自由の剝奪を目論む民間人の行動を阻止または抑制し、制裁措置を取る責任がある。

組織的に進められる悪質な行動の内容については、すでにご存じだろう。標的にした人物の自尊心を傷つけ、嫌がらせを行ない、希望を奪うためのオンラインでのトローリング、評判を傷つけるための偽の記事や嘘を使った名誉棄損キャンペーン、Eメールや電話やソーシャルメディアを介して繰り返される執拗な個人攻撃。こうした戦術の一部は世間から大きな注目を集める。たとえば、首都ワシントンのピザ屋は小児性愛者の拠点で、そこにはヒラリー・クリントンが関わっているというデマもあった。ただし、ほとんどのトローリングは密かに進行するので、犠牲者は人知れず心に深い傷を負う。

二〇二一年にピュー研究所が実施した調査結果［82］によれば、アメリカ人一〇人のうちの四人、そして十代後半の若者の大多数が、オンラインでの嫌がらせを経験している。さらに、経験者はマイノリティや社会的に疎外された集団で圧倒的に多く、大勢のゲイやレズビアンやバイセクシャルがオンラインでの嫌がらせの標的になったと報告している。オンラインでのセクハラや女性蔑視は歴史が古いが、それが衝撃的な形で露骨に表現されることもある。ローラ・ベイツは、女性が性差別に関する経験をシェアできるエブリデイ・セクシズム・プロジェクトというウェブサイトを立ち上げた［83］。するとオンラインで攻撃の標的となり、一日に二〇〇件以上の嫌がらせメッセージを送りつけられた。「おまえを殺してやる、レイプしてやるといった、脅迫的なメッセージを送られ、それに目を通す心理的な苦痛はとても認められない」と、彼女はアムネスティ・インターナショナルに訴えた。「仕事が終わって自宅の居間でくつろいでいるとき、いきなり誰かからレイプしてやると、脅迫的なメッセージが送られてくるのは耐えられない」。このようなオンラインでの嫌がらせが頻発すると、オフラインに逃げる人も増える。その結果、インターネットという伝達ツールに平等にアクセスする機会が失われ、万人に認められる表現の自由の権利が損なわれる。

表現の自由をこうした脅威から守るためには、政府とプラットフォームが協力する方向に進まなければならない。責任の一部はプラットフォームが担うが、政府も重要な役割を引き受けるべきだ。それは質の高い公開討論を保証することではなく［84］、公開討論のルートを意図的な攻撃から守ることだ。まずは、嫌がらせやサイバーストーキングを禁じる合衆国や州の既存の法律、詐欺や欺瞞やなりすましなど不正なプロパガンダキャンペーンの防止に使える法律の施行を徹底するべきだ。さらに新しい規制も必要で、ジャーナリストや著名人や一般人を狙った集中攻撃の取り締まりに特化した反トローリング法を制定するとよい。この場合、政府の役割には有害なコンテンツへの警告だけでなく、作成者を実際に法律で裁くことも含まれる。言論の自由の価値を純粋に信じるアメリカ人は、こうした方向転換に抵抗するかもしれないが、デジタル時代に表現の自由の権利を守るためには、こうした行動が求められる。

プラットフォームの免疫の未来

情報エコシステムの汚染の問題に取り組むためには、企業の義務について考える必要もある。株主に忠誠をつくし、既存の法律に従う以外に、どんな義務があるだろうか。言い換えると、政府は民主主義を守るため、企業にもっと高い行動基準を求めるべきだろうか。

アメリカで企業の行動について語る際には、通信品位法第二三〇条、通称CDA230から始めなければならない。この条項は、インターネットの成長を促した酸素のようなものだ。一九九六年に制定されたこの法律によって、双方向コンピュータサービスのプロバイダーは、ユーザーが作成したコンテンツから発生した問題の責任を免除された。具体的にはこう書かれている。「双方向コンピュータサービスのプロバイダーやユーザーは、パブリッシャーやスピーカーとは見なされない」。このことによってプラットフォームでは、法的責任について深く悩まずコンテンツを気軽に投稿・共有できる環境が整った。この法律は、コンピュータサービスのプロバイダーに対してこのうえなく寛容だ。問題のあるコンテンツを放置していても訴訟を免れ、コンテンツを削除しても訴えられない。これは善きサマリヤ人の法として知られる。

一例を紹介しよう。もしもユーチューブに中傷的な動画を投稿すれば投稿者は訴えられるが、ユーチューブは訴えられない。かりにCDA230がなければ、フェイスブック、ツイッター、インスタグラム、ユーチューブなどのウェブサイトは、まるで新聞の編集者のように、ユーザーが作成するすべてのものの内容について判断を下さなければならない。いまではそんなことは技術的に難しい。小さなソーシャルネットワークプラットフォームの場合には、多くは言論の自由が徹底される点を売り込むが、コンテンツモデレーションを大々的に実行する意思も資金もない。したがって、法的保護が提供されるCDA230は実に貴重な存在である。

CDA230の起源は、それより一年前の「ストラットンオークモント対プロディジーサービス」の訴訟に遡る。このとき、インターネット関連のアクセスと情報の分野でアーリーアダプターだったプロディジー社は、「サイト上のすべての投稿に関してパブリッシャーとして責任がある[85]。なぜなら、一部のフォーラム投稿を積極的に削除したからだ」と判断された（傍点は著者による）。裁判所はプロディジー社を、単なるコンテンツ配信者以上の存在だと見なした。なぜなら自動キュレーションツールを使って投稿のガイドラインを設けたのは、「意図的な選択であり、おかげで編集の権限を手に入れて恩恵に浴した」[86]からだ。この判決は、成長を続けるインターネットビジネスに大きな衝撃を与え、新しいプラットフォームが訴訟の標的になることへの不安が高まった。そこで議会は超党派で結束し、わいせつなオンラインコンテンツへの未成年のアクセスを抑制するためすでに検討中だった法案に、第二三〇条を加えたのである。

グーグルの元法務担当者のダフネ・ケラーは、「媒介者責任」の問題に関する第一人者である。媒介者責任とは、投稿、シェア、キュレーションされるコンテンツへのプラットフォームの法的責任に関する専門用語だ。ケラーによれば、CDA230などについて考えるときには[87]、以下の三つの目標のバランスをとる必要があることを認識しなければならない。（1）危害の防止（2）合法的な発言やオンライン活動の保護（3）イノベーションの見通し。一九九〇年末に立法府の議員は、プロディジー社を悩ませたような法律問題が発生することなく、コンテンツモデレーションに取り組める方法を模索した。最終的に出来上がった法律は、プラットフォームができるだけ多くのコンテンツを残したくなるようなインセンティブを提供する一方、何かを削除する決断をしたときにプラットフォームが守られることを保証する内容だった。しかし誤情報や偽情報だけでなく、悪意のある過激な表現が大量に出回っている今日、これは三つの価値のバランスを維持するための健全な方法と言えるだろうか。

ＣＤＡ２３０の抜本的な見直しを求める人は多い。ジョー・バイデンは大統領選挙のあいだ、ニューヨークタイムズ紙の編集委員会とのインタビューで、ＣＤＡ２３０は直ちに廃止すべきだと主張した。フェイスブックについて彼はこう語った。「これは単なるインターネット企業ではない［88］。嘘を嘘と知りながら拡散している……フェイスブックには編集機能がまったく存在しない……無責任きわまりない」。バイデンの不満は理解できるが、ＣＤＡ２３０の廃止は危険を伴う。免責の枠組みに変更が加えられれば表現の自由が脅かされ、その結果として企業は、攻撃的と見なされ訴訟に発展しかねないコンテンツをすべて削除する可能性がある。その影響は、今日の大手テクノロジー企業よりも財源がはるかに乏しい中小企業で特に大きい。訴訟を恐れるあまり、コンテンツを削除する責任の比重が高まれば、イノベーションの勢いがそがれてしまう。

批判は右派からも寄せられる。改革を熱心に求める陣営の先頭に立つ人物のひとりが、四〇歳のジョン・ホーリーだ。共和党員で、ミズーリ州から上院議員に選出された人物である。皮肉にも彼は、二〇二〇年の大統領選の結果の認定に反対した最初の上院議員としての知名度のほうが高く、トランプ支持者が合衆国議会議事堂を襲撃する前にはこぶしを突き上げて激励した。彼が新人の上院議員として取り組んだのが、プラットフォーム企業の力を制御するための運動である。特に関心を寄せるのが、保守派の声や右寄りのコンテンツに対する検閲だ。すなわち、コンテンツモデレーションの際には「政治的な中立性」が保証されるべきで、コンテンツの削除に偏見が見られたら、プラットフォームは責任を問われなければならない。起草した法案のひとつでは、不当な検閲を受けたと確信すれば相手を訴え、最低でも五〇〇〇ドルと弁護士費用を請求できる権利を認めた。この法案が成立した場合、訴訟が一気に増加する事態は容易に想像できる。

この超党派の堂々巡りの本当の争点は、新聞やラジオやテレビなど、従来のメディアと同じ編集機能をインターネット企業に持たせるべきかという問題だ。テクノロジープラットフォームをコンテンツパブリッシャーと見なすべき理由は間違いなく存在する。ふたりの話し手を結びつけるだけの電話会社と異なり、インターネット企業はアルゴリズムを介し、ユーザーが見聞きするもののキュレーションを積極的に行ない、エンゲージメントの最大化に努める。さらにインターネット空間ではコミュニケーション経路のプロバイダーとして圧倒的な存在で、ほとんど競争がない。これは外見もそこから受ける印象も、まだケーブルテレビが発達する前の放送ネットワークと似ている。ただし、想像できないほど大勢の人たちが情報を発信できる点は大きく異なる。

さらに、いまではふたつのことが以前と異なり[89]、インターネットプラットフォームへの効果的な規制制度を構築するうえで見逃せない。ひとつは二大政党の分極化だ。政治的指向が両極端の政党同士が歩み寄り、何がフェイクニュースや誤情報に該当するのか意見が一致する展開を想像するのは難しい。悪質な言葉が暴力を誘発するのはどんなときか、キュレーションのプロセスは政治的に中立かどうか合意に達することができない。つぎに、これまで立法府の議員が放送規制を正当化してきたのは、放送経路に物理的な制約があり、割り当てられる周波数帯が不足していたからだ。放送のための周波数帯が不足して競争市場が十分に発達できなかったため、放送局は自らの経済的利益を追究するだけでなく、公益にも寄与することが期待された。その結果、今日では多くの人たちが、テレビでは政治問題は偏らず公平に報道され、地域社会に関連する番組が放送されることが当然だと見なすようになった。これに対し、インターネット企業は新しいコミュニケーション経路を支配しているが、希少性の原理とは無縁であり、原則として他の企業から挑戦を受ける可能性がある。

たとえコンテンツの許容範囲について超党派の合意が得られなくても、インターネットというプラットフォームは競争の激しい多様な市場であることを理解しなければならない。ユーザーを確保して引き留める競争に勝つためには、インターネットでコンテンツモデレーションを継続しなければならない。プラットフォームがヘイトスピーチや偽のコンテンツで溢れかえったら、代わりのプラットフォームを探すユーザーも出てくる。大事な収入源である広告主も同じ行動をとるだろう。実際、すでにインターネットの黎明期にはこうした力学が働いた。検索エンジンのパイオニアであるアルタビスタ、ライコス、エキサイトはスパムサイトがあふれ、ユーザーが探し求める情報は提供されず、製品を売りつけて広告収入を得ることが優先された。こうした初期の検索エンジンはまもなくグーグルに駆逐された。グーグルの新しい検索テクノロジーは、ユーザーが受け取った結果からスパムページを見つけ出し、ランクダウンさせたり削除したりする対策に効果を発揮した。行動を起こすのはユーザーだけではない。広告主も、プラットフォームの行動に影響力を発揮することができる。たとえば二〇二〇年、フェイスブックが「略奪が始まれば発砲が始まる」というトランプの投稿の削除や制限を拒むと、「ヘイトに利益をもたらすな」(#StopProfitForHate) という運動の一環として、多くの企業が同社から広告を引き上げた。もちろん逆も可能で、コンテンツモデレーションが緩いプラットフォームを選ぶユーザーもいる。トランプ大統領がフェイスブックのプラットフォームから追い出されると、彼の支持者はパーラーへと移った[90]。ただし、これが魅力的な選択肢に感じられるのはユーザー全体のごく一部であることが、データからは推測される。

誤情報や偽情報を拡散するための組織的な取り組みが高邁な民主主義のプロセスを脅かすときは、政府が関わるべきだ。児童ポルノ、人身売買、著作権侵害、過激化を食い止めるためには、すでに政府が適切な役割を果たすことが認められている。これらのケースでは、政府は一連のルールや予想を作成し、企業のコンテンツの抑制に関する具体策を明らかにしている。インターネット上での著作権侵害に関しては、デジタルミレニアム著作権法が主なガイドラインとなり、重要な免責条項が列挙されているため、インターネット企業が条項を実施すべき十分な根拠が提供されている。おかげで、コンテンツが削除されるプロセスには民主的な合法性が備わり、CEOの善意や優れた判断に全面的に頼る必要がない。

そして今度は、民主主義を守るために同じ行動をとるべきだ。もちろん、レベルの高い議論を行ない、競合する見解に平等な通信時間を保証する「公平の原則」に注目し、これをオンラインに導入するための法律を制定するのは現実的ではない。そのような平等は、感謝祭の食卓にも存在しない。むしろ、何らかの常識的な改革の実行を考えるほうが現実的だ。CDA230の将来について話し合えば、それがきっかけとなり、偽情報や誤情報について企業が行動を起こす機会が提供される。プラットフォームの免責に新たな制約を設ける法律を制定してもよいし、企業が民主主義を守るためもっと積極的に行動を起こし、透明性の進捗状況について報告することを条件に、全面的な免責を維持してもよい。

たとえば、アメリカの選挙に関連する広告に海外の利害関係者が関与するのはすでに違法行為だ。ただしここでは、こうした類の行動の特定と防止をプラットフォーム企業があまり得意としないことが問題として浮上する。したがって企業がこうした活動をシステムから取り除くきっかけとなるような、強力な動機が必要とされる。法的措置をちらつかせてもよいし、できなければ免責を取り消してもよい。さらに、金で雇われたエージェントが本物のユーザーを装ったときや、ラベルのないボットが情報エコシステムに大量のコンテンツを送りつけ、システムの操作や乗っ取りを狙ったときには、企業がユーザーをこうした詐欺行為から守るように仕向ける必要もある。あるいは、政治広告に誰が料金を支払っているか確認するなど、ユーザーがソースの信頼性を評価するために役立つ情報をプラットフォームが公開するように、透明性を義務付けてもよい。二〇二〇年の選挙のように、認可されたファクトチェック機関が異議を唱えたコンテンツには、警告できるような仕組みもよいだろう。いまのところ、こうした決断はすべてプラットフォームと社内規定に任せられている。民主主義のプロセスを導入すれば、議論のすえに下された判断に合法性が加わり、すべてのプラットフォームが採用できる基準にもなる。そして二大政党の傾向を考えるなら、プラットフォームのコンテンツモデレーションポリシー全体に透明性を持たせ、プロセスや習慣に関する報告を義務化（標準化）することも重要だ。

もちろん、政府がこうした穏やかな規制措置を講じる一方、企業のほうも大胆に変わらなければならない。プラットフォームがキュレーションのアルゴリズムに柔軟性を持たせ、「信頼性」に関して客観的な指標を取り入れれば、情報の利用は促進されランク付けにも役立つ。情報を表示する仕組みを再構築すれば、相容れない多様な視点が検索結果やニュースフィードのトップに登場する。民主主義の公的領域にとって有害だと多くの人が確信するような習慣は、今後は自分たちのプラットフォームで認めないことを決断してもよい。たとえば、好き嫌いに関する細かい情報に基づいて個人を「マイクロターゲティング」する政治広告は許されない。重要な時期にかぎらずどんなときにも、政治広告枠は販売しない方針を決めてもよい。プラットフォームでは、役人にも他のユーザーと同じ基準を適用し、情報エコシステムを繰り返し汚染するユーザーにはペナルティを課すシステムをつくり、最悪の違反者はアカウントを無効にしてもよい。それから、システムにフリクション〔使い勝手の悪い要素〕を導入し、バイラリティを減らすこともできる。誤情報や偽情報の拡散を狙った組織的な取り組みが確認されたときは、特に有効だろう。ただし、こうしてプラットフォームの行動に引き起こされる根本的な変化が組織のすみずみまで行き渡るためには、もっと競争の激しい市場が必要だ。複数のプラットフォームが異なるモデレーションやキュレーションを提供するなかから、ユーザーが好きなものを選べる環境が欠かせない。

競争のスペースを創造する

オンライン上でもっと競争の激しい市場をいかに創造するかは、パズルを完成させるための最後のピースだ。既存のインターネットプラットフォームのオンラインコミュニケーションでの支配力はすさまじい。グーグルは、世界中のオンライン検索の九〇パーセントを独占している〔91〕。ソーシャルメディアサイトへの毎月のアクセスに関しては、フェイスブックが七〇パーセントを占めている〔92〕。フェイスブック、ユーチューブ、ワッツアップ、インスタグラムはいずれも、毎月のアクティブユーザーが一〇億人を超える。いずれも世界最大のソーシャルメディアプラットフォームだ。しかも、フェイスブック、ワッツアップ、インスタグラムは同じ会社の一部であり、ユーチューブはグーグルの一部だ。

ここまで市場を支配すれば、CEOを務めるマーク・ザッカーバーグやジャック・ドーシーやサンダー・ピチャイは、情報エコシステムの汚染に関する決定にとてつもない影響力を発揮できる。コンテンツモデレーションは必要か、必要な場合はどんな方法がよいか、彼らが下した決断は、私たちが消費する情報やデジタルの公的領域にきわめて大きな影響をおよぼす。しかも市場がこれだけ集中していると、フェイクニュースや誤情報の拡散も簡単に成功する。アルゴリズムシステムをひとつかふたつ悪用するだけで、情報は何百万人にも伝わる。

デジタルの公的領域が健全な形で繁栄するためには、フェイスブック、ツイッター、ユーチューブ、グーグルなどに他の企業が健全な形で競争を挑み、コンテンツモデレーションに別のアプローチで臨んで高品質のサービスを提供する必要がある。これはまだ実現していない。実現させるためには、アメリカで独占禁止法が執行される方法を大胆に改め、もっとヨーロッパと歩調を合わせなければならない。

少なくともアメリカでは主要なソーシャルメディアプラットフォームへの対処について、反トラスト法の執行は混乱をきわめている。消費者は製品に適正価格を支払うべきだという原則にこだわり続け、製品を無料で提供する企業の規制に戸惑っている。これに対し、ヨーロッパは競争を制約する習慣に関して広い見解に基づいた判断を下し、グーグルを厳しく罰した。プラットフォームを支配するグーグルを標的にした独占禁止法違反訴訟はいくつも続いた。そして、グーグルの検索結果でグーグルの他のサービスが有利に配置されること、広告パートナーに対し、検索ビジネスにおけるグーグルのライバルとの取引を禁止すること、携帯電話アンドロイドのプラットフォームを利用して、グーグルの他のアプリのインストールをロックインしたことが非難された。

バイデン大統領は二〇二一年、反トラスト法の専門家であり、同法をかつてのように厳格化することを熱心に訴えるリナ・カーンを連邦取引委員会（ＦＣＣ）の委員長に任命し、アメリカもヨーロッパを見倣う姿勢を示した。その結果、産業化時代の反トラスト政策の原点に立ち返った進歩的な姿勢が復活し、価格だけでなく市場独占にも取り組む可能性が生まれた。アメリカで最初の反トラスト法を草案したジョン・シャーマン上院議員は、こう語った。「もしも政治権力としての王に我慢できないのであれば、生活必需品の生産、輸送、販売を支配する王にも我慢できないはずだ」。私たちは具体的な措置を講じ、既存のプラットフォームで健全な競争が行なわれる環境を整えなければならない。

最初の段階では、インターネットへの無差別かつ平等なアクセスを守るための厳格な規制が必要だ。二〇一五年、アメリカ政府はこの方向に重要な一歩を踏み出した。連邦規制委員会（FCC）が「ネット中立性」を制度として確立したのだ。実際にここでは、コムキャストやAT&Tなど大手のインターネットサービスプロバイダー（ISP）が、平等なアクセスを保証する公的義務を持つ民間企業として特定された。つまり、あなたのインターネットサービスプロバイダーは、あなたがインターネットを使う方法を管理することも操作することもできない。特定のソースからニュースを手に入れさせたり、特定の検索エンジンを使わせたりするのは禁じられる。ところがトランプが大統領に就任すると、FCCはネット中立性へのコミットを直ちに撤回し、一握りの強力な企業には大勝利がもたらされた。しかし戦いの終わりは程遠く、この問題は裁判所に持ち込まれた。議会は新しい法案を検討しており、バイデン大統領はFTCやFCCに関する大統領令に署名している。

プラットフォームが市場での巨大な力を利用して別の市場を独占する行為にも、政府は歯止めをかける必要がある。EUの主な反トラスト訴訟のひとつでは、まさにこの問題が争点になった。グーグルの検索結果でグーグル自身の価格比較サイトが優遇され、ライバルは検索結果の四ページ目に押しやられたのだ。グーグルが素晴らしい検索エンジンを開発した成果は讃えるべきだが、市場での独占力を利用して他の製品やライバルを弱体化させるべきではない。ここでは「分離の」体制が必要とされる。これは革新主義時代のアプローチで、鉄道の線路を独占することを理由に、企業が他の商業分野を支配する事態を防ぐ目的で導入された。

最後に、競争を阻むような合併と買収を防止または撤回させるため、積極的な戦略が必要とされる。ビッグ・テックのプラットフォームは圧倒的な支配力を持ち、おまけに資金も潤沢なので、自らの地位を脅かしそうなライバルを買収してしまう。一例が、フェイスブックによるインスタグラムの買収だ。当時、これを危険視する人はほとんどいなかったが、この買収のおかげでフェイスブックは、ソーシャルメディアの独占を盤石にした。急成長を続ける最も手ごわいライバルを手中に収めたのである。

検索やソーシャルメディアにおいて市場の健全な競争を育むために、規制の政治は重要な役割を果たすが、第五章で紹介したプライバシーの権利に関する改革も重要である。データをひとつのプラットフォームから別のプラットフォームに移行する権利をユーザーが手に入れれば、既存のプラットフォームの支配に新規企業が挑戦する可能性は高くなる。人々がアップロードしてシェアする情報がひとつのプラットフォームに閉じ込められているかぎり、革新的な挑戦者が足がかりを得るのは難しいだろう。

競争が増えれば、テクノロジーのプラットフォームが提供するものとユーザーが本当に望むものが一致する可能性が生まれる。しかも、優先傾向が異なる人たちに様々な選択肢が提供される。信頼できる情報を優先し、有害なコンテンツを取り除き、詐欺や悪質なトローリングから守ってくれるソーシャルネットワークや検索エンジンを、消費者は選択できるようになる。目下、消費者には代わりの選択肢がほとんどない。たとえあったとしても、データを移行できない。しかし選択肢が増えれば、情報エコシステムの操作を狙う常習犯は、ひとつやふたつのシステムに集中できず、複数の異なるプラットフォームで活動しなければならない。

何度も指摘してきたが、私たちが大切にするものを守るために、自己利益の追求に専念する企業を当てにするのは現実的でない。情報エコシステムの信頼できる正常性を本気で守りたければ、政府が一定の役割を果たさなければならない。言論の自由へのアメリカのユニークなアプローチは尊敬に値するが、健全な競争環境の確保を目指すヨーロッパの姿勢は将来の指針として役に立つ。アメリカのアプローチは革新主義時代［一八九〇年代から一九二〇年代にかけて、社会と政治が著しく変化した時代のこと］の偉大な伝統にルーツを持っているが、今日の課題に対処すべく現代風にアレンジすることは可能だ。

第三部

「未来」を再コーディングする

我々の感情や理性のみならず、集団の信条や行動を形作るテクノロジーの力を認めれば、ガバナンスについての議論は運命論的決定論から解放され、自己決定が尊重されるだろう〔1〕。

シーラ・ジャサノフ

『発明の倫理学　*The Ethics of Invention*』、二〇一六年

第八章　民主主義は難局を乗り切れるか

二〇一九年初め、誕生まもないオープンAIという非営利団体の発表が、科学界にたちまち衝撃を与えた。オープンAIが開発したAI駆動型ツールのGPT—2（文章生成言語モデル2）の性能はきわめて強力で、驚異的に質の高いテキストを作成することができた。しかも必要なのは最小限のプロンプトだけ。サンプルとなる文章は、「トニ・モリソンの『ビラヴド』に関するエッセイを書く」といったシンプルな内容で十分だ。GPT—2の言語モデルは非常に柔軟で、翻訳、質問への回答、要約、他のテキストとの合成だけでなく、様々な種類のテキストを作成することができる。本物と見まがう詩、ジャーナリズム、フィクション、学術論文、中学校が対象のエッセイ、さらにはコンピュータコードまで、守備範囲は広い。

GPT—2はテキストに登場するすべての単語を対象にして、つぎに来る可能性が最も高い単語を予測するというアーキテクチャをもつが、AIコミュニティを本当に驚かせたのはこのモデルではない。八〇〇万以上のウェブページからテキストを集めて分析し、システムを新しいレベルまで高めたことだ。しかも、オープンAIは透明性を重視する研究団体の傾向に逆らい、モデルを公開しない方針を発表した。「この技術は悪用される恐れがある［1］ため、訓練済みモデルは公開しない。責任ある開示の実験の一環として、代わりにもっと小さなモデルを公開して研究者に実験してもらい、学術論文に役立ててもらうつもりだ」と、オープンＡＩのチームは説明した。

オープンＡＩは二〇一五年に非営利団体として設立された。イーロン・マスク、ピーター・ティール、サム・アルトマン、リード・ホフマンなど、出資者リストに名を連ねた裕福なテクノロジストは、安全な汎用人工知能の実現に高い関心を持っていた。利益の確保よりも社会的使命を優先したチームは、せっかく創造した強力なツールが違法に悪用され、ディープフェイクの画像やビデオに類似する偽のテキストが作成される可能性を憂慮した。たとえば中学生が短いエッセイの執筆を任せ、自分で書いたと主張しても、嘘がばれずに通用するかもしれない。極端な場合、プロパガンダ目的で偽情報が自動的に次々と生み出され、偽のウェブサイトやソーシャルメディアのアカウントを介して拡散する恐れもある。ただし、慎重な姿勢からは冷静な予防策のような印象を受けるが、ＡＩの世界の一部では見方が違った。オープンな「オープン」ＡＩを名乗っていることを考えれば、これは研究の基準に抵触するとんでもない偽善で、組織に注目を集めるための安上がりな売名行為だとこき下ろした。ＡＩ研究者からは、自分たちもラボで画期的な発見に成功したけれども、悪用される心配があるから詳細をシェアできないという冗談半分の発言も飛び出した［2］。

オープンＡＩは段階的な公開プロセスの一環として、二〇一九年までに一五億のパラメータを持つGPT―2のフルモデルをリリースすることにした。一方、オープンAIに所属する科学者は外部の研究機関に依頼して、かねてよりの懸案の実態解明に努めた。コーネル大学からは、「GPT―2が生成した文章は人間にとって説得力がある」［3］という結果報告があった。ミドルベリー大学のテロ・過激主義・テロ対策国際研究センターの研究結果はそれよりも深刻で、つぎの点が指摘された。「GPT―2は過激派集団に悪用される可能性がある［4］。特に、白人至上主義、マルクス主義、聖戦派イスラム主義者、アナキズムの四つのイデオロギー的立場を擁護するよう、微調整される恐れがある」。オープンAIの当初に対する懸念には十分な根拠があったようだ。

約一年後、オープンAIのチームはGPT―3を発表した。これはとてつもなく強力な次世代モデルで、GPT―2の最大のモデルと比べても、パラメータの数は一〇〇倍以上もあった。GPT―3の深層学習ニューラルネットワークには九六のレイヤーが使用され、インターネットから集めてきた大量のテキストだけでなく、多数の書籍、さらにはウィキペディアをそっくりそのまま使って訓練された。それがどれほどの規模かというと、GPT―3の訓練データの規模はほぼ四五テラバイト［5］。これは、二〇〇〇年に米国議会図書館に所蔵された印刷物の総推定量の四倍以上である。

GPT―3は、AI研究の最前線を担う重要な存在である。モデルは間違いなくすさまじいパワーを備え、汎用人工知能に最も近い存在だという評価もある。特別の主題について訓練を受けなくても、多種多様なプロンプトに基づいて説得力のあるテキストを生成できる。広い範囲をカバーするだけでなく、ニュアンスやユーモアを理解しているように見せかける能力を持っていることの一例として、GPT―3のユーザーであるアラム・セベティが生成した会話を以下に紹介しよう。

カニエ・ウェスト独占インタビュー〔6〕――彼はなぜ大統領に立候補したのか。そして大統領として何を優先するつもりか。

人間によるプロンプト

アンダーソン・クーパー：イージー〔カニエ・ウェストの愛称〕、大統領として何を目指しますか。

GPT―3が生成したテキスト

カニエ：そんなの簡単さ。もう一度、何もかも素晴らしい世界を作るんだ。

アンダーソン・クーパー：では、外交政策はどうです。

カニエ：そんなこと知るか。それより、もっと重要な話をしようぜ。キム・カーダシアンのケツとか。

アンダーソン・クーパー：それはちょっと性差別的では。

カニエ：そうか、すまない。おれは性差別主義者じゃないよ。オンナは大好きだ。でも、機会平等には反対だね。

いかにも真実らしいテキストが生成されているが、実はGPT—3は、テキストの中身をきちんと理解していない。訓練に使われた大量のデータに基づき、文章を作っているだけだ。実際、機械が人間と同レベルの知能を手に入れる可能性には、多くの研究者が懐疑的だ。

何も知識を持たない人間なら、深層学習がシンプルなプログラムを作成する能力に感銘を受けるかもしれない。でもじっくり眺めてみると……中身は空っぽだ。意識が存在する痕跡は見られず、コンピュータと人間では世界の感じ方や経験が異なるという見解の正しさが、提供されるデータによって裏付けられている。チェスや碁など、ルールが厳格なゲームならば、コンピュータは人間のチャンピオンに勝利を収められるが、ルールと無関係な場所で本当に考える能力は持っていない。臨機応変に新しい戦略を考案できないし、人間と同じように感じたり反応したりすることもできない。人工知能のプログラムには、意識や自己認識が欠如しているのだ。ユーモアのセンスを持ち合わせず、芸術や美や愛情を理解できない。孤独を感じないし、他人や動物や環境に共感することもない。音楽を楽しまず、恋に落ちず、些細な出来事に声を荒らげない。

実のところ、この直前の一段落は私たちが書いたものではない。「未知の物事を本当に判断する能力が、深層学習に欠如しているのはなぜか」[7]というプロンプトに対し、GPT—3の研究者グワーン・ブランウェンが回答したものだ。ハリー・ポッターの物語をアーネスト・ヘミングウェイのスタイルで書き換えたり、顔を合わせたことがない歴史上の人物同士の会話を本物のように仕立てたり、映画の感想を絵文字で表現したり、詩を創作したり、判断する以外にはたくさんのことを深層学習は実行できる。

こうした能力を持っていることがなぜわかるのかといえば、オープンＡＩは利害関係者に対し、アクセス制御アプリを経由する形ではあるが、ＧＰＴ―３モデルを公開しているからだ。アクセスを認められれば、実際にモデルを試して結果を投稿できる。オープンＡＩはＧＰＴ―３について、利用者が限定された状態で収益を生み出す商品として提供する意向を発表した。そこには、ＧＰＴ―２の発表からＧＰＴ―３の発表までのあいだに投資資本が必要になり、非営利団体から営利目的の会社に転換した事情があった。それでも「上限付き利益」の追求という聞きなれないモデルによって、社会的使命に引き続き取り組むことを約束した。このモデルでは、オープンＡＩに投資すると設定された上限までの利益を得られるが、それを超えた分はオープンＡＩに再び投資され、安全な汎用人工知能の開発に使われる。さらにオープンＡＩはマイクロソフトとの取引を成立させ、マイクロソフトが一〇億ドルを投資する見返りに、同社の製品にＧＰＴ―３の能力を独占的に搭載する権利を与えた。現時点でオープンＡＩは、モデルが悪用される可能性だけでなく、テキストを生成する機械の普及で人間が職場を奪われる可能性を認めている。そして他のアルゴリズムモデルと同様、公平性やバイアスの問題についても不安を抱えている。しかしいまのところ、ＧＰＴ―３には外部からの監視がないし、世間はこのツールを十分に理解していない。オープンＡＩのチームがモデルの許容範囲について定めた以外には、実質的にルールは存在しない。

研究者から「シンセティックメディア」とかディープフェイクと呼ばれるものを生成できるシ

ステムのなかで、GPT—3は最新モデルだ。強力になった機械は、人間には本物と見分けがつかないような文章、音声、画像、動画をつくることができる。しかもこうしたツールは、少数の有力者の手にとどまらず、多くはまもなく市販されるはずだ。おまけに、計算資源のコストは指数関数的に下がっているのだから、最終的にシステムは、ほぼすべての人にとってアクセス可能になるだろう。

シンセティックメディアが提起する疑問や問題では、ここまで本書で取り上げてきた問題の一部がさらに強調される。本物と見分けがつかないメディアをインテリジェントマシンが自動的に生成できるなら、私たちの情報宇宙はどうなるのだろう。聴覚や視覚をどこまで信用できるのか。あるいは、多くの職業で機械が人間の仕事を奪ったら、人間や社会の幸福はどうなるのか。そして新しい強力なテクノロジーが、偏見や差別を新たに創造することも、既存の偏見や差別を増幅することもないという保証はあるのだろうか。テクノロジーの最前線での進歩の恩恵にあずかる一方、リスクを最小限に食い止めること、あるいは取り除くことは可能なのだろうか。

では、私には何ができるだろうか

私たちとテクノロジーの関係はあっという間に変化した。かつてはソーシャルネットワークで家族や友人とつながるぐらいだった。しかしいまやソーシャルネットワークには偽情報があふれ、公衆衛生の実態や選挙の動向についての情報が操作される。あるいは、私たちはオンラインショッピングを便利に利用して、スマートフォンでは何の束縛も受けずにコミュニケーションを楽しんできた。ところがいまやオンラインショッピングやスマートフォンは、私たちからデータを集める手段となり、地元の小売店を廃業に追い込み、私たちの注意を無理やり引きつけようとする。かつては、テクノロジーの素晴らしさに目を見張り、その潜在能力が解放される未来を楽観的に思い描いたものだが、いまや偏見に満ちたアルゴリズム、監視資本主義、人間から仕事を奪うロボットなど、ディストピア的な暗澹《あんたん》たる未来のイメージに取りつかれるようになった。

これでは、テクノロジー企業への信頼が低下［8］しても驚かない。ところが実際には、テクノロジーの前進を受け入れる以外の選択肢を考える人はほとんどいない。テクノロジストが私たちのために設計したテクノロジーの未来を誰もが素直に受け入れている。

しかし、受けいれる必要はないのだ。個人として、職業人として、市民としての生活を乱すビッグ・テックへの防御策としては、多くの行動が考えられる。最も重要な最初の一歩は、ここまで本書を読んでいればおわかりだろう。それは、テクノロジーがあなたの生活に影響をおよぼす数限りない方法について知識を持つことだ。重大な決断を下す際に自分の権利を守るためには、そこにアルゴリズムが関与しているかどうか理解する必要がある。住宅ローンを認められなかったとき、社会福祉にアクセスできないとき、刑事事件に巻き込まれたときには、意思決定のプロセスの透明性を求める権利を行使してもよい。実際、意思決定にアルゴリズムが使われることを見抜き、法廷での不当な判決に異議を唱えて成功する弁護士は増えている［9］。

データ収集の領域では、一般データ保護規制（GDPR）やカリフォルニア州消費者プライバシー法（CCPA）が制定されたおかげで、近年では個人の権利が強化されている。つぎにウェブサイトで「クッキーを受け入れる」という画面が飛び出してきたら、警告を読んだうえで、そのサイトや広告主に実際のところ自分はどんな情報を提供したいのか、そもそもサイトを訪れたいのかどうか、慎重に考えなければならない。すべてのクッキーを拒否するようにウェブブラウザを設定すれば、ウェブサイトがあなたの情報を追跡することも、情報を蓄積してあなたの行動のプロフィールを作成することも難しくなる。

ジャロン・ラニアーは二〇一八年に出版された本のなかで「ソーシャルメディアのアカウントを直ちに削除すべき一〇の論拠」［10］を紹介した。二〇二〇年に公開されたドキュメンタリー映画『監視資本主義――デジタル社会がもたらす光と影』はソーシャルメディアのことを、頭でわかっていてもやめられない中毒状態にユーザーを陥らせ、行動や感情を支配するための意図的な計略だとセンセーショナルにぶちまけた。そう言われると、私たちの生活に定着したテクノロジーの支配から解放されるためには、完全に関係を断ち切るしかないと思ってしまうかもしれない。きっぱりと縁を切るのだ、と。もちろん、極端なケースではその可能性もあるが、この見解は的外れだ。テクノロジーをうまく統制すれば、利益が得られるという点を理解していない。個人として自分はどんなテクノロジーを使いたいのか、サイトでのプライバシーや情報共有をどのように設定したらよいか、選択することは可能だ。プラットフォームは友人や家族だけでなく、誤情報の拡散を狙う悪意のある人たちも利用している点をわかっていれば、プラットフォームで目にする情報をもっと批判的な眼で見られる。しかし結局のところ、現実にそんなことはできないし、そこまでする必要はない。ビッグ・テックが引き起こした破壊的イノベーションに、ひとりで立ち向かう必要はない。私たちが大切にする価値は多種多様で、広い範囲にまたがるが、それをテクノロジーが尊重するように仕向けるためには、本書で一貫して主張してきたように、集団で行動を起こす必要がある。

簡単な例として、運転に関する決断を考えてほしい。個人としては、事故を起こさないように慎重な運転を心がける義務がある。だから歩行者や他の車に用心し、安全なスピードを守るといった行動をとる。しかし、個人の決断だけで道路の安全が保証されるわけではない。個人の判断を強制力のある法律が補ってくれるから、道路の安全は保証される。交通法規、速度制限、信号など政府による様々な規制が、安全運転の環境を整えてくれる。ルールを忠実に守れば通勤時間が少し長くなるときもあるが、それで安全が保証されるならトレードオフは成立する。そもそも運転しなければ道路の安全は保証されるという発想は的外れだ。同様に、システムとの関わりを断ち切れば問題は解決されるという主張も的外れで、システムから提供される恩恵まで失ってしまう。これから情報スーパーハイウェイを進んでいく際の心構えは、多くの点で本物のハイウェイを運転するときの選択と似ている。個人として安全運転を心がけるべきだが、集団の価値を前面に押し出した制度の創造に向けて、政府が広範囲で行動を起こすよう呼びかけなければならない。

あなたひとりではなく、私たちみんなの問題である

システムの問題は、解決を個人の行動だけに頼ることができない。これは純然たる事実だ。最

適化を目指すテクノロジストのマインドセット、利益と規模の最大化への願望、一握りの企業による市場支配という要素の組み合わせが、ここではシステムの問題の核心である。テクノロジストのビジョンや彼らの革命的なイノベーションが市場はおろか、民主主義社会の健全な機能に欠かせない大切な価値まで破壊しても、私たちは見て見ぬふりをしてきた。今日、ビッグ・テックの破壊活動に直面する私たちの問題は、ポップアップをブロックしてプライバシーを守るべきか、フェイスブックを削除するべきか決断することではない。システムの問題には、システムによる解決策が求められる。こうした解決策は伝統的に政府の領域であり、消費者が対応しなくてもよい。個人ではなく、集団での行動が必要とされる。

「ひとりひとりの行動は素晴らしくても、それだけでは十分ではない。世界で最大かつ最強の企業の行動を変化させるためには、我々が総力を結集しなければならない」[11]。これはアメリカの上院議員ブライアン・シャッツの発言だ。テクノロジー企業を規制する政策の立案を目指す政治家は民主共和両党で増えているが、彼もそのひとりである。そして彼の発言は正しい。テクノロジー企業は私たちに選択肢を提供したうえで、何を選ぶか個人が決める形を好むかもしれないが、団結して影響力を行使するほうが、私たちの望み通りの結果を得るためにはずっと効果的だ。

テクノロジーのイノベーションは進みが速く、変化のペースは加速する一方だ。私たちは今まさに姿を現しつつあるテクノロジーの詳細を理解できないし、AIの専門家にもなれない。したがって私たちが直面する真の問題は、テクノロジー開発の最新状況を常に把握することではない。イノベーションが新しい可能性や選択肢を提供した結果、様々な価値が競合するようになった状況のなかで、うまくバランスをとる方法を見つけることだ。

これからはテクノロジーがどんな価値を伸ばしてくれることを期待するのか、市民が活発に議論しなければならない。価値を生み出す側の一握りの人物から、押しつけられたものを黙って受け入れるだけでは十分ではない。民主的な市民組織がテクノロジー企業と協力し、テクノロジーの発展や展開に多彩な価値を関わらせる必要がある。

ビデオ会議をはじめ実に多くのデジタルツールやサービスが、いまでは私たちの生活に不可欠になったが、コロナ禍によってその現実が明らかになった。今回は、テクノロジー企業が確実に市民に配慮した。検索エンジンやソーシャルネットワークを介し、フェイスマスクなどの健康対策をユーザーに積極的に伝えてくれた。新型コロナウイルス感染症の治療法やワクチンの検索には、AIツールも使われた。

パンデミックが落ち着きを見せている現在、そろそろ新たに前進する道を計画しなければならない。アメリカをはじめ民主主義国の多くでは政治の分極化が進み、議会は膠着状態に陥っているが、いまや無視できなくなったテクノロジーの問題に政治は積極的に関わり始めた。二〇一八年にヨーロッパで採択されたGDPR（EU一般データ保護規則）は、テクノロジー部門の規制に政府が大きく関与する先駆けになった。首都ワシントンでは二〇二〇年一一月の選挙の直前、多くのテクノロジー企業を巻き込んだ反トラスト法に関する公聴会が超党派連合によって開かれた。そしてCCPA（カリフォルニア州消費者プライバシー法）をきっかけに議会は、全米五〇州を対象にした連邦プライバシー法の制定に向けて行動を起こすことが期待される。中国とアメリカのAI

を巡る激しい競争に刺激された多くの民主主義国は、ＡＩの研究と教育への何十億ドルもの投資を公約した。おそらく最も注目すべきは、テクノロジー企業のＣＥＯの一部が、データ機密性、顔認証、通信品位法第二三〇条、ＡＩの開発に関連する問題に対する連邦規制を公然と要求していることだろう。

政府とテクノロジー部門の新しい関係が現実になる可能性があることを、こうした一連の動きは示唆している。研究者や技術者は地道な努力を続け、テクノロジーが社会に有益な結果をもたらす道を模索している。ＡＩ研究者のジョイ・ブォラムウィニが設立したアルゴリズミック・ジャスティス・リーグは、社会から疎外された集団にアルゴリズムがもたらす悪影響への注意を促している。技術者は社内で結束し、ギグワーカーにも社会的保護が提供されるべきだと訴えている。クライストチャーチでの虐殺がライブ配信されたあと、世界中の非政府組織は政府と協力して「クライストチャーチの原則」をつくりだした。これは民主主義と人権を支えるため、ソーシャルメディアのガバナンスを強化することを目指すものである。アメリカの大学はパブリック・インテレスト・テクノロジー・コンソーシアムを立ち上げ、テクノロジーに関する社会問題に若者が取り組める新しい道を切り開いた。これらはまさに、アーロン・スワーツの同好の士が待ち望んでいた展開だ。

欧米以外の先進民主主義国にも、インスピレーションの強力な源は存在する。たとえば台湾のデジタル担当大臣のオードリー・タンは、市民に配慮しながらも政府がテクノロジーと良好な関係を築くことは可能だと教えてくれる。天才児のタンは幼少のころからコーディングを学び、すでに十代でシリコンバレーではオープンソースソフトウェア開発者として有名になり、母国の台湾にいながらアップルで六年間働いた。台湾では中国の貿易協定に学生が抗議してひまわり運動を始めると、新しい政府が誕生した。学生たちが議事堂を占拠する様子をインターネット経由で動画配信したタンは、デジタル関連の政策で多方面にわたって変化をもたらす人材として期待され、新しい政府への参加を要請された。タンにとって民主主義とは、利益相反を解決するためのメカニズムであり、民主主義制度はデジタルテクノロジーによって確実に強化されると考えている。したがって規制は、市場の自由な営みへの介入ではないし、本質的にテクノロジーのイノベーションを制約するものでもない。持続可能な発展と市民への権限付与にとって、政府の政策は重要なパートナーだとタンは考えている。

このような方針に基づいて、タンはテクノロジースタートアップを支援するため台湾で新しいインフラを構築した。その結果、世界でもきわめて信頼性が高く、広範囲を網羅した高速インターネットシステムの立ち上げに貢献した。このシステムは、農村地域の住民も対象に含まれる。一方でタンは、市民参加や経済発展を促すデジタルツールの展開に新たな方法で取り組んだ。そのひとつ「v台湾」というプラットフォームは、オフラインとオンラインのどちらでも話し合いが可能だ。そして、予算や政策などの社会問題に関して市民からフィードバックを提供してもらい、それを調整する目的でハッカソン〔ソフトウェア関連プロジェクトのイベント〕を開催している。プラットフォームには政府閣僚、議員、学者、専門家、ビジネスリーダー、社会団体、市民が参加して、政府の活動の結果の合法性を高めることを目指している［12］。タンによれば、v台湾のクラウドソーシング・

オープンプラットフォームには、（およそ二三〇〇万人の国民のなかの）五〇〇万人以上がアクティブユーザーとして参加している。

もっと最近では、大成功を収めた台湾のコロナ戦略にタンは貢献した［13］。台湾では、コロナによる死者はわずか九人で、感染者数も一〇〇〇人に満たない。もちろん台湾は小さな国だから、成功の判断基準は一〇万人当たりの死者のほうがよい。アメリカでは、一〇万人当たりの死者が一六〇人以上だが、台湾は僅か〇・〇四人。コロナの震源地である中国までの距離は一〇〇マイル（一六〇キロメートル）もなく、一〇〇万人以上の市民が中国で働いているのにこれほどの成果を上げた。多くの保健専門家によれば、成功の理由はデジタルヘルスのインフラの組織的な活用だという。おかげで、病院を訪れた患者の接触者追跡と即値データ取得が全国で可能になった。アメリカの著名な保健専門家は彼我の差を痛感した。ペンシルバニア大学の医療倫理・保健政策学部に所属するエゼキエル・J・エマニュエルとキャシー・チャンとアーロン・グリックマンは、つぎのように記した。「アメリカ人はあらゆる瞬間や感情をフェイスブックやグーグルと共有しているが、患者との接触履歴を保健福祉省に監視されたくないようだ。一方、台湾は患者の追跡情報に基づいて、どんな医学的検査や治療が具体的に必要か決定している」［14］。

公衆衛生への信頼が、アメリカで一夜にして実現するわけではない。パンデミックの最中でさえ、いやパンデミックの最中には特に、それは期待できないだろう。それでも、ビッグ・テックの力の抑制を求める声が政治家からも市民からも高まっている状況を考えれば、政府がテクノロジーの専門知識を身に着けるのは正しい方向への第一歩になるだろう。

制度を再起動する

新しいテクノロジーに伴う緊張やトレードオフに誰もが関わる未来をこれから創造するためには、三つの分野での進歩が必要とされる。テクノロジストのあいだで倫理問題への認識や理解を深めること。企業の力を制御すること。テクノロジーやテクノロジストが私たちを支配する現状をおとなしく受け入れるのではなく、テクノロジーを支配する権限を市民や民主主義制度に与えることの三つだ。

テクノロジストよ、害をなすなかれ

技術の進歩に悪意が込められ、誤用され、想定外の危害がもたらされるのは、民主主義国の市民にとってこれがはじめてではない。民主社会は過去にも同様の課題に直面したことを思い出してほしい。そのたびに新しい枠組みを構築し、技術に伴う危害を軽減しながら、利益を守ってきた。

たとえばかつて医学研究と臨床ケアにおいては、いかさま療法が野放し状態で、人間の被験者への実験にも節度がなかったが、規制の導入をきっかけに、政府機関の監督下で個人の権利と公衆の安全を守る基準が制度として確立された。生物医学研究とヘルスケアの分野は、今後テクノロジストが業界のなかで進化するうえで、大事な教訓を教えてくれる［15］。

現代の医療行為は、ヒポクラテスの誓いから始まると一般に考えられている。これは世界最古の倫理規定で、紀元前四世紀ギリシャの医師ヒポクラテスに由来する。この誓いは「何よりもまず、害をなすなかれ」と強調するが、それだけでなく、患者の利益を促進し、医療従事者としての理想を追求することも要求される。医学部の卒業式ではこの誓いを読み上げるのが儀式として広く定着している。これは法的義務ではなく、実施するためのメカニズムも存在しないが、時代を超越した儀式として象徴的な力を持っている。元米国公衆衛生局長官のC・エヴェレット・クープによれば、これによって医療従事者は、「時の流れにも法律の変化にも影響されない伝統を持つ倫理」[16]の大切さを肝に銘じる。いまではヒポクラテスの誓いに触発され、金融のプロやエンジニアのあいだでも、時代に即した独自のバージョンの採用を求める声が高まっている。

ただし、医療において職業倫理が制度として発達したのは、二〇世紀のふたつの出来事がきっかけだった。どちらも、深刻な危害が公にされたことが引き金になった。まずは一九一〇年、設立間もないカーネギー教育振興財団が、北米での医師の訓練や教育の痛ましい実態を事細かく記した報告書を発表した。著者のエイブラハム・フレクスナーは何百もの医学部を訪れ、医学部は「筆舌に尽くしがたいほど荒廃した」「悲惨な場所」で、医師を訓練する基準は緩く、「国家を蝕む悩みの種」だと痛烈に批判した。それから一〇年もたたないうちに、医学教育には最低限の水準が設けられ、医師の国家試験が導入され、その後も医師としての教育を継続することが決定され、いずれも各州の医事局に権限が与えられた。今日、医事局は医療活動に欠かせない存在[17]であり、医学部の承認や認可の権限を持ち、州の法律や職業上の行動規範に違反した医療従事者から医師免許を取り上げることもできる。

二番目の出来事は、第二次世界大戦後に世界の注目を集めた。二三人の医師がユダヤ人捕虜に拷問や命の危険を伴う実験を繰り返した罪を問われ、ドイツのニュルンベルクで裁判にかけられたのだ。この裁判の結果としてニュルンベルク綱領が生まれ、医学研究における人体実験の指針となる一〇の原則がまとめられた。なかでも注目すべきは、被験者による自発的なインフォームドコンセントが採用されたことだ。医学研究では何十年にもわたって功利主義の影響が強く、社会的利益を増幅させる見込みがあれば、個人に危害がおよんで苦しむ可能性よりも優先されてきたのだから、これは非常に大きな変化だった。ニュルンベルク綱領は、実験や治験の対象となる患者や被験者の利益を守ることを宣言しており、これを土台にして世界中で数々の人権法や医療倫理が確立された。さらに、学術調査において生命倫理という新たな分野の誕生にもつながった。いまではこれは各地の医学部で採用され、病院には倫理委員会が設けられ、判断が難しい問題の指針になっている。それから数十年後、アメリカで何十年も続けられてきたタスキギー梅毒実験の衝撃的な内容が明らかになると、ニュルンベルク綱領に違反する行為に激しい反発が起きた。この実験に参加した医師たちは梅毒の自然進化について研究するため、選ばれた六〇〇人のアフリカ系アメリカ人男性の集団に対し、救命治療を差し控えたのだ。実験に関して議会で公聴会が開かれた結果、生物医科学と行動研究で被験者を保護するための国家委員会が設立され、一九七九年に作成されたベルモント・レポートを土台にして、一九九一年には「共通のルール」が採択された。このルールによって、人間の被験者を対象とするあらゆる研究を監視する治験審査委員会が設立され、新しく提案された研究の利益とリスクを倫理的に評価する厳格な基準が設けられ、ごく例外的なケースを除いてインフォームドコンセントが義務付けられた。

今日、医療行為や研究は、職業規範、法典、州の免許機関、連邦機関、人権ドクトリンなど、様々な制度で幾重にも守られた構造になっている。新薬の試験には食品医薬品局の認可が必要で、厳格な統一基準に沿って試験が行なわれてようやく医薬品は発売される。アメリカ国外では、世界保健機構と欧州医薬品庁が似たような役割を果たしている。あるいは、一九九六年に制定された医療保険の携行性と責任に関する法律（ＨＩＰＡＡ）のもとで定着した慣行のもとで、個人の健康に関するデータには厳密なプライバシーの基準が採用される。一方、政府はエマージングテクノロジーに伴う厄介な問題に勧告を行なう国家委員会をたびたび設立している。オバマ政権では生命倫理問題に関する大統領諮問委員会が設立され、生物工学の最先端のトピックや、研究での胎児組織と幹細胞の利用について調査を行なった。その結果、臨床ケアにせよ研究にせよ医療機関と関わる個人は、医師が共通基準の訓練を受けており、患者の利益が最優先されることを確信できるようになった。さらに、医薬品の有効性に関する試験や制約に厳密な基準が設けられたので、店頭や調剤薬局で入手する医薬品の品質は厳しい審査を通過していると確信できるようになった。一世紀のあいだに医師や患者の経験は、医療倫理の進歩と制度化によって大きく変容を遂げた。

医療での経験から、テクノロジストに必要な項目をまとめた完全なプレーブックを作成できるわけではない。それでも市民の意識が高まり、十分な情報に基づいた公共政策が採用されると、何が可能になるか学ぶための教訓にはなる。テクノロジー部門で似たような努力が見られないのは意外ではない。医療の改革には何十年もかかり、スキャンダルに対する市民の怒りがしばしば改革を後押ししてきた。コンピュータ科学はもっと新しい分野で、デジタルテクノロジーやシリコンバレーの台頭はそれよりもさらに新しい。テクノロジーの危険に関する市民の意識が高まってきた現在は、ソフトウェアエンジニアやコンピュータプログラマーの職業倫理を強化して制度化する機が熟している。

コンピュータ科学者の学会である計算機学会（ACM）は、すでにこうしたアイデアについて検討している。一九九〇年代末には、ソフトウェアエンジニアのライセンス制について検討するための作業部会を設立した。工学の一部の分野では専門技術者協会が、橋や建物の建設など高い安全性が求められるシステムに取り組むエンジニアに対し、大学の学位プログラムを終了していることを義務付け、免許取得試験を実施している。プロのエンジニアのミスで橋や建物が崩壊した場合は、企業が損害の法的責任を負い、エンジニア個人は免許を取り消される可能性がある。しかし、ソフトウェアのエンジニアは、そのような責任とほとんど無関係だ。たとえばマイクロソフトのエクセルのライセンス条項をよく読むと、スプレッドシートのソフトウェアにコーディングの誤りが含まれて計算ミスが発生しても、マイクロソフトや同社のエンジニアには法的責任を免れる防御策がいくつも組み込まれていることがわかる。同様に、バグのあるソフトウェアやアプリを購入しても、それを開発したエンジニアに訴える法的手段はほとんどない。発売前のソフトウェアがすべてエラーフリーであることを期待するのは現実的でないが、開発プロセスの一環としてソフトウェアのマイナスの結果を特定して緩和するために、何らかのプロセスや最善の努力が準備されることを期待するのは理にかなっている。たとえば新しいバージョンの開発やソフトウェアのアップデートの際に、継続的な評価の見直しを義務付けてもよい。

ACMは最終的にライセンス制というアイデアを却下した。「ソフトウェアエンジニアをPE（プロのエンジニア）としてライセンス制にしても、せいぜい無視されるだけで、最悪の場合はこの分野にダメージを与える。安全にはわずかな影響も期待できない」〔18〕と結論した。一方、姉妹団体の米国電気電子学会（IEEE）の見解は異なり、検定試験の導入を目指した。数年後の二〇一三年、試験は任意で実施されたが、結局は失敗に終わる。現場ではライセンスが義務付けられなかったため、卒業予定者の参加が少なかったことが大きな理由だったと考えられる。二〇一八年までに、試験は五回にわたって実施されたが、応募者は全部で八八人にとどまり、IEEEはプロジェクトを中止した。コンピュータ科学のコミュニティでは、ライセンス制に抵抗する声が未だに多い。たとえば、認定された大学のプログラムでソフトウェアエンジニアが学位を取得することを前提にライセンスを付与すると、ビル・ゲイツやマーク・ザッカーバーグのような人物が将来登場する可能性が消えてしまう。ふたりとも大学を中退したが、素晴らしいコーディングスキルを土台として企業を立ち上げた。

ライセンス制の導入に苦労した後、ACMとIEEEはソフトウェアエンジニアリングの倫理規定の作成に共同で取り組み〔19〕、一九九七年には最初のバージョンが公表された。それ以来何度も更新されてきた規定には賞賛に値する原則がいくつも含まれるが、非現実的な点は否めない。特に目立つのは、規定違反が重大な結果にほとんどつながらないことだ。たしかに違反が検証されればACMから除名されるが、そもそも学会への加盟は任意であり、ソフトウェアエンジニアになるための必要条件ではない。

ソフトウェアエンジニアリングの文化に倫理を導入して定着させるためには、三つの重要な分野での努力が求められる。まず、いわゆる「価値を基軸にした設計」の実践範囲を拡大しなければならない。あらゆるテクノロジーがまだ設計段階のうちに、価値に関する議論を進めるべきで、特にトレードオフの価値については徹底的に話し合うとよい。倫理に関して問題提起するときは、法令遵守だけに注目しても十分ではない。テクノロジストの価値は中立ではないことを認識し、価値を基軸とする設計にその事実を反映しなければならない。すでに見てきたように、テクノロジストはプライバシーや安全などの価値について一定の選択肢を刷り込まれている。したがってエンジニアリング、社会科学、倫理の各分野から異なるスキルセットを集めたチームを社内に創造すれば、設計の枠組み設定やデザインの選択に柔軟性が生まれ、あらゆるテクノロジーの発展が促される。ジャック・ドーシーはツイッター草創期に社員を採用した経験[20]から、投稿への「いいね！」ボタンやそれをカウントするツールが人間の行動にもたらす影響について、理解したうえでモデル化できる社会科学者を採用しておけばよかったと後悔した。

第二に、ACMやIEEEなどの専門機関は、職業規範、倫理規定、ライセンス制導入の可能性についての話し合いを活性化するため、いわゆる劇薬を準備するべきだ。その目標はプロとしての意識を高めることで、テクノロジストの仕事の指針となる規範は、法律の許容範囲を逸脱した悪しき行動を監視するメカニズムとして機能しなければならない。

ここでは中国の生物学者の賀健奎の事例を紹介しよう。彼はＣＲＩＳＰＲという強力な新しい遺伝子編集技術を使い、双子の女児がまだ胎児の段階でゲノム編集を行なった。ＣＲＩＳＰＲの発見チームのリーダーで、二〇二〇年には画期的な成果を認められてノーベル化学賞を受賞したジェニファー・ダウドナとエマニュエル・シャルパンティエは、せっかくの発見が誤用される可能性を認識した。ダウドナは悪夢に悩まされたすえ、行動を起こす決心をする。「ヒトラーのような人物がこれにアクセスしたらどうなるだろう。恐ろしい使い方をすることしか想像できない」［21］と考えた。そこで、そのような結果を未然に防ぐと同時に、素晴らしい発見に対する大衆の信頼が失われないよう、人間への臨床利用の一時的禁止を目指す運動を始めた。科学界は尊敬に値する科学を実践するための基準として、一時的禁止を承認した。ところが賀は、それを無視した。そして科学会議で自分の活動の成果を発表すると、厳しい反応が返ってきた。所属する大学からは解雇され、学会からの招待は取り消され、研究論文はどのジャーナルからも受け入れを拒否される。要するに、科学界のパリア（下層民）に成り下がった。二〇一九年、中国当局は科学における不正行為の罪で賀に懲役三年の判決を下した。

専門家集団が強い倫理観を持つことの重要性が、この一件からはわかる。倫理規範が確立され、しかも違反すれば重大な結果を伴うなら、関係者が強い責任感を持ち、合法的なことだけでなく、科学界や世間一般が倫理的に正しいと判断することを実行するようになるだろう。そうなれば、規制に関してじっくり検討する時間がなくて野放し状態だった新しいテクノロジーへの取り組みに、強力な緩衝材が提供される。

生物医学研究の分野と同様に強力な基準を設定するプロジェクトを、テクノロジストはようやく始めたところだ。いまでは欧州連合のＡＩハイレベル専門家グループなど多くの団体が、新しいＡＩモデルを研究者が公表する限度に関し、信頼できる指針を策定するように求めている[22]。きちんとした指針がなければ、これからも論争は絶えない。ＣＲＩＳＰＲのケースと同様、この分野の著名な科学者が指導的役割を果たすことが進歩には欠かせない。しかしグーグルは、倫理的ＡＩチームのリーダーのティムニット・ゲブルを二〇二〇年に解雇した。これではテクノロジー企業は、社内で倫理問題について批判されても、受け入れに消極的だと疑われても仕方がない。

同様に重要なのが、ルールの違反者に制裁を加える基準の設定だ。たとえば、ＡＩ研究で倫理的に問題視される分野のひとつが顔認証である。同性愛や犯罪への性向など、人間のアイデンティティや行動には様々な形態があるが、それを予測するために顔認識ツールは使われる。これでは、人相学が現代に復活したようなものだ。人相学とは、外見から内面的な特性を推測する学問で、科学的な信頼性はない。二〇一四年にイスラエルで設立されたフェイスプション社は、まるで人相学のように、顔画像に基づいて性格特性を明らかにできると主張している[23]。「プロプライエタリな分類ツール」を使えば、外向型人間、高いＩＱの持ち主、プロのポーカープレイヤー、危険人物などを特定できるという。あるいは、二〇二〇年初めには複数の学術研究者が、「画像処理を使って犯罪傾向を予測する深層ニューラルネットワークモデル」というタイトルの論文を近刊書で公開すると発表した。ジャーナル・オブ・ビッグデータ誌にはメフディ・ハシェミとマーガレット・ホールが共同執筆した「顔認識による犯罪傾向の検知およびジェンダーバイアスの影響」という論文が発表される。それによれば、「顔、眉毛、目頭、瞳、鼻の穴、唇の形状」[24]に基づいて、犯罪傾向のある人物とそうでない人物を区別できるという。

しかし、専門分野で強力な基準を求める声がテクノロジストのあいだで高まり始めたことを象徴するかのように、全部で二〇〇〇人以上の学者や企業関係の研究者が公開書簡に署名して、これらの記事の撤回だけでなく、同様の研究論文の掲載を控えるようジャーナル誌に要求した。こうした研究は人種的偏見が強く[25]、特定の人種が差別され投獄される可能性が高くなることが理由だった。運動の結果、ハシェミとホールは論文を撤回した。さらにホールはこれまでの研究を否定して、公開書簡で指摘された基準に従うことを約束した。

最後に三番目として、若いソフトウェアエンジニアや志の高いテクノロジー起業家を指導する方法を見直す必要がある。生物学や医学を勉強する若い学生は生命倫理の講義を受けて、この分野の研究に関して深い知識を持っているが、同様にコンピュータ科学部門でも、テクノロジーの倫理的・社会的ジレンマという将来性のある新しい学問の土台を確立するため、学際的な講座を新たに設けるべきだ。

いまや全米の、そして世界中の機関で新たな革命が進行中で、私たちもスタンフォードで、コンピュータ科学と社会科学と倫理学を統合した講義を行なっている。コンピュータ科学者の教育は、もはやコンピュータ科学の教授だけが手がける領域ではない。様々な学問分野から多様な声が集まれば、ユニークな視点が提供される結果、テクノロジストの将来に恩恵がもたらされる。

ここではシンプルに、社会人としての自覚を持つ新しい世代のテクノロジストや政策立案者の育成を目指す［26］。公益法の制定は参考になるだろう。公益法は、若い弁護士が非営利団体や公共部門で働く準備を整えるための法律で、法学教育を様変わりさせるイノベーションだった。その志は高い。実現すればアーロン・スワーツのように市民意識を持つテクノロジストは、もはや例外的存在ではなくなる。

テクノロジストの教育方針を変更する際には、教える相手にどんな人物になってもらいたいのかも考える必要がある。新しいテクノロジーには、それを創造して（資金を提供した）人物のニーズや視点や価値がエンコードされるので、テクノロジー企業の多様性の欠如が問題になるのも意外ではない。アルゴリズムバイアス、監視の悪用や自動化がもたらす危害への無関心、オンラインでのヘイトスピーチの拡散は、多様性の欠如によって説明できる。企業や資金提供者が様々な方面から人材を確保したうえで支援を行ない、テクノロジーの多様性を守るための動きは大幅に遅れている。これからは小中学校から大学まで一貫して教育の充実に力を入れ、将来テクノロジーに関わる人材の多様化に努めなければならない。新しいテクノロジーの設計には競合する複数の価値が関わる。これらを尊重するためには、様々な視点を例外なく取り入れる以外の選択肢は考えられない。

企業の力に抵抗する新しい形

マルグレーテ・ヴェステアア［27］は、大手テクノロジー企業CEOのような企業力も個人資産も持たないが、アメリカ大手テクノロジー企業の力の抑え込みにヨーロッパの顔として活躍する史上最強の挑戦者だ。ＥＵは欧州委員会で競争政策を担当するヴェステアの指導の下で、検索での独占的立場を悪用したグーグル、税金を未納したアップルとアマゾン、ワッツアップの買収で取締官を欺いたフェイスブックにそれぞれ罰金を課した。こうした規制措置に刺激され、世界各地で調査や罰金の徴収が活発になった。（なかでも）カナダ、台湾、ブラジル、インドの政府は、アメリカ大手企業の反競争的行為も攻撃の対象にしている。ヴェステアが打ち出す措置は過激な傾向を強め、たとえばプラットフォームで自社製品をライバルよりも優遇する方針を撤回させるため、新たなルール作りを提案している［28］。これが実現すれば、グーグルが表示する検索結果にも、アマゾンが勧める製品にも、直接的な影響がおよぶ可能性がある。

テクノロジーが私たちの社会に与える影響は、巨大な力を有する一握りの企業の一存で決定され、その状態が野放しになっている。ヴェステアのアプローチは、そうした力を抑え込むことが狙いだ。当然のごとく、これはシリコンバレーでは評判が悪く、アメリカでは最近まで支持者が多くなかった。アメリカの政治家や規制関係者の多くは、ビッグ・テックは市場の支配を苦労して勝ち取ったという主張に賛同する。市場を支配しているのは高品質のサービスを提供するからであって、それ以上でもそれ以下でもないという。ヴェステアがビッグ・テックを調査の対象にすると、オバマ大統領でさえ「ただの負け惜しみ」だと非難して、二〇一五年のインタビューでこう語った。「向こうのサービスプロバイダーは我々のサービスプロバイダーに太刀打ちできない――だから我々の企業の順調な活動を妨げるため、バリケードを設けているだけだ」［29］。

しかし最近では、状況は急速に変化しつつある。いまや市民も政治家も、ビッグ・テックが何ら制約を受けずに市場を支配し続ける現状を憂慮するようになった。そして巨大な権力を手に入れたのは、高品質の製品だけが理由ではないという認識が高まっている。実はビッグ・テックによる支配は、情報テクノロジーのユニークな特徴の反映なのだ。それは「ネットワーク効果」で、モノやサービスの利用者が増えるほど、価値が高まっていく。さらに、規制に対する拒絶感も非常に強く存在する。おかげで一九九〇年代に情報経済が発達しても、拘束力のある制約は設けられなかった。

いまではアメリカの規制関係者もようやく重い腰を上げ、ヴェステアらEUの関係者に対する後れを取り戻そうとしている。二〇二〇年末には、ビッグ・テックを相手取って大きな訴訟が続いた。連邦取引委員会（FTC）と四八州の司法長官はフェイスブックに狙いを定め、同社がライバルの買収や取りつぶしによって支配力を手に入れたため、消費者の選択肢は限定され、プライバシー保護がおざなりになったと主張した。FTCの訴状では社内メールが引用された。その多くはマーク・ザッカーバーグ自身のもので、ネットワークの力を利用して反競争的な戦略を展開してきたことを強く暗示する内容である。ネットワークで強力なライバルを早い段階で見つけ出し、真の脅威になりそうなら買収してしまう。「競争するよりも買収するほうがよい」と、二〇〇八年六月のザッカーバーグのEメールには書かれていた［30］。

政府が視野に入れたのはフェイスブックだけではない。連邦取引委員会がフェイスブックを訴えた一週間後、三五州の司法長官はグーグルを相手取って訴訟を起こし、同社が反競争的な慣行によって検索ならびに検索連動型広告を独占していると主張した。この訴訟の内容は衝撃的で、それまで隠されてきた取引の実態が明るみに出された。実はグーグルは市場での支配的立場を強化するため、アップルなどの企業と取引を行なっていたのだ。関連する訴訟によれば、グーグルとフェイスブックはオンライン広告市場を操作するため、連携し合うことで合意に達した[31]。いずれの訴訟もすぐには解決されないが、一連の動きによって、市場で圧倒的な支配力を誇る企業を制御するための戦いの火ぶたが切られた。グーグルもアップルもフェイスブックも訴訟を起こされると、市場占有率が大きいだけで顧客やライバルが犠牲になるわけではないと自己弁護した。

もはやアメリカの大手テクノロジー企業は、このような状況の変化を無視できない。公の場では、規制機関としての政府の役割を多くの企業が受け入れ、新しい法律や政策に関する公開の協議を歓迎している。しかし殊勝な態度を見せながらも、政府関係者の意見はばらばらで協議は難航するので、変化が実現する可能性はきわめて低いことを理解している。それでも万が一に備えて水面下では、裁判で戦うための準備を進め、新しい法律や規制が純利益や市場での支配的立場を損なわないよう、猛烈なロビー活動を展開している。

あるいは、企業のリーダーから過ちを認める言葉を聞かされる場面もめずらしくない。自分は常に公共の利益を念頭に置いて活動していなかったようだという発言も飛び出す。こうした謝罪のなかでも特に印象深いのがツイッターのCEOジャック・ドーシーの発言で、プラットフォームがこのような形で利用されて危害を加える展開に、ツイッターのリーダーたちは心の準備ができていなかったという見解を示した。そして「やり直せるものなら、あとからどんな問題に直面する可能性があるか、今度はじっくり考えたい。そのうえで、誰もが正しいスキルを確実に持つように徹底する。プロダクトマネージャーやデザイナーやエンジニアが、すでにスキルセットを持ち合わせていると思い込んだりしない」[32]と宣言した。謝罪の他には、新たな決意と覚悟を強調する発言もよく聞かされる。ケンブリッジ・アナリティカを巡るスキャンダルの後、フェイスブックはアメリカとイギリスの複数の主要紙に全面広告を掲載し、マーク・ザッカーバーグの以下の声明を紹介した。「私たちにはあなたの情報を守る責任がある。それができないようでは、責任を引き受ける価値はない」[33]。

主要企業が行動を改めると宣言するのは、歓迎すべき展開だ。責任あるイノベーションや新しい形の企業組織に関する新しい視点が、発言によって具体化されることが期待できる。グーグルの元バイスプレジデントであり副法務顧問でもあり、同僚からは「決定者」と呼ばれたニコール・ウォンは、テクノロジーのイノベーションに取り組む際はもっと時間をかけてじっくり考えるべきだと語る。肝心なのは、いまの世界をどのように設計するかではない。将来の世界を実際にどのように構築するつもりか、じっくり検討するように[34]とテクノロジー業界の同僚に呼びかけている。

ただし、それでも十分ではない。なぜなら結局のところ、企業がこれからは新しい「目標」を追求すると発言し、利潤追求と社会的問題のバランスをとることになれば、私たちの社会福祉は企業のCEOに面倒を見てもらわなければならない。しかし実際、CEOがそこまでやってくれると信頼できる証拠はほとんどない。

ノーベル賞を受賞した経済学者のジョセフ・スティグリッツは、ビジネスエリートを「ダイエットに挑戦する際、実際に食べる量を減らす以外は減量のために何でもする人」[35]にたとえる。スティグリッツの見解によれば、ビジネスリーダーは「ゲームのやり方に根本的に疑問を抱くこと」以外は何でも実行しようとする。「既存のルールがいびつで効率が悪く不公平ならば、その被害を減らすために自らの行動を変えようとさえする」という。

自主規制が失敗した事例は身の回りにあふれている。金融部門では一九七〇年代から規制緩和が熱心に進められたが、結局は二〇〇九年のグレート・リセッション（大不況）につながった。世界でも規制緩和に特に熱心だったアラン・グリーンスパン元FRB議長は、自分のやり方の過ちを認めた[36]。市場の自然治癒力を単純に信じきった規制関係者は、複雑な金融イノベーションと市場の集中が進んでシステミックリスク〔機能不全がシステム全体に波及するリスク〕が高まっても介入を控え、最後は手遅れになった。

新しいテクノロジーを効果的に統制したければ、企業のCEOが真実を悟って行動を改めることを期待するだけでは十分ではない。CEOが従来と変わらぬインセンティブに促され、利潤追求を最優先する展開を確実に防ぐためには、構造の変化が欠かせない。私たちが望む成果を達成するためには、市場へのアプローチに関する政策を変更し、企業の力や独占的な行動を抑制しなければならない。この点に関して、マルグレーテ・ヴェステアは正しい方向に進んでいる。しかも彼女を支持する声は、アメリカをはじめ各地で高まる一方だ。

ビッグ・テックの力を制限するアジェンダは、三つの重要な要素から成り立つ。まず、ユーザーの個人データの管理に関しては企業と消費者のパワーバランスが大きく偏っているが、この問題に取り組まなければならない。データ保護の権利をもっと徹底し、政府機関の手で強化すべきだ。これは企業の力を抑制するための重要な第一歩になる。

こうしたデータ保護には、ユーザーのデータを利用する方法に関する規制も含まれ、収集にはユーザーの同意が必要とされる。この原則についてはすでにGDPR（EU一般データ保護規則）で概要が述べられているが、さらに踏み込むべきだ。プライバシーへの配慮を前提としたうえで、データをプラットフォーム間で移動する仕組みを予め決めておく必要もある。フェイスブックのユーザーが何百人もの友人とつながり、数えきれないほどの写真をアップロードするためにかなりの時間を費やしていたら、新しいソーシャルネットワークに移行する可能性は低い。フェイスブック以外のソーシャルネットワークのほうが特徴も方針も優れている印象を受けても、簡単に決心する気持ちにはなれない。すでに存在しているソーシャルネットワーク環境を手放してゼロから創造し直すのは、あまりにも大変な作業だ。資金が豊富なライバルも現在の環境では成功できないことは、グーグル＋のソーシャルネットワークの失敗が何よりの証拠だ。しかし、データを移行できる環境が充実すれば、ユーザーは写真や投稿などのデータを新しいプラットフォームに自由に持ち運びできる。相互運用性が保証されれば、オンラインでの経験はそのまま維持され、別のネットワークに移った友人とのつながりも途切れない。その結果、いまよりも競争の激しい市場が創造されるので、ユーザーはひとつのプラットフォームへのこだわりを捨てられる。プライバシーの保護が充実し、自分の価値観と矛盾しない別のネットワークに気軽に移行できるようになる。技術的に難しい注文だが、不可能ではない。実際、二〇〇七年にはグーグルをリーダーとするコンソーシアムによってオープンソーシャルというプロジェクトが始められ、ソーシャルネットワークの相互運用性の実現を目指した。ただし、このコンセプトは幅広い支持を得られなかった。市場を支配するフェイスブックなどには、採用する利点がなかったからだ。変化を起こす必要があっても市場原理によって拒まれるときは、政府による規制のほうが効果的であることがこの事例からもわかる。

二番目の要素は、社内でもテクノロジーの変化の被害を受ける可能性の高い人たちの発言力を増やすことだ。多くの企業は株主利益の最大化というアイデアに相変わらず支配されているが、検討に値する代替案は存在する。「ステークホルダー資本主義」（株主資本主義ではない）は、企業の責任に関する定義見直しの第二段階として有意義だ。ステークホルダー資本主義のもとでは、取締役会で従業員の権限が増加する一方、取締役が長期的な利益率よりも短期的な利益を優先したくなるインセンティブが減少する。この提言では、ステークホルダーを幅広く関わらせることをCEOが公約に掲げるだけでなく、具体的な法律も必要とされる。たとえば、すべてのステークホルダーの利益を考慮することを企業に義務付ける[37]ため、連邦憲章などを新たに制定してもよいだろう。大企業の理事会のメンバーの四〇パーセントは、従業員が直接選べばよいし、取締役や役員が自社株の持ち分を売却する能力を大きく制限すれば、短期的な株主還元への不健全なこだわりが緩和される。この構想から発展した具体例のひとつが、エリザベス・ウォーレンが二〇一七年に提案した責任ある資本主義法〔38〕だ。他にも、コーポレートガバナンス（企業統治）の改革に向けた新たな提案を視野に入れて、幅広い連立体制が確立されている。

三番目の要素は、大手テクノロジー企業の市場支配力を抑制するための積極的な努力だ。独占的行動を取り締まり、反競争的な合併や買収を制限することなどが具体策として考えられる。この分野ではすでにほとんどの国がEUの先例に倣って行動を起こし、アメリカも反トラスト法執行に向けてようやく動き出した。法廷闘争は何年もかかる可能性があるが、ハイテク産業での反トラスト規制の歴史を見るかぎり、成果を得るために大企業の分割はかならずしも必要ではない。むしろ、反トラスト法に違反すれば訴訟を起こされる可能性をちらつかせるだけでも、極端に反競争的な慣行の一部は緩和され、ライバルが登場する余地が生まれる。

一九九〇年代末からは司法省や多くの州の司法長官が、マイクロソフトに対する訴訟を起こした。いずれにおいても、ソフトウェア業界での支配的地位を維持するための反競争的行為がやり玉に挙げられた。裁判長は会社の分割を判決で言い渡したものの、結局マイクロソフトは分割を免れた。それでも反トラスト法の執行という恐ろしい可能性に直面しただけで、同社の企業慣行の一部に変化が引き起こされた。たとえば当時多くの人たちは、一九九七年にマイクロソフトがライバルのアップルに一億五〇〇〇万ドルを投資したことを知って驚いた。この支援がなければ、アップルは数か月以内に現金が枯渇していた。この投資は、マイクロソフトが市場を独占しているという非難を鎮めることが本当の狙いだと多くの観測筋は推測した〔39〕。同様に、マイクロソフトは反トラスト法違反でこれ以上訴訟を起こされる可能性を案じ、市場での競争への姿勢を緩和した［40］が、その結果、グーグルなど新しい企業が強力なライバルとしてのし上がったという意見もある。

テクノロジーに支配される前に、テクノロジーを支配する

テクノロジーを規制する役目を私たちは民主主義に期待するが、民主主義の制度は常に大きな希望を与えてくれるわけではない。新しいテクノロジーがどのように機能するか政治家がまるでわかっていないことが暴露された瞬間は、あまりにもたくさん目撃されている。左右どちらの陣営の政党も、大手テクノロジー企業の市場支配力や政治的影響力を認識し、ご機嫌取りに終始してきた。おまけに多くの民主主義社会で分極化が進み、立法府での議論が行き詰まっているため、競合する価値のあいだでバランスをとるための最善策について、冷静に話し合うことが不可能ではないにしても、難しくなっている。しかしつい最近まで、アメリカには他の国から模倣されるような、世界的に有名な科学諮問機関があった。

テネシー州出身の素朴な物理学者ジャック・ギボンズは、技術評価局（ＯＴＡ）というほとんど無名の議会関係機関の局長を一〇年以上務めた。ＯＴＡが誕生した一九七二年には、汚染、核エネルギー、殺虫剤など、技術変革に伴う危険に対する世間の不安が高まっていた。当時は、環境運動を後押しした『沈黙の春』の出版から一〇年ちかくが経過していた。急成長を続けてどこでも見かけるようになった新しい技術は、大きな利益が期待できる反面リスクも大きいことに、この本をきっかけに世間は注目するようになった。

新しい技術の専門知識と政治家の意思決定のギャップを一刻も早く埋める必要を認識した議会は、OTAを創設した。政策に関する難しい決断を下すためにはかなりの予備知識が必要とされるが、議員たちはロビー活動家から提供される情報に頼りたくなかったのだ。OTAは二〇年ちかくにわたり、様々なトピックについての報告書を七五〇種類以上も作成した。環境（酸性雨、気候変動）、国家安全保障（中国への技術移転、バイオテロリズム）、社会問題（職場の自動化、技術が特定の社会集団におよぼす影響）など、トピックの範囲は多岐にわたる。OTAの報告書は技術の鋭い分析に定評があるが、他にも顕著な特徴があった。具体的な対策を提唱せず、政策に関して幅広い選択肢を提供したことだ。政策立案者は技術に関する情報や助言を役立てることができるが、難しい政治的選択は自分で行なう必要があった。

OTAは、政治的に重要で物議を醸す問題について技術的展望を述べることもためらわなかった。一九八四年には、若い物理学者であり、後に二〇一五年から二〇一七年にかけて国防長官を務めたアシュトン・カーターが、ロナルド・レーガン大統領が打ち出した宇宙配備型ミサイル防衛プログラム（通称「スターウォーズ計画」）に関する報告書を作成し、以下のような率直な結論を出した。核ミサイルの「完璧もしくはほぼ完璧な防御」など実体のない目標であり、「国民の期待や国の政策の拠り所にすべきではない」。ペンタゴンは気分を害し、報告書の撤回を要求する。しかし専門家が報告を見直したすえ、結論の正しさは確認された。その後も二回の調査が行なわれ、レーガンの虎の子の防衛構想は政治的に賢明で技術的に実現可能かどうか、さらに疑念が深まった。

一九九四年にニュート・ギングリッチが下院議長になると、中立的な立場からの科学的判断は絶体絶命の窮地に追い込まれた。予算の削減を目指す議会は、自らの支出を抑えるために厳しい決断を迫られたのである。共和党下院議員のアモ・ホートンなどは、「未来を切り捨てるな」[41]というスローガンのもとでOTAの救済に努めた。OTAの解体は、「自分の頭にロボトミーを施すような愚行」[42]とも呼ばれた。しかしOTAの最後の局長のロジャー・ハードマンによれば、この決断には予算削減以外の目的があった。「科学や技術に関して、自分と異なる見解が議員たちから上がる展開が議長には面白くなかったという話を聞かされた」[43]という。

技術的な専門知識と政策の相互作用に関して、ギングリッチは「フリーマーケット」アプローチというモデルのほうを好んだ。このモデルでは、議員が率先して科学者と個人的に関わって知識を吸収する。もちろん、そんなアプローチは機能しないし効果もなかった。結局、科学の専門知識を議員が好き勝手に集める方法をギングリッチが始めたことは、科学が今日のように政治的傾向を強めた理由のひとつである。

OTAは組織が解体されたわけではなく、資金援助を打ち切られた。したがっていまも幽霊組織として、アメリカでは何が可能か思い出すよすがになっている。ゾンビのような存在だが、ほとんどのヨーロッパ諸国ではこれをモデルにした組織が誕生し、いまでも活動を続けている。オランダ技術評価局（NOTA）はアメリカのモデルを大きく改良し、科学の専門家の見解に頼るだけでなく、市民による話し合いも取り入れている[44]。v台湾でのオードリー・タンの活動も同様に、市民への権限付与を目指している。

ＯＴＡのたどった道は、専門知識の役割に関する教訓である。高度に技術的な問題について信頼できる情報を提供してくれる機関を創設し、公開討論に情報を役立てることは可能だが、こうした機関は政治的に脆弱である。提供する真実が有力な政治家にとって不都合なときは、特にその傾向が強い。そして、ＯＴＡが存在した後に葬り去られた一連の出来事は、さらに重要な点を浮き彫りにしている。民主的な機関が新しいテクノロジーを統制する能力に私たちが不満を感じるのは、私たちがそれを許してしまったからなのだ。

民主主義が提供する規制の枠組みやテクノロジーに関する政策のもとで、斬新なテクノロジーが社会的に有効利用される機会が増える一方、予測もしない負の外部性がいつのまにか発生する事態が食い止められるかどうかは、私たちの行動にかかっている。本書で紹介した問題に取り組む政策を改善することだけが、私たちの使命ではない。新しいテクノロジーが将来引き起こす問題に政府が積極的に取り組めるよう、組織を変容させる必要もある。そのためには、政策決定のプロセスを見直さなければならない。テクノロジストを関わらせるための投資を増やし、政策立案者にも市民にもテクノロジーについて教育を施し、規制に関して賢明な選択を行なうアプローチを見直すことが必要だ。

テクノロジーの役割に対する理解が反映された決断を下すためには、政策に関する話し合いにテクノロジストを参加させなければならない。パートナーシップ・フォア・パブリックサービスは、最近の報告書でこう述べている。「ほぼすべての国家の優先課題は、現代のテクノロジーを活用する方法について、時代に即して正確かつ十分に理解したうえで決定されるべきだ」[45]。

しかし、テクノロジーの人材を集めて配置したうえで引き留める能力が、政府に備わっていると考える人は誰もいないだろう。民主主義政府の動きは遅く、大手テクノロジー企業と競うためにほとんど投資をしていない。しかもリスクを回避する。

それでも、イギリスでもアメリカでも「デジタルサービス」機関が創設され、シリコンバレーをはじめ世界中からテクノロジーの優秀な人材を採用することに成功しているのは明るいニュースだ。何百万もの人たちに利益をもたらす重要なプロジェクトに参加するチャンスを与えられれば、公共部門での仕事に興味を持つテクノロジストは多い。こうしたプロジェクトでは、元ホワイトハウス職員のクリストファー・カーチョフが「テック・チームメイト」と呼んだチームを大がかりに結成する必要がある。柔軟なメカニズムを通じ、正式な公務員を採用するルートとは別に、最先端の専門知識や業界での経験が豊かなトップの才能を集めるのだ。アメリカの連邦政府機関職員のなかで三〇歳未満が占める割合はたったの六パーセントで、しかもこれからは大勢の人たちが退職を控えている。新たな専門知識を持つ人材を採用し、公益のために奉仕してもらう方法を見直す[46]には、絶好のタイミングである。

ただし最適化を好むテクノロジストのマインドセットは、政府に参加すると問題を引き起こす可能性がある。何が危険にさらされているか、何が可能なのか理解するうえで、テクノロジストの洞察力は欠かせないが、政策立案者が最終的にトレードオフを行なうプロセスのなかで、彼らの視点はインプットのひとつにすぎない。そうなると二番目に優先すべきは、政治家がテクノロジーの知識を十分身に着けることだ。自分に都合の良い見解を押しつけようとするロビー活動家の意見に惑わされてはならない。中立的な立場から提言し、科学や技術の政策に市民が関わるルートを確保するためには、OTAを復活させる必要があるだろう［47］。よみがえったOTAは分析結果を公開し、誰もがアクセスできる環境の整備に優先して取り組むべきだ。そうすれば、テクノロジーの政策が抱える問題に関する話し合いのプロセスは、もっとオープンかつ包括的になる［48］。そして行政府の科学技術政策に関して、専門家の助言にもっと重要な役割を持たせるように求めてもよい。バイデン大統領は二〇二一年、国家科学顧問をはじめて閣僚に昇格させた。さらに、テクノロジーと人種と不平等への包括的アプローチに関する専門知識を持つアランドラ・ネルソンを科学技術政策局長代理に任命した。いまは民主的で質の高い協議の実現が急務だが、彼女はその土台作りという重要な役割を担っている。

三番目に、私たちは規制に新たなアプローチで臨む必要がある。テクノロジー部門のイノベーションは破壊的で予測がつかないが、規制の構造は硬直的かつ受動的だ。規制の見直しは進みが遅く、テクノロジーの変化に何年も後れを取ることが多い。そのうち追いつこうとするうちに、有害で予期せぬ結果の証拠が積み重なり、最後は無視できなくなってしまう。規制のスローペースは、テクノロジー企業にとって都合がよい。あとで何を言われるか気にせず、実験やテストやスケールアップをほぼ自由に進められるからだ。社会に必要なのは、規制にもっと迅速に反応するアプローチだ。たとえば新しい政策の枠組みを先ず試し、どんな効果があるか学んだうえで、長期的な戦略を確定する方法もあり、これは専門家から「適応規制」と呼ばれる。話だけ聞くと見込みがありそうだが、実践はきわめて難しい可能性がある。

あるいはイギリスと台湾は、「レギュラトリー・サンドボックス」制度を通じた新しいアプローチの実験で先頭に立っている。これはつぎのように機能する。政府関係者は、まだ新しくて実験されていない領域でテクノロジーを展開するために、実証実験や提言をイノベーターに任せる。政府関係者が承認すると、イノベーションと最も関連性がある既存の法律が「フォーク」される。フォークとはソフトウェア開発の用語で、既存のプログラムコードから分岐して、別の独立したバージョンを新たに立ち上げることを意味する。要するに、政府はテクノロジーを開発する許可をイノベーターに暫定的に与える一方、新しいシステムの規制の考案に一年かけて取り組む。一年後にイノベーターと政府関係者は再会し、新しいアプローチの長所と短所を比較する。このような形ならリビングラボが創造され、特定の規制モデルの影響を現実の世界で観察できる。ITと金融を融合したフィンテック分野は、このアプローチから大きな恩恵を受ける。企業が新しい商品を現実の市場で消費者にテストする一方、規制関係者はそれを観察して潜在的な利益と危害を評価することができる。

ただし、政策立案のプロセスが機能する方法を改めても、テクノロジーの変化に民主的な制度は追いつけず、後手後手に回る可能性がある。だから市民は、テクノロジーが規制を受けずに有害な影響をもたらしたら、政治家に責任を取らせなければならない。フェイスブックがあなたの個人データをマイニングしたとき、マーク・ザッカーバーグを名指しで非難するのは簡単だが、彼の行動は合法的だ。なぜなら、政治家がそのようにルールを設定しているからだ。同じことは、オンラインでの誤情報の拡散にも当てはまる。インターネットプラットフォームのコンテンツモデレーション・ポリシーの不備に私たちは不満を抱くが、実は政府の要求をはるかに上回る規模で投稿を監視している。では、自動化が仕事に与える影響はどうか。企業は、株主の利益だけを念頭に行動を起こしている。職場を奪われた人が暫定的な所得補助を受けられず、スキルを磨くための新たな研修の機会を提供されなければ、それは政治家が自動化の影響への対処に本気で取り組まないからだ。

民主主義には、最も回避したい結果から私たちを守ってくれる力がある。水道水を飲めるのも、食品を食べて病気にならないのも、道路で安心して車を運転できるのも、すべて政府の規制のおかげだ。しかし政治家は、必要に迫られなければ重い腰を上げない。現代のジレンマにまつわるストーリーでは、ハッカーと資本家の融合が大きくクローズアップされるが、民主的な制度が私たちに代わって介入しないことも責められるべきだ。今日最も重要なテクノロジーの問題について、選挙で選ばれた議員がどんな立場なのか誰もが理解しておかなければならない。そして結果に満足できなければ、投票所で罰する心の準備が必要だ。

ここまで、民主主義国のテクノロジー統治にこれから必要な選択肢を集中的に取り上げてきたが、中国の台頭を無視することはできない。中国は、代替の統治モデルで世界に対抗している。独裁的かつ効率を貪欲に追求するモデルで、実際に経済の持続的成長を達成している。さらに、どの国よりも多くの資源をＡＩに投じ、大量の個人データを手に入れ、他の国の知的財産を盗み、世界のどこにも進出して影響力をふるうために優れた技術力を振りかざし、デジタル権威主義という独自のアプローチを世界の規則制定機関に印象づけ、デジタル覇権の獲得を目指している。

自分たちの社会で新しいテクノロジーの可能性と危険のバランスをとる際には、価値観を共有する他の国と政策の選択や規制へのアプローチが矛盾しないか確認し、積極的な調整に取り組むべきだ。どの国も独自の選択を行なうが、デジタルの領域で共通のルールを確立することの重要性を見失ってはならない。さもないと、中国が好む国家統制が幅を利かせ、開かれたインターネット、健全な競争、デジタル著作権管理などへの長年の関与が無駄になる恐れがある。

テクノロジーと地政学に関しては、今日の世界ではデジタル覇権主義を目指す中国、デジタルイノベーションを進めるアメリカ、規制を重視するヨーロッパの三つ巴の戦いが繰り広げられているという前提が共有されている。テクノロジー業界のリーダーの多くはこの力学に注目し、規制がイノベーションを妨げれば「中国の代替モデル」が台頭すると警告する。しかしイノベーションと規制のあいだの二者択一は、二分法として間違っている。民主主義国が団結し、テクノロジーの政策に対してもっと強く主張しないかぎり、個人や民主主義社会の利益を後回しにするグローバルなテクノロジー企業か、中国の独裁的なテクノロジー統治モデルか、いずれかを選ばざるを得ない状況に直面する。

ビッグ・テックがもたらした現在の窮状の打開策として、民主主義を擁護して市民への権限付与を強化するのは、いまの時代にそぐわない印象を受けるかもしれない。統治機関に対する国民の信頼は、歴史的に低い水準にまで落ち込んでいる。ただし民主主義への不信感は、テクノロジストの台頭も一因であることを忘れてはならない。民間プラットフォームのおすすめシステムやアルゴリズムによるキュレーションは、いまやデジタル公共圏のインフラを支え、分極化を促すだけでなく、誤情報の拡散に大きく貢献してきた。おまけにテクノロジー業界は、勝者独り占めの経済の発展にも貢献し、ひいてはそれが富や収入の格差を広げた。こうした現象が民主主義的制度への信頼を損なったことを、社会科学者は繰り返し証明してきた。

民主主義は間違いなく擁護されるべきだ。民主主義国は少なくとも原則として、個人の自由や平等という時代を超えた崇高な価値の尊重を公約している。実は民主主義そのものも一種のテクノロジーであり、社会問題を解決するために設計された。そして個人の権利の擁護、市民の声に対する権限付与、変化し続ける社会情勢への適応力が大きな長所である。たしかに脆弱で、いまは弱さが特に目立つが、そのルーツは何世紀も前まで遡る。過去にも数多くの挑戦を受けながら、見事に跳ね返してきた。これからは、テクノロジーの未来の規制が民主主義の大きな課題だ。

謝辞

本の執筆は痛みを伴い、つらくて孤独な作業になることが多い。しかし本書を執筆する経験は正反対だった。それは専門家の共同作業から充実した成果が生み出されたおかげで、人生でこれほど楽しい経験はなかった。コンピュータ科学を専攻する学生の数が大きく増えて、その対策についてスタンフォードの図書館の外でコーヒーを飲みながら話し合ったのが、そもそもの出発点だった。その後、倫理と政策とテクノロジーを組み合わせた新しい講座の内容を、一年かけてじっくり検討した。そのプロセスで私たちはお互いに多くを学び、学生たちも私たちから多くを学んだ。講座が開設されてから二年後、講義するだけでなく、一緒に本を執筆してはどうかと考え始めた。

まずは素晴らしいエージェントのエリース・チェイニーに感謝したい。私たちのEメールでのぶしつけな問い合わせに答え、チャンスを与えてくれ、企画書の作成では一貫して良い方向に導いてくれた。おかげで、とびきり優秀なゲイル・ウィンストンとの出会いを果たした。ハーパーコリンズで私たちの担当編集者となったウィンストンは、長年の経験に基づいて私たちの文章から余計な部分を取り除き、幅広い読者に訴えられるという自信を植え付けてくれた。校閲を担当したリン・アンダーソンは、恥ずかしい間違いをいくつも見つけてくれた。おかげで三人の学者は大いに救われたことを報告しておく。

ヒラリー・コーエンには格別に感謝している。講座の開設には私たちと対等の立場で、最初から協力を惜しまなかった。講座の内容や教え方の決定を一緒に進めた結果、テクノロジーのフロンティアに関する問題に取り組むうえで、言語や枠組みが統一された。最近の大卒者のなかで、彼女ほどの冷静さ、エネルギー、ビジョン、リーダーシップ、聡明さを持ち合わせた人物はいない。共同作業が実現したのは幸運だった。彼女がいなければ講座は存在しなかった。そして講座がなければ本書は存在しなかった。

サム・ニコルソンは、二度の重要な場面で私たちを救ってくれた。ひとつは本書の企画書の作成、もうひとつは本書執筆の最終段階で、彼の助言の結果、学者の文章に共通する欠点が取り除かれた（学者が書く文章はこんな形で進行する。まず、自分はこれからXをやると宣言する。つぎに、いまXをしているところだと報告し、最後にXが終了したとみんなに報告する。学者の世界の外で、これは通用しない！）。さらに、短い逸話や巧妙な語り口の効果についても教えてくれた。

大学生と大学院の研究助手から成るチームは驚くほど優秀で、一緒に活動するのは愉快な経験だった。以下に名前を紹介して謝意を示したい。エイドリアン・リウ、ジャンナ・ファン、レン・エルハイ、ベン・エスポシト、ジェシカ・フェメニアス、イザベラ・ガルシア＝カマルゴ、ガブリエル・カーガー、アナーニャウ・カーシク、アンナ＝ソフィア・レシフ、ジョナサン・リップマン、モヒト・ムーキム、アレッサンドラ・マランカ、ヴェレリア・リンコン、レベッカ・スマルバッハ、チェイス・スモール、アンティゴン・ゼノプウロス。特にエイドリアンとジャンナは、最初から最後までほぼ一貫して付き合ってくれた。本書の中身も、最終的な出来栄えも、ふたりがいなければ同じではなかった。どちらも将来は間違いなく優秀な学者になるだろう。

多くの同僚や友人への感謝も忘れてはいけない。原稿に目を通し、様々な部分にコメントを寄せてくれた。以下に名前を紹介する。ユナ・ブラザー・デ・ラ・ガルザ、マリア・クララ・コボ、ジョシュア・コーエン、ディープ・ガングリ、シャラド・ゴエル、ジュリア・グリーンバーグ、アンドリュー・ハン、ダフネ・ケラー、ジェニファー・キング、サム・キング、カレン・レヴィ、ラリッサ・マクファーカー、ネイト・パーシリー、サラ・リチャーズ、マリエテ・シャーク、レベッカ・スモールバッチ、ヘンリー・ティムズ、レイフ・ウェナー、エリン・ウー。

本書のタイトルの決定では、『不気味の谷 *Uncanny Valley*』の著者のアンナ・ウィーナーから助言をいただいており、ここに謝意を表する。

さらに、スタンフォード大学のプログラムや関係者、その他にも私たちの作業をサポートしてくれた方々に感謝しなければならない。数々の支援のおかげで、私たちの共同作業は実を結んだ。以下に名前を紹介する。文理学科、工学科、慈善活動および市民社会センター、人間中心のAI研究所、社会倫理センター、生涯教育プログラム、ネミル・ダラル、デイヴィッド・シーゲル、グラハムならびにクリスティーナ・スペンサー、ロイ・バハット、リサ・ウェーデン。スタンフォードでは何百人もの学生が、本書で取り上げた問題に関して私たちと意見を交わし、何十人ものティーチングアシスタントが継続的に助言を行ない、ブルームバーグ・ベータと協同で実施する夜間講座に大勢の業界専門家が参加してくれた。どの人にも、とびきりの感謝を捧げたい。みんなとの会話を通じて実に多くのことを学び、複雑なトレードオフの比較検討に関する考え方が研ぎ澄まされた。

最後に、三人がそれぞれ誰よりも世話になった重要なサポーターを紹介して心からの感謝を捧げたい。

ロブは、陰に陽に最善のサポートを惜しまなかったヘザー・カークパトリックに。

メランは、本当に重要な事柄に集中し続けるヘザー・サハミに。

ジェレミーは、愛と思いやりを毎日示してくれたレイチェル・ギブソンに。人間は愛と思いやりを示すことができるが、ロボットにはできない。

原注

はじめに

[1]George Packer, "Change the World: Silicon Valley Transfers Its Slogans—and Its Money—to the Realm of Politics," *New Yorker*, May 27, 2013.

序章

[1]ジョシュア・ブラウダー、アンティゴネ・ゼノポウロスによるインタビュー 、2018年
[2]Aamna Mohdin and Ananya Bhattacharya, "An AI-Powered Chatbot Has Overturned 160,000 Parking Tickets in London and New York," Quartz, June 29, 2016, https://qz.com/719888/an-ai- powered -chatbot- has-overturned- 160000-parking-tickets- in- london- and- new- york/.
[3]Elisha Chauhan, "Councils to Rake in a Crazy £900m from Parking This Year," *Sun*, July 16, 2018, https://www .thesun.co.uk/motors/6790002/council-parking- fine- earnings- total- profits -westminster/.
[4]Hayley Dixon, "Councils to Make Record £1 Billion from Parking Charges," *Telegraph*, June 29, 2019, https://www.telegraph.co.uk/news/2019/06/28/councils-make-record-1-billion-parking-charges/
[5]ジョシュア・ブラウダー、アンティゴネ・ゼノポウロスによるインタビュー 、2018年
[6]Aaron Swartz, "Stanford: Day 11," *Raw Thought* (blog), October 2, 2004, http://www.aaronsw.com/weblog/001428.
[7]Kathleen Elkins, "The First Thing Alexis Ohanian Bought After He Sold Reddit for Millions at Age 23," CNBC, July 25, 2018, https://www.cnbc.com/2018/07/25/the-1st-thing- alexis- ohanian- bought -after- he-sold- reddit- for- millions. html.
[8]Julia Boorstin, "Reddit Raised $300 Million at a $3 Billion Valuation—Now It's Ready to Take on Facebook and Google," CNBC, February 11, 2019, https://www.cnbc.com/2019/02/11/reddit-raises- 300-million-at -3-billion-valuation. html.
[9]Aaron Swartz, "Guerilla Open Access Manifesto," Archive .org, July 2008, https://archive.org/details/GuerillaOpenAccessManifesto /mode/2up.
[10]Aaron Swartz, "Wikimedia at the Crossroads," *Raw Thought* (blog), August 31, 2006, http://www.aaronsw.com/weblog/wikiroads.
[11]Larissa MacFarquhar, "The Darker Side of Aaron Swartz," *New Yorker*, March 11, 2013, https://www.newyorker.com/magazine/2013 /03/11/requiem-for- a- dream.
[12]Isaiah Berlin, *The Crooked Timber of Humanity: Chapters in the History of Ideas*, edited by Henry Hardy, 2nd ed. (Princeton: Princeton University Press, 2013), 12–13.

第一部 「テクノロジスト」の読解

第一章 不完全なマインドセット「最適化」

[1]Devin Leonard, *Neither Snow nor Rain: A History of the United States Postal Service* (New York: Grove Press, 2016), 85.
[2] Reed Hastings and Erin Meyer, *No Rules Rules: Netflix and the Culture of Reinvention* (New York: Penguin, 2020) (リード・ヘイスティングス、エリン・メイヤー共著　邦訳:『NO RULES――世界一「自由」な会社、NETFLIX』、日本経済新聞出版、2020年、土方奈美訳); GQ Staff, "The Tale of How Blockbuster Turned Down an Offer to Buy Netflix for Just $50M," *GQ*, September 19, 2019, https://www.gq.com.au/entertainment/film-tv/ the -tale- of-how- blockbuster- turned- down- an- offer- to- buy- netf lix-for- just- 50m /news-story/ 72a55db245e4d7f70f099ef6a0ea2ad9.
[3] VICE Staff, "This Man Thinks He Never Has to Eat Again," *VICE*, March 13, 2013, https://www.vice.

com/en/article/pgxn8z/this-man- thinks -he- never- has- to- eat- again. [4]Robert Rhinehart, "How I Stopped Eating Food," Mostly Harmless, February 13, 2013, https://web.archive.org/web/20200129143618 /https://www.robrhinehart.com/?p=298.

[5]Lizzie Widdicombe, "The End of Food," *New Yorker*, May 5, 2014, https://www.newyorker.com/magazine/2014/05/12/the-end- of- food.

[6]Farhad Manjoo, "The Soylent Revolution Will Not Be Pleasurable," *New York Times*, May 28, 2014, https://www.nytimes.com /2014/05/29/technology/personaltech/the-soylent- revolution- will- not- be -pleasurable. html.

[7] Sam Sifton, "The Taste That Doesn't Really Satisfy," *New York Times*, May 24, 2015, https://www.nytimes.com/2015/05/25/technology/the -taste- that- doesnt- really- satisfy. html.

[8] John Maynard Keynes, *The Collected Writings of John Maynard Keynes*, ed. Elizabeth Johnson and Donald Moggridge, vol. 7, *The General Theory*（邦訳：『雇用・利子および貨幣の一般理論（ケインズ全集第7巻）』東洋経済新報社、1983年、塩野谷祐一訳）(London: Cambridge University Press, 1978), 383.

[9]Thomas H. Cormen et al., *Introduction to Algorithms*, 3rd ed. (Cambridge, MA: MIT Press, 2009), 5.

[10] George B. Dantzig, "Linear Programming," *Operations Research* 50, no. 1 (February 2002): 42–47, https://doi.org/10.1287/opre.50.1.42.17798.

[11] Brian Christian and Tom Griffiths, *Algorithms to Live By: The Computer Science of Human Decisions* (New York: Henry Holt, 2016).

[12]Scott Shane and Daisuke Wakabayashi, " 'The Business of War': Google Employees Protest Work for the Pentagon," *New York Times*, April 4, 2018, https://www.nytimes.com/2018 /04/04/technology/google-letter- ceo-pentagon- project. html.

[13] Ryan Mac, Charlie Warzel, and Alex Kantrowitz, "Growth at Any Cost: Top Facebook Executive Defended Data Collection in 2016 Memo—and Warned That Facebook Could Get People Killed," BuzzFeed News, March 29, 2018, https://www.buzz feednews.com/article/ryanmac/growth-at- any- cost- top- facebook- executive -defended-data.

第二章　ハッカーとVCの結託は問題含み

[1] John Perry Barlow, "A Declaration of the Independence of Cyberspace," Electric Frontier Foundation, February 6, 1996, https://www.eff.org/cyberspace-independence.

[2]Udayan Gupta, "Done Deals: Venture Capitalists Tell Their Story: Featured HBS John Doerr," Working Knowledge, December 4, 2000, https://hbswk.hbs.edu/archive/done-deals- venture- capitalists -tell- their- story-featured- hbs- john- doerr.

[3]Will Sturgeon, " 'It Was All My Fault': VC Says Sorry for Dot-Com Boom and Bust," ZDNet, July 16, 2001, https://www.zdnet .com/article/it-was- all- my- fault- vc- says- sorry- for- dot- com- boom- and- bust/.

[4] John Doerr, *Measure What Matters: How Google, Bono, and the Gates Foundation Rock the World with OKRs* (New York: Penguin, 2018), xii.（ジョン・ドーア著　邦訳：『Measure What Matters――伝説の投資家がGoogleに教えた成功手法OKR』日本経済新聞出版、2018年、土方奈美訳）

[5]Reid Hoffman and Chris Yeh, *Blitzscaling: The Lightning-Fast Path to Building Massively Valuable Companies* (New York: HarperCollins, 2018).（リード・ホフマン、クリス・イェ著　邦訳：『ブリッツスケーリング――苦難を乗り越え、圧倒的な成果を出す武器を共有しよう』日本経済新聞出版、2020年、滑川海彦、高橋信夫訳）

[6]Peter Thiel, "Competition Is for Losers with Peter Thiel (How to Start a Startup 2014: 5)," Y Combinator, uploaded March 22, 2017, https://www.youtube.com/watch?v=3Fx5Q8xGU8k.

[7]デイヴィッド・ショーは偶然にも、スタンフォード大学でコンピュータ科学の博士号を取得して、自らの名を冠する会社を立ち上げる以前はコロンビア大学の教授だった。

[8]ドーア、前掲書.

[9]同上.

[10]同上.

[11]同上.

[12]同上.

[13]同上.
[14]同上.
[15]同上.
[16]同上.
[17] Lisa D. Ordóñez et al., "Goals Gone Wild: The Systematic Side Effects of Overprescribing Goal Setting," *Academy of Management Perspectives* 23, no. 1 (February 1, 2009): 6–16, https://doi.org/10.5465/amp.2009.37007999.
[18]ドーア、前掲書.
[19]Ordóñez et al., "Goals Gone Wild," 4.
[20]Milton Friedman, "A Friedman Doctrine—The Social Responsibility of Business Is to Increase Its Profits," *New York Times*, September 13, 1970, https://www.nytimes.com/1970/09/13/archives/a-friedman-doctrine-the-social-responsibility-of-business-is-to.html.
[21]同上.
[22]同上.
[23] C. Wright Mills, *The Power Elite* (New York: Oxford University Press, 2000), 164.(C・ライト・ミルズ著　邦訳：『パワー・エリート』ちくま学芸文庫、2020年、鵜飼信成、綿貫譲治訳)
[24]Peter Thiel and Blake Masters, *Zero to One: Notes on Startups, or How to Build the Future* (New York: Crown Business, 2014), 86.(ピーター・ティール、ブレイク・マスターズ著　邦訳『ゼロ・トゥ・ワン——君はゼロから何を生み出せるか』NHK出版、2014年、関美和訳)
[25]"Your Startup Has a 1.28% Chance of Becoming a Unicorn," CB Insights Research, May 25, 2015, https://www.cbinsights.com /research/unicorn-conversion- rate/.
[26]Ann Grimes, "Why Stanford Is Celebrating the Google IPO," *Wall Street Journal*, August 23, 2004, https://www.wsj.com/articles /SB109322052140798129.
[27] Tom Nicholas, VC: *An American History* (Cambridge, MA: Harvard University Press, 2019), 268. (トム・ニコラス著　邦訳：『ベンチャーキャピタル全史』新潮社、2022年、鈴木立哉訳)
[28]Will Gornall and Ilya A. Strebulaev, "The Economic Impact of Venture Capital: Evidence from Public Companies," Working Paper no. 3362 (Stanford: Stanford University Graduate School of Business, November 1, 2015), https://www.gsb.stanford.edu/faculty-research /working-papers/ economic-impact- venture- capital-evidence- public- companies.
[29]Reid Hoffman, "7 Counterintuitive Rules for Growing Your Business Super-Fast," Medium, October 17, 2018, https://marker.medium.com /7-counterintuitive-rules- for- growing- your- business- super- fast- 9dcdc2bfc649.
[30] ホフマン、イェ　前掲書.
[31]ジャック・ドーシー (@jack),「最近、私は素朴な質問をされた。すなわち、ツイッターでの会話の『健康』を測定するのは可能だろうか。すぐにこれは具体的な質問だという印象を受けた。なぜなら問題を抱えた部分ではなく、全体的なシステムを取り上げているからだ」Twitter, March 1, 2018, https://twitter.com/jack /status/969234282706169856.
[32] Elizabeth MacBride, "Why Venture Capital Doesn't Build the Things We Really Need," *MIT Technology Review*, June 17, 2020, https://www.technologyreview.com/2020/06/17/1003318/why-venture- capital- doesnt-build- the- things- we- really- need/.
[33] Sam Colt, "John Doerr: The Greatest Tech Entrepreneurs Are 'White, Male, Nerds,' " *Business Insider*, March 4, 2015, https://www.businessinsider.com/john-doerr- the- greatest- tech- entrepreneurs -are- white-male- nerds- 2015-3.
[34]Gené Teare, "Global VC Funding to Female Founders Dropped Dramatically This Year," Crunchbase News, December 21, 2020, https://news.crunchbase.com/news/global-vc- funding- to- female- founders/.
[35] Gené Teare, "EoY 2019 Diversity Report: 20 Percent of Newly Funded Startups in 2019 Have a Female Founder," Crunchbase News, January 21, 2020, https://news.crunchbase.com/news/eoy-2019-diversity -report-20-percent-of- newly- funded- startups- in- 2019-have-a- female- founder/.
[36]Crunchbase, "Crunchbase Diversity Spotlight 2020: Funding to Black & Latinx Founders," 2020, http://about.crunchbase.com/wp-content/ uploads/2020/10/2020_crunchbase_diversity_report.pdf.

[37]Charles E. Eesley and William F. Miller, "Impact: Stanford University's Economic Impact via Innovation and Entrepreneurship," *Foundations and Trends in Entrepreneurship* 14, no. 2 (2018): 130–278, https:// doi.org/10.1561/0300000074.
[38] Marc Andreessen, "Why Software Is Eating the World," *Wall Street Journal*, August 20, 2011,https://online.wsj.com/article/SB10001424053111903480904576512250915629460.html.
[39]Dave McClure, "99 VC Problems but a Batch Ain't 1: Why Portfolio Size Matters for Returns," Medium, August 31, 2015, https:// 500hats.com/99-vc-problems- but- a- batch- ain- t- one- why- portfolio- size -matters-for- returns- 16cf556d4af0.
[40]同上.
[41]"Investors," Y Combinator (website), June 2019, https://www.ycombinator.com/investors/.
[42]Y Combinator (website), https://www.ycombinator.com/.
[43] Meghan Kelly, "Andreessen-Horowitz to Give $50K to All Y Combinator Startups through Start Fund," VentureBeat, October 15, 2011, https://venturebeat.com/2011/10/14/andreessen -horowitz- to- give- 50k-to- all-y- combinator- startups- through- start- fund/.
[44] Megan Geuss, "Illinois Senator's Plan to Weaken Biometric Privacy Law Put on Hold," *Ars Technica*, May 27, 2016, https://arstechnica .com/tech-policy/ 2016/05/illinois-senators- plan- to- weaken- biometric- privacy -law- put- on- hold/.
[45]Russell Brandom, "Facebook-Backed Lawmakers Are Pushing to Gut Privacy Law," *Verge*, April 10, 2018, https://www .theverge.com/2018/4/10/17218756/facebook-biometric- privacy- lobbying- bipa -illinois.
[46]Bobby Allyn, "Judge: Facebook's $550 Million Settlement in Facial Recognition Case Is Not Enough," National Public Radio, July 17, 2020, https://www.npr.org/2020/07/17/892433132/judge-facebooks -550-million-settlement- in- facial- recognition- case- is- not- enough.
[47]同上
[48]Jared Bennett, "Saving Face: Facebook Wants Access Without Limits," Center for Public Integrity, July 31, 2017, https://publicintegrity.org /inequality-poverty- opportunity/ saving-face- facebook- wants- access- without -limits/.
[49] Mike Allen, "Scoop: Mark Zuckerberg Returning to Capitol Hill," *Axios*, September 18, 2019, https://www.axios.com/mark -zuckerberg- capitol- hill- f75ba9fa- ca5d- 4bab-9d58-40bcec96ff87.html.
[50]Ryan Tracy, Chad Day, and Anthony DeBarros, "Facebook and Amazon Boosted Lobbying Spending in 2020," *Wall Street Journal*, January 24, 2021, https://www.wsj.com/articles/facebook-and- amazon -boosted-lobbying- spending- in- 2020-11611500400.
[51]Tony Romm, "Tech Giants Led by Amazon, Facebook and Google Spent Nearly Half a Billion on Lobbying over the Past Decade, New Data Shows," *Washington Post*, January 22, 2020, https://www .washingtonpost.com/technology/2020/01/22/amazon-facebook- google- lobbying -2019/.
[52]Adam Satariano and Matina Stevis-Gridneff, "Big Tech Turns Its Lobbyists Loose on Europe, Alarming Regulators," *New York Times*, December 14, 2020, https://www.nytimes.com/2020/12/14/technology /big-tech-lobbying- europe. html.
[53]Matthew De Silva and Alison Griswold, "The California Senate Has Voted to End the Gig Economy as We Know It," Quartz, September 11, 2019, https://qz.com/1706754/california-senate- passes- ab5- to -turn-independent- contractors- into- employees/.
[54]"California Proposition 22, App-Based Drivers as Contractors and Labor Policies Initiative (2020)," Ballotpedia, https://ballotpedia.org/California_Proposition_22,_App-Based_ Drivers_as _Contractors_and_Labor_Policies_Initiative_(2020).
[55]Kari Paul and Julia Carrie Wong, "California Passes Prop 22 in a Major Victory for Uber and Lyft," *Guardian*, November 4, 2020, https://www.theguardian.com/us-news/ 2020/nov/04/california -election- voters- prop-22-uber-lyft; Andrew J. Hawkins, "An Uber and Lyft Shutdown in California Looks Inevitable—Unless Voters Bail Them Out," Verge, August 16, 2020, https://www.theverge.com/2020/8/16/21370828/uber -lyft- california-shutdown- drivers- classify- ballot- prop- 22.
[56]Andrew J. Hawkins, "Uber and Lyft Had an Edge in the Prop 22 Fight: Their Apps," *Verge*, November

4, 2020, https://www.theverge .com/2020/11/4/21549760/uber-lyf t-prop- 22-win-vote- app- message -notifications.
[57]Lyft, "What Is Prop 22 | California Drivers | Vote YES on Prop 22 | Rideshare | Benefits | Lyft," Lyft, October 8, 2020, https://www.youtube.com /watch?v=-7QJLgdQaf4.
[58]ナンシー・ペロシ (@speakerpelosi),「一握りの人間の手に経済力が不当なまでに集中するのは、民主主義にとって危険である。デジタルプラットフォームがコンテンツを管理しているときは、特に危険である。自主規制の時代は終わった」Twitter, June 3, 2019, https://twitter.com/speakerpelosi /status/1135698760397393921.

第三章　破壊的イノベーションVS民主主義

[1]Maureen Dowd, "Peter Thiel, Trump's Tech Pal, Explains Himself," *New York Times*, January 11, 2017, https://www.nytimes.com/2017/01/11 /fashion/peter-thiel- donald- trump- silicon- valley- technology- gawker. html.
[2]David Broockman, Gregory Ferenstein, and Neil Malhotra, "Predispositions and the Political Behavior of American Economic Elites: Evidence from Technology Entrepreneurs," *American Journal of Political Science* 63, no. 1 (November 19, 2018): 212–33.
[3]Kim Zetter, "Of Course Congress Is Clueless About Tech—It Killed Its Tutor," Wired, April 21, 2016, https://www.wired.com/2016/04/office-technology- assessment- congress- clueless- tech -killed- tutor/.
[4]Evan Osnos, "Can Mark Zuckerberg Fix Facebook Before It Breaks Democracy?," *New Yorker,* September 10, 2018, https://www.newyorker.com/magazine/2018/09/17/can-mark- zuckerberg- fix -facebook- before- it-breaks- democracy.
[5]"History of Sweatshops: 1880–1940," National Museum of American History, https://americanhistory.si.edu/sweatshops /history-1880-1940.
[6]Karen Bilodeau, "How the Triangle Shirtwaist Fire Changed Workers' Rights," *Maine Bar Journal* 26, no. 1 (Winter 2011): 43–44.
[7]Richard Du Boff, "Business Demand and the Development of the Telegraph in the United States, 1844–1860," *Business History Review* 54, no. 4 (Winter 1980): 459–79.
[8]Tim Wu, "A Brief History of American Telecommunications Regulation," *Oxford International Encyclopedia of Legal History* 5 (2007): 95.
[9]Ev Ehrlich, "A Brief History of Internet Regulation," Progressive Policy Institute, March 2014, https://www.progressivepolicy.org /wp-content/ uploads/2014/03/2014.03-Ehrlich_A-Brief- History- of- Internet -Regulation1. pdf; Jonathan E. Nuechterlein and Philip J. Weiser, *Digital Crossroads: Telecommunications Law and Policy in the Internet Age*, 2nd ed. (Cambridge, MA: MIT Press, 2013).
[10] Paul M. Romer, *In the Wake of the Crisis: Leading Economists Reassess Economic Policy*, vol. 1 (Cambridge, MA: MIT Press, 2012), 96.
[11] Ibid.
[12]"Total Number of Websites," Internet Live Stats, January 4, 2021, https://www.internetlivestats.com/total -number- of- websites/; Elahe Izadi, "The White House's First Web Site Launched 20 Years Ago This Week. And It Was Amazing," *Washington Post*, October 21, 2014, https://www.washingtonpost.com/news/the-fix/wp/2014/10/21/the-white -houses-first-website-launched-20-years-ago-this-week-and-it-was-amazing/.
[13]Wikipedia, s.v., "List of Websites Founded Before 1995," https://en.wikipedia.org/w/index.php?title=List_of _websites_founded_before_1995&oldid=997260381.
[14]Ehrlich, "A Brief History of Internet Regulation."
[15]Emily Stewart, "America's Monopoly Problem, Explained by Your Internet Bill," Vox, February 18, 2020, https:// www.vox.com/the goods/2020/2/18/21126347/antitrust-monopolies-internet -telecommunications-cheerleading; Becky Chao and Claire Park, "The Cost of Connectivity 2020," New America Open Technology Institute, July 2020, https:// www.newamerica.org/oti/reports/cost-connectivity- 2020/global-findings/.
[16]United States District Court, "Case 4:20-Cv-00957," Court Listener, December 16, 2020, https://www.courtlistener .com/recap/gov.uscourts.txed.202878/gov.uscourts.txed.202878.1.0.pdf. [17]63 Tom Wheeler, FCC chairman: Tom Wheeler, "The Tragedy of Tech Companies: Getting the Regulation They Want," The Brookings

Institution, March 26, 2019, https://www.brookings.edu/blog/techtank/2019/03/26/the-tragedy- of -tech-companies- getting- the- regulation- they- want/.

[18]Bobby Allyn and Shannon Bond, "4 Key Takeaways from Washington's Big Tech Hearing on 'Monopoly Power,' " National Public Radio, July 30, 2020, https://www.npr.org/2020/07/30/896952403/4-key -takeaways-from- washingtons- big- tech- hearing- on- monopoly- power.

[19]Katie Schoolov, "What It Would Take for Walmart to Catch Amazon in E-Commerce," CNBC, August 13, 2018, https://www.cnbc .com/2020/08/13/what-it- would- really- take- for- walmart- to- catch- amazon -in- e-commerce. html.

[20]Mark Gurman, "Apple's Cook Says App Store Opened 'Gate Wider' for Developers," Bloomberg, July 28, 2020, https:// www.bloomberg.com/news/articles/2020-07-29/apple-s- cook- says- app- store -opened- gate-wider- for- developers.

[21]Mark Zuckerberg, "Testimony of Mark Zuckerberg, Facebook, Inc., Before the United States House of Representatives Committee on the Judiciary," July 9, 2020, https://docs.house.gov/meetings/JU/JU05/20200729/110883/HHRG-116-JU05-Wstate-ZuckerbergM- 20200729.pdf, 5.

[22]Roger McNamee, "A Historic Antitrust Hearing in Congress Has Put Big Tech on Notice," *Guardian*, July 31, 2020, https://www .theguardian.com/commentisfree/2020/jul/31/big-tech- house- historic -antitrust-hearing- times- have- changed.

[23] Plato, *The Republic*, trans. Paul Shorey, vol. II (Books VI-X) (Cambridge, MA: Harvard University Press, 1942), 147.

[24]Ibid., 305–11.

[25]Bryan Caplan, *The Myth of the Rational Voter: Why Democracies Choose Bad Policies* (Princeton: Princeton University Press, 2008), 3.

[26] Jason Brennan, *Against Democracy* (Princeton: Princeton University Press, 2016).（ジェイソン・ブレナン　邦訳『アゲインスト・デモクラシー』勁草書房、2022年、井上彰、小林卓人、辻悠佑、福島弦、福原正人、福家佑亮訳）

[27]Thomas M. Nichols, *The Death of Expertise: The Campaign Against Established Knowledge and Why It Matters* (New York: Oxford University Press, 2017), 224.

[28]Richard Wike et al., "Democracy Widely Supported, Little Backing for Rule by Strong Leader or Military," Global Attitudes & Trends, Pew Research Center, October 16, 2017, https://www.pewresearch.org/global/2017/10/16/democracy -widely- supported- little- backing- for- rule- by- strong- leader- or- military/.

[29]Ian Bremmer, "Is Democracy Essential? Millennials Increasingly Aren't Sure—and That Should Concern Us All," NBC News, February 13, 2018, https://www.nbcnews.com/think/opinion/democracy -essential- millennials-increasingly- aren- t- sure- should- concern- us- ncna847476.

[30] John Stuart Mill, *Collected Works of John Stuart Mill*, ed. J. M. Robson, vol. 9, *Essays on Politics and Society* (Toronto: University of Toronto Press, 1977), 403.

[31] Danielle S. Allen, *Our Declaration: A Reading of the Declaration of Independence in Defense of Equality* (New York: Liveright, 2014).

[32] Joshua Cohen, "Procedure and Substance in a Deliberative Democracy," in *Democracy and Difference: Contesting the Boundaries of the Political*, edited by Seyla Benhabib (Princeton: Princeton University Press, 1996), 95–119

[33] Mill, *Essays on Politics and Society*, 404.

[34] Amartya Sen, *Poverty and Famines: An Essay on Entitlement and Deprivation* (Oxford: Oxford University Press, 1983).

[35] Karl R. Popper, *The Open Society and Its Enemies* (Princeton: Princeton University Press, 2013), 115.

[36]同上 120.

[37] Judith Shklar, "The Liberalism of Fear," in *Liberalism and the Moral Life*, edited by Nancy L. Rosenblum (Cambridge, MA: Harvard University Press, 1989), 21–38.

[38] Tom Wheeler, "Internet Capitalism Pits Fast Technology Against Slow Democracy," The Brookings Institution, May 6, 2019, https://www.brookings.edu/blog/techtank/2019/05/06/internet -capitalism- pits- fast-technology- against- slow- democracy/.

第二部 「テクノロジー」の分析

[1]Albert Einstein, "The 1932 Disarmament Conference," *Nation*, September 4, 1931, repr. August 23, 2001, https:// www.thenation.com/article/archive/1932-disarmament-conference- 0/.

第四章 アルゴリズムの意思決定は公正か

[1] Brad Stone, *The Everything Store: Jeff Bezos and the Age of Amazon* (New York: Little, Brown, 2013), 88.（ブラッド・ストーン著　邦訳『ジェフ・ベゾス　果てなき野望』日経BP、2014年、井口耕二訳）
[2]Harry McCracken, "Meet the Woman Behind Amazon's Explosive Growth," *Fast Company*, April 11, 2019, https://www.fastcompany.com/90325624/yes-amazon- has- an- hr- chief- meet -beth- galetti.
[3] Jeffrey Dastin, "Amazon Scraps Secret AI Recruiting Tool That Showed Bias Against Women," Reuters, October 10, 2018, https://www.reuters.com/article/us-amazon- com- jobs- automation- insight /amazon-scraps-secret- ai- recruiting- tool- that- showed- bias- against- women -idUSKCN1MK08G.
[4]Marianne Bertrand and Sendhil Mullainathan, "Are Emily and Greg More Employable than Lakisha and Jamal? A Field Experiment on Labor Market Discrimination," *American Economic Review* 94, no. 4 (2004): 991–1013.
[5] Dastin, "Amazon Scraps Secret AI Recruiting Tool That Showed Bias Against Women."
[6] Loren Grush, "Google Engineer Apologizes After Photos App Tags Two Black People as Gorillas," Verge, July 1, 2015, https://www.theverge.com/2015/7/1/8880363/google -apologizes- photos- app- tags- two- black-people- gorillas.
[7]同上.
[8]Tom Simonite, "When It Comes to Gorillas, Google Photos Remains Blind," *Wired*, January 11, 2018, https:// www.wired.com/story/when-it- comes- to- gorillas- google- photos -remains- blind/; James Vincent, "Google 'Fixed' Its Racist Algorithm by Removing Gorillas from Its Image-Labeling Tech," *Verge*, January 12, 2018, https://www.theverge.com/2018/1/12/16882408/google-racist- gorillas- photo -recognition- algorithm- ai.
[9]Julia Angwin et al., "Machine Bias," ProPublica, May 23, 2016, https://www.propublica.org/article/machine-bias- risk- assessments- in -criminal- sentencing.
[10]Adam Liptak, "Sent to Prison by a Software Program's Secret Algorithms," *New York Times*, May 1, 2017, https://www.nytimes.com /2017/05/01/us/politics/sent-to- prison- by- a- software- programs- secret -algorithms.html.
[11]Angwin et al., "Machine Bias."
[12]Arvind Narayanan, "Tutorial: 21 Fairness Definitions and Their Politics," uploaded to YouTube March 1, 2018, https://www.youtube.com/watch?vjIXIuYdnyyk.
[13]Alexandra Chouldechova, "Fair Prediction with Disparate Impact," *Big Data* 5, no. 2 (June 1, 2017): 153–63; Jon Kleinberg, Sendhil Mullainathan, and Manish Raghavan, "Inherent Trade-offs in the Fair Determination of Risk Scores," *Proceedings of Innovations in Theoretical Computer Science* 67, no. 43 (January 11, 2017): 1–23.
[14] Sarah F. Brosnan and Frans B. M. de Waal, "Monkeys Reject Unequal Pay," *Nature* 425 (September 18, 2003): 297–99, https://doi.org/10.1038/nature01963.
[15] Vanessa Romo, "California Becomes First State to End Cash Bail After 40-Year Fight," National Public Radio, August 28, 2018, https://www.npr.org/2018/08/28/642795284/california-becomes- first- state -to- end-cash- bail.
[16]Melody Gutierrez, "Bill to End Cash Bail Passes California Assembly amid Heavy Opposition," *San Francisco Chronicle*, August 20, 2018, https://www.sfchronicle.com/crime/article/California-legislation- to- end -cash- bail-loses- 13169991.php.
[17] Romo, "California Becomes First State to End Cash Bail After 40-Year Fight."
[18] Jon Kleinberg et al., "Human Decisions and Machine Predictions," *Quarterly Journal of Economics* 133, no. 1 (August 26, 2017): 237–93, https://doi.org/10.1093/qje/qjx032.

[19]Anthony Heyes and Soodeh Saberian, “Temperature and Decisions: Evidence from 207,000 Court Cases,” *American Economic Journal: Applied Economics* 11, no. 2 (April 19, 2017): 238–65, https://doi.org/10.1257 / app.20170223.
[20]“ACLU of California Changes Position to Oppose Bail Reform Legislation,” ACLU of Southern California, August 20, 2018, https://www.aclusocal.org/en/press-releases/ aclu-california- changes- position -oppose- bail-reform- legislation.
[21] Alexei Koseff, “Bill to Eliminate Bail Advanced Despite ACLU Defection,” *Sacramento Bee*, August 20, 2018, https://www.sacbee.com /news/politics-government/ capitol-alert/ article217031860.html.
[22] Angwin et al., “Machine Bias.”
[23] Tom Simonite, “Algorithms Should've Made Courts More Fair. What Went Wrong?,” *Wired*, September 5, 2019, https://www.wired .com/story/algorithms-shouldve- made- courts- more- fair- what- went- wrong/.
[24] State v. Loomis, 881 N.W.2d 749 (Wisconsin 2016).
[25] Cathy O'Neil, *Weapons of Math Destruction: How Big Data Increases Inequality and Threatens Democracy* (New York: Crown, 2016), 3.（キャシー・オニール著　邦訳『あなたを支配し、社会を破壊する、AI・ビッグデータの罠』インターシフト、2018年、久保尚子訳）
[26]Ruha Benjamin, *Race After Technology: Abolitionist Tools for the New Jim Code* (Medford, MA: Polity, 2019).
[27] Adam Bryant, “In Head-Hunting, Big Data May Not Be Such a Big Deal,” *New York Times*, June 19, 2013, https://www.nytimes .com/2013/06/20/business/in-head- hunting- big- data- may- not- be- such- a- big -deal. html.
[28] Partnership on AI, “Report on Algorithmic Risk Assessment Tools in the U.S. Criminal Justice System,” The Partnership on AI, 2019, https://www.partnershiponai .org/report-on- machine- learning- in- risk- assessment-tools- in- the- u- s- criminal -justice- system/.
[29]Alex Albright, “If You Give a Judge a Risk Score: Evidence from Kentucky Bail Decisions,” The Little Data Set, September 3, 2019, https://thelittledataset.com/about_files/albright_judge_score.pdf, 1.
[30]Scott E. Carrell, Bruce I. Sacerdote, and James E. West, “From Natural Variation to Optimal Policy? The Importance of Endogenous Peer Group Formation,” *Econometrica* 81, no. 3 (2013): 855–82, https://doi.org/10.3982/ECTA10168.
[31]Lauren Kirchner, “Algorithmic Decision Making and Accountability,” Ethics, Technology & Public Policy, Stanford University, August 16, 2017, https://ai.stanford.edu/users/sahami/ethicscasestudies/AlgorithmicDecisionMaking.pdf.
[32] Rashida Richardson, “Confronting Black Boxes,” AI Now Institute, December 4, 2019, https://ainowinstitute.org/ads-shadowreport- 2019.pdf.
[33]Jon Kleinberg et al., “Discrimination in the Age of Algorithms,” *Journal of Legal Analysis* 10 (2018): 113–74, https://academic .oup.com/jla/article/doi/10.1093/jla/laz001/5476086.
[34]Tom Simonite, “New York City Proposes Regulating Algorithms Used in Hiring,” *Wired*, January 8, 2021, https://www .wired.com/story/new-york- city- proposes- regulating- algorithms- hiring/.

第五章 プライバシーに価値はあるか

[1] Sopan Deb and Natasha Singer, “Taylor Swift Said to Use Facial Recognition to Identify Stalkers,” *New York Times*, December 13, 2018, https://www.nytimes.com/2018/12/13/arts/music/taylor-swift- facial- recognition .html.
[2]Gabrielle Canon, “How Taylor Swift Showed Us the Scary Future of Facial Recognition,” *Guardian*, February 15, 2019, http://www .theguardian.com/technology/2019/feb/15/how-taylor- swift- showed- us- the -scary-future- of- facial- recognition.
[3] Steve Knopper, “Why Taylor Swift Is Using Facial Recognition at Concerts,” *Rolling Stone*, December 13, 2018, https://www .rollingstone.com/music/music-news/ taylor-swift- facial- recognition- concerts -768741/.
[4] Caroline Haskins, “Why Some Baltimore Residents Are Lobbying to Bring Back Aerial Surveillance,” The Outline, August 30, 2018, https://theoutline.com/post/6070/why-some- baltimore- residents- are- lobbying -to-

bring- back- aerial- surveillance.

[5] Gender Shades (website), http://gendershades.org/. See also Joy Buolamwini and Timnit Gebru, "Gender Shades: Intersectional Accuracy Disparities in Commercial Gender Classification," *Proceedings of Machine Learning Research* 81 (2018): 1–15, http://proceedings.mlr.press/v81/buolamwini18a /buolamwini18a.pdf.

[6] Kashmir Hill, "Before Clearview Became a Police Tool, It Was a Secret Plaything of the Rich," *New York Times*, March 5, 2020, https://www.nytimes.com/2020/03/05/technology/clearview-investors. html.

[7]Shoshana Zuboff, *The Age of Surveillance Capitalism: The Fight for a Human Future at the New Frontier of Power* (New York: PublicAffairs, 2019).（ショシャナ・ズボフ著　邦訳『監視資本主義――人類の未来を賭けた闘い』東洋経済新報社、2021年、野中香方子訳）

[8]J. Clement, "Google: Ad Revenue 2001–2018," Statista, 2020, https://www.statista.com/statistics/266249/ advertising-revenue- of -google/.

[9] "2017 Global Mobile Consumer Survey: US Edition," Deloitte Touche Tohmatsu Limited, 2017, https:// www2.deloitte.com /content/dam/Deloitte/us/Documents/technology-media- telecommunications /us-tmt-2017-global-mobile- consumer- survey- executive- summary. pdf.

[10] "Facebook's Terms of Service," Facebook, https:// www.facebook.com/terms.php.

[11]"Extract from Bentham's Will," Bentham Project, May 30, 1832, https://www.ucl.ac.uk/bentham-project/ who-was- jeremy- bentham/ auto -icon/ extract-benthams- will.

[12] Jeremy Bentham, *The Panopticon Writings*, ed. Miran Božovič (London: Verso, 1995).

[13]同上.

[14]同上.

[15] Jonah Newman, "Stateville Prison Reopens Decrepit 'F-House' to Hold Inmates with COVID-19," Injustice Watch, May 12, 2020, https://www .injusticewatch.org/news/prisons-and- jails/ 2020/stateville-roundhouse-covid/.

[16]Michel Foucault, *Discipline and Punish: The Birth of the Prison* (New York: Pantheon, 1977).（ミシェル・フーコー著　邦訳『監獄の誕生――監視と処罰〈新装版〉』新潮社、2020年、田村俶訳）

[17] "Watching You Watching Bentham: The PanoptiCam," UCL News, March 17, 2015, https://www.ucl.ac.uk/ news/2015 /mar/watching-you- watching- bentham- panopticam.

[18]Katherine Noyes, "Scott McNealy on Privacy: You Still Don't Have Any," *Computerworld*, June 25, 2015, https://www.computer world.com/article/2941055/scott-mcnealy- on- privacy- you- still- dont- have- any .html.

[19] Tim Berners-Lee, "Three Challenges for the Web, According to Its Inventor," World Wide Web Foundation, March 12, 2017, https://webfoundation.org/2017/03/web-turns- 28-letter/.

[20]Henry Blodget, "Everyone Who Thinks Facebook Is Stupid to Buy WhatsApp for $19 Billion Should Think Again . . . ," *Business Insider*, February 20, 2014, https://www.businessinsider.com/why -facebook- buying-whatsapp- 2014-2.

[21]Mark Zuckerberg, "A Privacy-Focused Vision for Social Networking," Facebook Newsroom, March 6, 2019, https://about.fb .com/news/2019/03/vision-for- social- networking/.

[22] Paul Ohm, "Broken Promises of Privacy: Responding to the Surprising Failure of Anonymization," *UCLA Law Review* 57 (2010): 1701–77, https://papers.ssrn.com/sol3/papers.cfm?abstract _id=1450006.

[23] L. Sweeney, "Simple Demographics Often Identify People Uniquely" (Data Privacy Working Paper 3, Carnegie Mellon University, 2000).

[24] "How Unique Am I?," AboutMyInfo, https:// aboutmyinfo.org/identity.

[25] Cynthia Dwork, "Differential Privacy," in *Automata, Languages and Programming*, edited by Michele Bugliesi et al. (Heidelberg, Germany: Springer, 2006), 1–12.

[26] Leander Kahney, "The FBI Wanted a Backdoor to the iPhone. Tim Cook Said No," Wired, April 16, 2019, https://www.wired.com /story/the-time- tim- cook- stood- his- ground- against- fbi/.

[27] Matt Burgess, "Google Got Rich from Your Data. Duck- DuckGo Is Fighting Back," Wired, June 8, 2020, https://www.wired.co.uk/article /duckduckgo-android- choice- screen- search.

[28]同上.

[29]Alessandro Acquisti, Laura Brandimarte, and George Loewenstein, "Privacy and Human Behavior in the Age

of Information," *Science* 347, no. 6221 (2015): 509–14, https://doi.org/10.1126 /science.aaa1465.
[30] Yabing Liu et al., "Analyzing Facebook Privacy Settings: User Expectations vs. Reality," in *IMC '11: Proceedings of the 2011 ACM Internet Measurement Conference* (New York: Association for Computing Machinery, 2011), 61–70, https://dl.acm.org/doi/10.1145/2068816.2068823.
[31]Susan Athey, Christian Catalini, and Catherine Tucker, "The Digital Privacy Paradox: Small Money, Small Costs, Small Talk," Stanford Institute for Economic Policy Research, September 2017, https://siepr.stanford.edu/research/publications/digital-privacy- paradox- small -money- small- costs- small- talk.
[32]Brooke Auxier, "How Americans See Digital Privacy Issues amid the COVID-19 Outbreak," Pew Research Center, May 4, 2020, https://www.pewresearch.org/fact-tank/ 2020/05/04/how -americans- see- digital- privacy-issues- amid- the- covid- 19-outbreak/.
[33] Daniel J. Solove, "Introduction: Privacy Self- Management and the Consent Dilemma," *Harvard Law Review* 126 (2013): 1880–903, https://harvardlawreview.org/wp-content/uploads/pdfs/vol126_ solove.pdf.
[34] Solove, "Privacy Self-Management."
[35]Patrick Howell O'Neill, "How Apple and Google Are Tackling Their Covid Privacy Problem," *MIT Technology Review*, April 14, 2020, https://www.technologyreview.com/2020/04/14/999472/how-apple- and -google- are- tackling- their- covid- privacy- problem/.
[36]Olivia B. Waxman, "The GDPR Is Just the Latest Example of Europe's Caution on Privacy Rights. That Outlook Has a Disturbing History," *Time*, May 24, 2018, https://time.com/5290043/nazi -history- eu- data-privacy- gdpr/.
[37]Simon Shuster, "E.U. Pushes for Stricter Data Protection After Snowden's NSA Revelations," *Time*, October 21, 2013, https:// world.time.com/2013/10/21/e-u- pushes- for- stricter- data- protection- after -snowden- nsa-revelations/.
[38] General Data Protection Regulation, Regulation (EU) 2016/679 of the European Parliament and of the Council, document 32016R0679 (April 27, 2016), https://eur-lex. europa.eu/eli/reg/2016/679/oj.
[39]Samuel Stolton, "95,000 Complaints Issued to EU Data Protection Authorities," EURACTIV, January 28, 2019, https://www .euractiv.com/section/data-protection/ news/95000-complaints-issued- to- eu -data-protection- authorities/.
[40] David Ingram and Joseph Menn, "Exclusive: Facebook CEO stops short of extending European privacy globally," Reuters, April 3, 2018, https://www.reuters.com/article/us-facebook- ceo- privacy- exclusive/ exclusive -facebook- ceo- stops- short- of- extending- european- privacy- globally- idUSKCN1 HA2M1.
[41]Josh Constine, "Zuckerberg says Facebook will offer GDPR privacy controls everywhere," Techcrunch, April 4, 2018, https://tech crunch.com/2018/04/04/zuckerberg-gdpr/.
[42] Nicholas Confessore, "The Unlikely Activists Who Took On Silicon Valley—and Won," *New York Times*, August 14, 2018, https://www .nytimes.com/2018/08/14/magazine/facebook-google- privacy- data. html.
[43] Richard H. Thaler and Cass R. Sunstein, *Nudge: Improving Decisions About Health, Wealth and Happiness* (New Haven: Yale University Press, 2008).(リチャード・セイラー、キャス・サンスティーン著　邦訳『実践　行動経済学』日経BP、2009年、遠藤真美訳)
[44] Jordan Mitchell, "The Evolution of the Internet, Identity, Privacy and Tracking," IAB Technology Laboratory, September 4, 2019, https://iabtechlab.com/blog/evolution-of- internet- identity- privacy- tracking/.
[45] Peter Maass, "Your FTC Privacy Watchdogs: Low-Tech, Defensive, Toothless," *Wired*, June 28, 2012, https://www.wired.com/2012/06 /ftc-fail/.
[46] Lauren Feiner, "Sen. Gillibrand Proposes a New Government Agency to Protect Privacy on the Internet," CNBC, February 13, 2020, https://www.cnbc.com/2020/02/12/gillibrand-unveils- another- privacy -proposal-with- new- agency. html.

第六章　スマートマシンの世界で人類は繁栄できるか

[1] Joseph Hooper, "From Darpa Grand Challenge 2004DARPA's Debacle in the Desert," *Popular Science*, June 4, 2004, https://www.popsci.com /scitech/article/2004-06/darpa-grand- challenge- 2004darpas-debacle- desert/.

[2]David Orenstein, "Stanford Team's Win in Robot Car Race Nets $2 Million Prize," Stanford News Service, October 11, 2005, http://news.stanford.edu/news/2005/october12/stanleyfinish-100905.html.

[3] Joan Robinson, "Robotic Vehicle Wins Race Under Team Leader Sebastian Thrun," Springer, November 8, 2005, http://www.springer .com/about+springer/media/pressreleases?SGWID=0-11002-2-803827-0.

[4]154 California alone licensed: Raymond Perrault et al., *Artificial Intelligence Index Report 2019*, AI Index Steering Committee, Human-Centered AI Institute, Stanford University, December 2019, 129–31, https://euagenda.eu/upload /publications/untitled-283856-ea.pdf.

[5]"Road Safety," World Health Organization, https://www.who.int/data/maternal-newborn- child- adolescent/monitor.

[6]National Highway Traffic Safety Administration, "Traffic Safety Facts: 2017 Data," US Department of Transportation, May 2019, https:// crashstats.nhtsa.dot.gov/Api/Public/ViewPublication/812687.

[7]Peter Diamandis, "Self-Driving Cars Are Coming," *Forbes*, August 13, 2014, https://www.forbes.com/sites/peterdiamandis /2014/10/13/self-driving- cars- are- coming/.

[8]Jean-François Bonnefon, Azim Shariff, and Iyad Rahwan, "The Social Dilemma of Autonomous Vehicles," *Science* 352, no. 6293 (June 24, 2016): 1573–76, https://doi.org/10.1126/science.aaf2654.

[9]Bruce Weber, "Swift and Slash- ing, Computer Topples Kasparov," *New York Times*, May 12, 1997, https://www.nytimes.com/1997/05/12/nyregion/swift-and- slashing- computer- topples -kasparov. html.

[10]157 "from another dimension": Dawn Chan, "The AI That Has Nothing to Learn from Humans," *Atlantic*, October 20, 2017, https://www.theatlantic.com/technology /archive/2017/10/alphago-zero- the- ai- that- taught-itself- go/ 543450/.

[11]Carolyn Dimitri, Anne Effland, and Neilson Conklin, "The 20th Century Transformation of U.S. Agriculture and Farm Policy," Economic Information Bulletin Number 3, June 2005, https:// www.ers.usda.gov/webdocs/publications/44197/13566_eib3_1_.pdf.

[12] Nick Bostrom and Eliezer Yudkowsky, "The Ethics of Artificial Intelligence," in *Cambridge Handbook of Artificial Intelligence*, edited by Keith Frankish and William M. Ramsey (Cambridge, UK: Cambridge University Press, 2014), 316–34.

[13] Edward Feigenbaum et al., *Advanced Software Applications in Japan* (Park Ridge, NJ: Noyes Data Corporation, 1995).

[14] Yaniv Taigman et al., "DeepFace: Closing the Gap to Human-Level Performance in Face Verification," *2014 IEEE Conference on Computer Vision and Pattern Recognition* (CVPR 2014) (New York: IEEE, 2014), 1701–8, https://doi.org/10.1109/CVPR.2014.220.

[15]同上.

[16]"Language Interpretation in Meetings and Webinars," Zoom Help Center, https://support.zoom.us/hc/en-us/articles /360034919791-Language-interpretation- in- meetings- and- webinars.

[17] Scott Mayer McKinney et al., "International Evaluation of an AI System for Breast Cancer Screening," *Nature* 577 (January 2020): 89–94, https://doi.org/10.1038/s41586-019-1799-6.

[18] Pranav Rajpurkar et al., "Radiologist-Level Pneumonia Detection on Chest X-Rays with Deep Learning," CheXNet, December 25, 2017, http://arxiv.org/abs/1711.05225.

[19] Geoff Hinton, "Geoff Hinton: On Radiology," Creative Destruction Lab, uploaded to YouTube November 24, 2016, https://www.youtube.com/watch?v=2HMPRXstSvQ.

[20] Hugh Harvey, "Why AI Will Not Replace Radiologists," Medium, April 7, 2018, https://towardsdata science.com/why-ai- will- not- replace- radiologists- c7736f2c7d80.

[21] Xiaoxuan Liu et al., "A Comparison of Deep Learning Performance Against Health-Care Professionals in Detecting Diseases from Medical Imaging: A Systematic Review and Meta-Analysis," *Lancet Digital Health* 1, no. 6 (October 1, 2019): e271–97, https://doi.org/10.1016/S2589 -7500(19)30123-2.

[22] Anna Jobin, Marcello Ienca, and Effy Vayena, "The Global Landscape of AI Ethics Guidelines," *Nature Machine Intelligence* 1, no. 9 (September 2019): 389–99, https://doi.org/10.1038/s42256-019-0088-2.

[23] Wagner James Au, "VR Will Make Life Better—or Just Be an Opiate for the Masses," *Wired*, February 25, 2016, https:// www.wired.com/2016/02/vr-moral- imperative- or- opiate- of- masses/.

[24] Robert Nozick, *The Examined Life: Philosophical Meditations* (New York: Simon & Schuster, 2006), 106.（ロバート・ノージック著　邦訳『生のなかの螺旋——自己と人生のダイアローグ』青土社、1993年、井上章子訳）
[25]同上
[26]Jaron Lanier, *You Are Not a Gadget: A Manifesto* (New York: Knopf Doubleday Publishing Group, 2010), x.
[27] Gregory Clark, *A Farewell to Alms: A Brief Economic History of the World* (Princeton: Princeton University Press, 2007), 1.
[28] Angus Deaton, *The Great Escape: Health, Wealth, and the Origins of Inequality* (Princeton: Princeton University Press, 2015).（アンガス・ディートン著　邦訳『大脱出——健康、お金、格差の起源』みすず書房、2014年、松本裕訳）
[29] Adrienne LaFrance, "Self-Driving Cars Could Save Tens of Millions of Lives This Century," *Atlantic*, September 29, 2015, https://www.theatlantic.com/technology/archive/2015/09/self-driving- cars -could- save-300000-lives-per- decade- in- america/ 407956/.
[30] Amartya Sen, *Development as Freedom* (New York: Anchor, 2000).（アマルティア・セン著　邦訳『自由と経済開発』日本経済新聞出版、2000年、石塚雅彦訳）
[31] Aristotle, *Nicomachean Ethics*, trans. Roger Crisp (Cambridge, UK: Cambridge University Press, 2004), 7.
[32] Our World in Data (website), https://ourworldindata.org.
[33] Carl Benedikt Frey and Michael A. Osborne, "The Future of Employment," *Technological Forecasting and Social Change* 114 (January 2017): 254–80, https://doi.org/10.1016/j.techfore.2016.08.019.
[34] "Automation and Independent Work in a Digital Economy," Organisation for Economic Co-operation and Development, May 2016, https://www.oecd.org/els/emp/Policy%20brief%20-%20Automation %20and%20 Independent%20Work%20in%20a%20Digital%20Economy.pdf.
[35] John Maynard Keynes, "Economic Possibilities for Our Grandchildren (1930)," in Essays in Persuasion (New York: W. W. Norton & Company, 1963), 358–83.（ジョン・メイナード・ケインズ　邦訳『ケインズ説得論集』日本経済新聞出版社、2010年、山岡洋一訳）
[36] Charlotte Curtis, "Machines vs. Workers," *New York Times*, February 8, 1983, https://www.nytimes.com/1983/02/08 /arts/machines-vs- workers. html.
[37] Aaron Smith and Janna Anderson, "AI, Robotics, and the Future of Jobs," Pew Research Center, August 6, 2014, https://www.pewresearch.org /internet/2014/08/06/future-of- jobs/.
[38] 同上.
[39] Mark Fahey, "Driverless Cars Will Kill the Most Jobs in Select US States," CNBC, September 2, 2016, https://www.cnbc.com/2016/09 /02/driverless-cars- will- kill- the- most- jobs- in- select- us- states. html.
[40] Daron Acemoglu and Pascual Restrepo, "Artificial Intelligence, Automation and Work" (NBER Working Paper Series Working Paper 24196, January 2018), 43.
[41] Daron Acemoglu and Pascual Restrepo, "Robots and Jobs" (NBER Working Paper Series, Working Paper 23285, March 2017), https://www.nber.org/system/files/working_papers/w23285 /w23285.pdf.
[42] Jason Furman, "Is This Time Different? The Opportunities and Challenges of Artificial Intelligence," remarks at AI Now: The Social and Economic Implications of Artificial Intelligence Technologies in the Near Term, New York University, New York, NY, July 7, 2016, https://obamawhitehouse.archives.gov/sites/default/files/page/files/2016 0707_cea_ai_furman.pdf.
[43] Stuart Russell, "Open Letter on AI," *Berkeley Engineer*, January 15, 2015, https://engineering.berkeley.edu/news/2015/11/open-letter -on- ai/.
[44] Stuart Russell, "Take a Stand on AI Weapons," in "Robotics: Ethics of Artificial Intelligence," *Nature* 521, no. 7553 (May 17, 2015): 415–18, https://www.nature.com/news/robotics-ethics- of- artificial -intelligence-1.17611#/russell.
[45] Russell, "Open Letter on AI."
[46] "Lethal Autonomous Weapons Pledge," Future of Life Institute, 2018, https://futureoflife.org/lethal-autonomous- weapons- pledge/.
[47] Daron Acemoglu and Pascual Restrepo, "The Wrong Kind of AI?," *TNIT News*, special issue, December 2018, https://idei.fr/sites/default /files/IDEI/documents/tnit/newsletter/newsletter_tnit_2019.pdf.
[48]Daron Acemoglu, *Redesigning AI: Work, Democracy, and Justice in the Age of Automation* (Cambridge: MIT Press,

2021).

[49] Iyad Rahwan, "Society-in- the- Loop," *Ethics and Information Technology* 20, no. 1 (March 2018): 5–14, https://link.springer.com/article /10.1007/s10676-017-9430-8.

[50] "Worker Voices," New America, November 21, 2019, http://newamerica.org/work-workers- technology/events/worker-voices/.

[51] Steven Greenhouse, "Where Are the Workers When We Talk About the Future of Work?," *American Prospect*, October 22, 2019, https:// prospect.org/labor/where-are- the- workers- when- we- talk- about- the- future- of -work/.

[52] Adam Seth Litwin, "Technological Change at Work," *ILR Review* 64, no. 5 (October 1, 2011): 863–88, https://doi.org/10.1177 /001979391 106400502.

[53] Alana Semuels, "Getting Rid of Bosses," *Atlantic*, July 8, 2015, https://www.theatlantic.com/business/archive/2015/07/no-bosses -worker- owned- cooperatives/ 397007/.

[54] Pegah Moradi and Karen Levy, "The Future of Work in the Age of AI: Displacement or Risk-Shifting?," in *Oxford Handbook of Ethics of AI*, edited by Marus D. Dubber, Frank Pasquale, and Sunit Das (Oxford: Oxford University Press, 2020), 4–5.

[55] "Business Roundtable Redefines the Purpose of a Corporation to Promote 'An Economy That Serves All Americans,' " Business Roundtable, August 19, 2019, https://www.businessroundtable.org/business -roundtable-redefines- the- purpose- of- a- corporation- to- promote- an- economy -that- serves- all- americans.

[56] "Empowering Workers Through Accountable Capitalism," Warren Democrats, 2020, https://elizabethwarren.com/plans/accountable -capitalism.

[57] Daron Acemoglu and Pascual Restrepo, "The Wrong Kind of AI? Artificial Intelligence and the Future of Labor Demand," *Cambridge Journal of Regions, Economy and Society* 13, no. 1 (November 2019): 25–35.

[58] Abby Vesoulis, "*This* Presidential Candidate Wants to Give Every Adult $1,000 a Month," Time, February 13, 2019, https://time.com/5528621 /andrew-yang- universal- basic- income/.

[59] Kevin J. Delaney, "The Robot That Takes Your Job Should Pay Taxes, Says Bill Gates," Quartz, February 17, 2017, https:// qz.com/911968/bill-gates- the- robot- that- takes- your- job- should- pay- taxes/.

[60] Dylan Matthews, "Andrew Yang's Basic Income Can't Do Enough to Help Workers Displaced by Technology," Vox, October 18, 2019, https://www.vox.com/future-perfect/ 2019/10/18/20919322 /basic-income-freedom- dividend- andrew- yang- automation.

[61] Furman, "Is This Time Different?"

[62] Cullen O'Keefe et al., "The Windfall Clause: Distributing the Benefits of AI for the Common Good," Cornell University, January 24, 2020, http://arxiv.org/abs/1912.11595.

[63] "Social Spending," Organisation for Economic Co-operation and Development, http://data.oecd.org/socialexp /social-spending. htm.

[64] Ana Swanson, "How the U.S. Spends More Helping Its Citizens than Other Rich Countries, but Gets Way Less," *Washington Post*, April 9, 2015, https://www.washingtonpost.com/news /wonk/wp/2015/04/09/how-the- u-s- spends- more- helping- its- citizens- than -other- rich- countries- but- gets- way- less/.

[65] Jacob Funk Kirkegaard, "The True Levels of Government and Social Expenditures in Advanced Economies," Peterson Institute for International Economics, Policy Brief 15-4, March 2015, https://piie.com /publications/pb/pb15-4.pdf, 19.

[66] "Americans Overestimate Social Mobility in Their Country," *Economist*, February 14, 2018, https://www.economist.com/graphic-detail/ 2018/02/14/americans-overestimate- social -mobility- in- their- country.

[67] Ezra Klein, "You Have a Better Chance of Achieving 'the American Dream' in Canada than in America," Vox, August 15, 2019, https://www.vox.com/2019/8/15/20801907/raj-chetty- ezra- klein- social -mobility-opportunity.

第七章　インターネットに言論の自由はあるか

[1] Kate Conger and Mike Isaac, "Inside Twitter's Decision to Cut Off Trump," *New York Times*, January 16,

2021, https://www.nytimes.com/2021/01/16/technology/twitter-donald -trump- jack- dorsey. html.
[2] Haley Messenger, "Twitter to Uphold Permanent Ban Against Trump, Even If He Were to Run for Office Again," NBC News, February 10, 2021, https://www.nbcnews.com/news/amp/ncna 1257269.
[3] "Permanent Suspension of @realDonaldTrump," *Twitter* (blog), January 8, 2021, https://blog.twitter.com/en_us/topics/company /2020/suspension.html.
[4]ジャック・ドーシー (@jack), 「これはツイッターにとって正しい決断だったと私は信じている。我々は従来の立場を維持できない大変な状況に直面し、活動のすべてを公共の安全に集中せざるを得なくなった。現実問題として、オンラインでの発言の結果からオフラインに危害がもたらされるので、我々の政策やその実行ではその対策が何よりも優先される」Twitter, January 13, 2021, https://twitter.com/jack/status /1349510770992640001.
[5] Franklin Foer, "Facebook's War on Free Will," *Guardian*, September 19, 2017, http://www.theguardian.com/technology /2017/sep/19/facebooks-war- on- free- will
[6] Jon Porter, "Facebook Says the Christchurch Attack Live Stream Was Viewed by Fewer than 200 People," *Verge*, March 19, 2019, https://www.theverge.com/2019/3/19/18272342/facebook -christchurch- terrorist- attack- views- report- takedown.
[7] Ryan McCarthy, " 'Outright Lies': Voting Misinformation Flourishes on Facebook," ProPublica, July 16, 2020, https:// www.propublica.org/article/outright-lies- voting- misinformation- flourishes- on -facebook.
[8] Gurbir S. Grewal et al., Attorneys General letter to Mark Zuckerberg and Sheryl Sandberg, August 5, 2020, https://www.nj.gov/oag /newsreleases20/AGs-Letter- to- Facebook. pdf.
[9] June Cohen, "Rabois' Comments on 'Faggots' Derided Across University," *Stanford Daily*, February 6, 1992, https://archives.stanforddaily.com /1992/02/06?page=1&section=MODSMD_ARTICLE5#article.
[10]191 "expose these freshman ears": Keith Rabois, "Rabois: My Intention Was to Make a Provocative Statement," Stanford Daily, February 7, 1992, https:// archives.stanforddaily.com/1992/02/07?page=5&section=MODSMD_ARTICLE 21#article.
[11] "Officials Condemn Homophobic Incident; No Prosecution Planned," Stanford News Service, February 12, 1992, https://news.stanford .edu/pr/92/920212Arc2432.html.
[12]Craig Silverman, "This Analysis Shows How Viral Fake Election News Stories Outperformed Real News on Facebook," BuzzFeed News, November 16, 2016, https://www.buzzfeednews.com/article /craigsilverman/viral-fake- election- news- outperformed- real- news- on- facebook.
[13] Ciara O'Rourke, "No, the Gates Foundation Isn't Pushing Microchips with All Medical Procedures," PolitiFact, May 20, 2020, https://www.politifact.com/factchecks/2020/may/20/facebook-posts/ no -gates-foundation- isnt- pushing- microchips- all- me/; Linley Sanders, "The Difference Between What Republicans and Democrats Believe to Be True About COVID-19," YouGov, May 26, 2020, https://today.yougov.com/topics/politics /articles-reports/ 2020/05/26/republicans-democrats- misinformation.
[14] Steven Levy, "Bill Gates on Covid: Most US Tests Are 'Completely Garbage,' " *Wired*, August 7, 2020, https://www.wired.com/story /bill-gates- on- covid- most- us- tests- are- completely- garbage/.
[15] Mark Zuckerberg, "A Blueprint for Content Governance and Enforcement," Facebook, November 15, 2018, https://www .facebook.com/notes/751449002072082/.
[16] Mark Zuckerberg, "Building Global Community," Facebook, February 16, 2017, https://www.facebook.com/notes/mark-zuckerberg/ building -global- community/ 10154544292806634/.
[17] "YouTube Jobs," YouTube, https://www.youtube.com /jobs/.
[18]Raffi Krikorian, "New Tweets per Second Record, and How!," *Twitter* (blog), August 16, 2013, https://blog.twitter.com/engineering /en_us/a/2013/new-tweets- per- second- record- and- how. html.
[19]Christine Kearney, "Encyclopaedia Britannica: After 244 Years in Print, Only Digital Copies Sold," *Christian Science Monitor*, March 14, 2012, https://www.csmonitor.com/Business/Latest-News -Wires/ 2012/0314/Encyclopaedia-Britannica- After- 244-years-in- print- only -digital- copies- sold.
[20] Camille Slater, "Wikipedia vs Britannica: A Comparison Between Both Encyclopedias," SciVenue, November 17, 2017, http://scivenue.com/2017/11/17/wikipedia-vs- britannica- encyclopedia/.
[21] Wikipedia, s.v., "Wikipedia: Statistics," https:// en.wikipedia.org/wiki/Wikipedia:Statistics; "Wikistats: Statistics for Wikimedia Projects," Wikimedia Statistics, https://stats.wikimedia.org/#/en.wikipedia .org/reading/

total-page- views/ normal%7Cbar%7C2-year%7C~total%7C monthly.
[22] Wikipedia, s.v., "Google Statistics," May 1, 2013, https:// en.wikipedia.org/w/index.php?title=Wikipedia:Google_statistics&oldid =553012140.
[23] Greg Sterling, "Forecast Says SEO-Related Spending Will Be Worth $80 Billion by 2020," Search Engine Land, April 19, 2016, https:// searchengineland.com/forecast-says- seo- related- spending- will- worth- 80 -billion-2020-247712.
[24] Thomas Jefferson, "Letter to Charles Yancey," Manuscript /Mixed Material, January 6, 1816, https://www.loc.gov/resource/mtj1.048_0731 _0734.
[25] John Stuart Mill, *Utilitarianism and On Liberty: Including Mill's 'Essay on Bentham' and Selections from the Writings of Jeremy Bentham and John Austin*, ed. Mary Warnock, 2nd ed, (Hoboken: Wiley-Blackwell, 2003), 100.
[26]同上.
[27]同上.
[28]Louis Brandeis statement, *Whitney v. California*, 274 U.S. 357 (1927), https://www.law.cornell.edu/supremecourt/text /274/357.
[29] Jeffrey Goldberg, "Why Obama Fears for Our Democracy," *Atlantic*, November 16, 2020, https://www.theatlantic.com /ideas/archive/2020/11/why-obama- fears- for- our- democracy/ 617087/.
[30] *Chaplinsky v. State of New Hampshire*, 315 U.S. 568, Supreme Court of the United States (1942), https://www.law.cornell.edu /supremecourt/text/315/568. 201
[31] Raymond Lin, "New Zealand Shooter Kills 50 in Attack on Mosques," Guide Post Daily, April 1, 2019, https://gnnguidepost.org/2923 /news/new-zealand- shooter- kills- 50-in-attack- on- mosques/.
[32]Guy Rosen, "Community Standards Enforcement Report, Fourth Quarter 2020," Facebook Newsroom, February 11, 2021, https://about .fb.com/news/2021/02/community-standards- enforcement- report- q4- 2020/.
[33] Cass Sunstein, *Republic.com 2.0* (Princeton: Princeton University Press, 2007), 69, 78（キャス・サンスティーン著　邦訳『#リパブリック――インターネットは民主主義になにをもたらすのか』勁草書房、2018年、伊達尚美訳）
[34] Joshua Cohen, "Against Cyber-Utopianism," Boston Review, June 19, 2012, https://bostonreview.net/joshua-cohen- reflections- on -information- technology- and- democracy.
[35]Nathaniel Persily and Joshua A. Tucker, eds., *Social Media and Democracy: The State of the Field, Prospects for Reform*, SSRC Anxieties of Democracy (Cambridge, UK: Cambridge University Press, 2020).
[36] Pablo Barberá,"Social Media, Echo Chambers, and Political Polarization," in *Social Media and Democracy: The State of the Field, Prospects for Reform*, edited by Nathaniel Persily and Joshua A. Tucker, SSRC Anxieties of Democracy (Cambridge, UK: Cambridge University Press, 2020), 34–55.
[37] Pablo Barberá and Gonzalo Rivero, "Understanding the Political Representativeness of Twitter Users," *Social Science Computer Review* 33, no. 6 (2015): 712–29, https://doi.org/10.1177 /0894439314558836.
[38] Andrew M. Guess, Brendan Nyhan, and Jason Reifler, "Exposure to Untrustworthy Websites in the 2016 US Election," *Nature Human Behaviour* 4, no. 5 (March 2, 2020): 472–80, https://doi.org/10.1038 /s41562-020-0833-x.
[39] E. Bakshy, S. Messing, and L. A. Adamic, "Exposure to Ideologically Diverse News and Opinion on Facebook," *Science* 348, no. 6239 (June 5, 2015): 1130–32, https://doi.org/10.1126/science.aaa1160.
[40] Matthew Barnidge, "Exposure to Political Disagreement in Social Media Versus Face-to- Face and Anonymous Online Settings," *Political Communication* 34, no. 2 (April 3, 2017): 302–21, https://doi.org/10.1080/10584609.2016.1235639.
[41] Levi Boxell, Matthew Gentzkow, and Jesse M. Shapiro, "Greater Internet Use Is Not Associated with Faster Growth in Political Polarization Among US Demographic Groups," *Proceedings of the National Academy of Sciences of the United States of America* 114, no. 40 (October 3, 2017): 10612–17, https://doi.org/10.1073/pnas.1706588114.
[42] Hunt Allcott et al., "The Welfare Effects of Social Media," *American Economic Review* 110, no. 3 (March 1, 2020): 629–76, https://doi.org/10.1257/aer.20190658.
[43] Andrew M. Guess and Benjamin A. Lyons, "Misinformation, Disinformation, and Online Propaganda," in *Social Media and Democracy: The State of the Field, Prospects for Reform*, edited by Nathaniel Persily and Joshua A. Tucker, SSRC Anxieties of Democracy (Cambridge, UK: Cambridge University Press, 2020), 10–33.

[44] Andrew Dawson and Martin Innes, "How Russia's Internet Research Agency Built Its Disinformation Campaign," *Political Quarterly* 90, no. 2 (June 2019): 245–56, https://doi.org/10.1111/1467-923X.12690.
[45] Guess, Nyhan, and Reifler, "Exposure to Untrustworthy Websites in the 2016 US Election."
[46] Andrew Guess, Jonathan Nagler, and Joshua Tucker, "Less than You Think: Prevalence and Predictors of Fake News Dissemination on Facebook," *Science Advances* 5, no. 1 (January 2019), https://doi .org/10.1126/sciadv. aau4586.
[47] Jun Yin et al., "Social Spammer Detection: A Multi-Relational Embedding Approach," in *Advances in Knowledge Discovery and Data Mining*, Pacific-Asia Conference on Knowledge Discovery and Data Mining, edited by Hady W. Lauw et al. (Melbourne: Springer Nature, 2018), 615–27, https://doi.org/10.1007/978-3-319-93034-3_49.
[48] Brendan Nyhan and Jason Reifler, "When Corrections Fail: The Persistence of Political Misperceptions," *Political Behavior* 32, no. 2 (June 1, 2010): 303–30, https://doi.org/10.1007/s11109-010 -9112-2.
[49] James H. Kuklinski et al., "Misinformation and the Currency of Democratic Citizenship," *Journal of Politics* 62, no. 3 (August 1, 2000): 790–816, https://doi.org/10.1111/0022-3816.00033.
[50]Alexandra A. Siegel, "Online Hate Speech," in *Social Media and Democracy: The State of the Field, Prospects for Reform*, edited by Joshua A. Tucker and Nathaniel Persily, SSRC Anxieties of Democracy (Cambridge, UK: Cambridge University Press, 2020), 56–88.
[51] Alexandra Siegel et al., "Trumping Hate on Twitter? Online Hate in the 2016 US Election and Its Aftermath," March 6, 2019, https://smappnyu.wpcomstaging.com/wp-content/ uploads /2019/04/US_Election_ Hate_Speech_2019_03_website.pdf.
[52] Laura W. Murphy, "Facebook's Civil Rights Audit—Final Report," Facebook Newsroom, July 8, 2020, https://about.fb.com /wp-content/ uploads/2020/07/Civil-Rights- Audit- Final- Report. pdf.
[53] James Hawdon, Atte Oksanen, and Pekka Räsänen, "Exposure to Online Hate in Four Nations: A Cross-National Consideration," *Deviant Behavior* 38, no. 3 (March 4, 2017): 254–66, https://doi.org/10.1080/0 1639625.2016.1196985.
[54] Manoel Horta Ribeiro et al., "Characterizing and Detecting Hateful Users on Twitter," arXiv, March 23, 2018, https://arxiv.org/abs /1803.08977v1.
[55] Nick Beauchamp, Ioana Panaitiu, and Spencer Piston, "Trajectories of Hate: Mapping Individual Racism and Misogyny on Twitter" (unpublished working paper, 2018).
[56] Walid Magdy et al., "#ISISisNotIslam or #DeportAllMuslims? Predicting Unspoken Views," in *Proceedings of the 8th ACM Conference on Web Science*, WebSci '16 (Hannover, Germany: Association for Computing Machinery, 2016), 95–106, https://doi.org/10.1145/2908131 .2908150.
[57] Karsten Müller and Carlo Schwarz, "Fanning the Flames of Hate: Social Media and Hate Crime," *Journal of the European Economic Association*, October 30, 2020, doi.org/10.1093/jeea/jvaa045.
[58] Karsten Müller and Carlo Schwarz, "From Hashtag to Hate Crime: Twitter and Anti-Minority Sentiment" (unpublished working paper, 2020), https://papers.ssrn.com/abstract=3149103.
[59] Tarleton Gillespie, *Custodians of the Internet: Platforms, Content Moderation, and the Hidden Decisions That Shape Social Media* (New Haven: Yale University Press, 2018).
[60]209 Mark Zuckerberg wrote: Zuckerberg, "Building Global Community."
[61] Rosen, "Community Standards Enforcement Report, Fourth Quarter 2020."
[62]同上.
[63] "Facebook's Response to Australian Government Consultation on a New Online Safety Act," Facebook Newsroom, February 19, 2020, https://about.fb.com/wp-content/ uploads/2020/02/Facebook -response- to-consultation- new- Online- Safety- Act. pdf.
[64] Susan Wojcicki, "Expanding Our Work Against Abuse of Our Platform," *YouTube Official Blog*, December 5, 2017, https://blog .youtube/news-and- events/ expanding-our- work- against- abuse- of- our/.
[65] Zuckerberg, "A Blueprint for Content Governance and Enforcement."
[66]Sandra E. Garcia, "Ex–Content Moderator Sues Facebook, Saying Violent Images Caused Her PTSD," *New York Times*, September 25, 2018, https://www.nytimes.com/2018/09/25/technology/facebook -moderator- job-

ptsd- lawsuit. html. See also the pioneering ethnographic work on this topic by Sarah T. Roberts, *Behind the Screen: Content Moderation in the Shadows of Social Media* (New Haven: Yale University Press, 2019).
[67] Casey Newton, "Facebook Will Pay $52 Million in Settlement with Moderators Who Developed PTSD on the Job," *Verge*, May 12, 2020, https://www.theverge.com/2020/5/12/21255870/facebook-content -moderator-settlement- scola- ptsd- mental- health.
[68] Nathaniel Persily, "The Internet's Challenge to Democracy: Framing the Problem and Assessing Reforms," Kofi Annan Commission on Elections and Democracy in the Digital Age, March 4, 2019, https://pacscenter .stanford.edu/publication/the-internets- challenge- to- democracy- framing- the -problem- and- assessing-reforms/.
[69]Mark Zuckerberg, "Preparing for Elections," Facebook, September 13, 2018, https://www.facebook.com / notes/mark-zuckerberg/ preparing-for- elections/ 10156300047606634/.
[70]同上.
[71] Vijaya Gadde and Matt Derella, "An Update on Our Continuity Strategy During COVID-19," *Twitter* (blog), March 16, 2020, https://blog.twitter.com/en_us/topics/company/2020/An-update- on- our -continuity- strategy-during- COVID- 19.html.
[72] The YouTube Team, "Protecting Our Extended Workforce and the Community," *YouTube Official Blog*, March 16, 2020, https:// blog.youtube/news-and- events/ protecting-our- extended- workforce- and/.
[73]ガイ・ローゼン (@guyro),「我々は、間違って削除された投稿をすべて回復した。そこにはコロナ関連だけでなく、あらゆるトピックに関する投稿が含まれている。これは自動システムが引き起こした問題で、悪質なウェブサイトへのリンクを削除するはずが、他の多くの投稿まで削除してしまった」Twitter, March 17, 2020, https://twitter.com/guyro/status /1240088303497400320?lang=en.
[74] Kate Klonick, "The New Governors: The People, Rules, and Processes Governing Online Speech," *Harvard Law Review* 131 (2018): 1598–670, https://harvardlawreview.org/wp-content/ uploads /2018/04/1598-1670_ Online.pdf. See also Klonick, "The Facebook Oversight Board: Creating an Independent Institution to Adjudicate Online Free Expression," *Yale Law Journal* 129, no. 8 (2020): 2418–99, https://papers.ssrn.com/sol3 /papers. cfm?abstract_id=3639234; Evelyn Douek, "Facebook's 'Oversight Board:' Move Fast with Stable Infrastructure and Humility," *North Carolina Journal of Law & Technology* 21, no. 1 (2019): 1–78, https://papers.ssrn.com /sol3/ papers.cfm?abstract_id=3365358.
[75] Zuckerberg, "A Blueprint for Content Governance and Enforcement."
[76] Ben Smith, "Trump Wants Back on Facebook. This Star-Studded Jury Might Let Him," *New York Times*, January 24, 2021, https://www.nytimes.com/2021/01/24/business/media/trump-facebook -oversight- board. html.
[77]217 "there might have to be some revengeance": Clarence Brandenburg, Appellant, v. State of Ohio, 395 U.S. 444 (June 9, 1969), Legal Information Institute, Cornell Law School, https://www.law.cornell.edu/supremecourt/ text/395/444.
[78] Yascha Mounk, "Verboten: Germany's Risky Law for Stopping Hate Speech on Facebook and Twitter," *New Republic*, April 3, 2018, https://newrepublic.com/article/147364/verboten-germany- law -stopping- hate- speech-facebook- twitter.
[79] Renee DiResta, "Free Speech Is Not the Same as Free Reach," *Wired*, August 30, 2018, https://www.wired. com/story /free-speech- is- not- the- same- as- free- reach/.
[80] Joanna Plucinska, "Hate Speech Thrives Underground," Politico, February 7, 2018, https://www.politico.eu/ article/hate -speech- and- terrorist- content- proliferate- on- web- beyond- eu- reach- experts/.
[81] Tim Wu, "Is the First Amendment Obsolete?," *Michigan Law Review* 117, no. 3 (2018): 547–81, https:// michiganlaw review.org/wp-content/ uploads/2018/12/117MichLRev547_Wu.pdf.
[82] Pew Research Center, January 2021, "The State of Online Harassment."
[83] https://www.amnesty.org/en/latest/news/2017/11/amnesty -reveals-alarming-impact-of-online-abuse-against-women/.
[84] Tim Wu, "Is the First Amendment Obsolete?," *Michigan Law Review* 117, no. 3 (2018): 547–81, https:// michigan lawreview.org/wp-content/uploads/2018/12/117MichLRev547_Wu.pdf.
[85] Klonick, "The New Governors."

[86]同上.
[87] Daphne Keller, "Statement of Daphne Keller Before the United States Senate Committee on the Judiciary, Subcommittee on Intellectual Property, Hearing on the Digital Millennium Copyright Act at 22: How Other Countries Are Handline Online Piracy," March 10, 2020, https://www.judiciary.senate.gov/imo/media/doc/Keller%20 Testimony.pdf.
[88] New York Times Editorial Board, "Joe Biden," *New York Times*, January 17, 2020, https://www.nytimes.com/interactive /2020/01/17/opinion/joe-biden- nytimes- interview. html.
[89] Francis Fukuyama and Andrew Grotto, "Comparative Media Regulation in the United States and Europe," in *Social Media and Democracy: The State of the Field, Prospects for Reform*, edited by Joshua A. Tucker and Nathaniel Persily, SSRC Anxieties of Democracy (Cambridge, UK: Cambridge University Press, 2020), 199–219.
[90] Stanford Internet Observatory, "Parler's First 13 Million Users," January 28, 2021, https://fsi.stanford.edu/news/sio-parler- contours.
[91] Daisuke Wakabayashi and Tiffany Hsu, "Why Google Backtracked on Its New Search Results Look," *New York Times*, January 31, 2020, https://www.nytimes.com/2020/01/31/technology /google-search- results. html.
[92]"Social Media Stats Worldwide," StatCounter Global Stats, https://gs.statcounter.com/social-media- stats.

第三部 「未来」を再コーディングする

[1] Sheila Jasanoff, *The Ethics of Invention: Technology and the Human Future* (New York: W. W. Norton & Company, 2016), 267.

第八章　民主主義は難局を乗り切れるか

[1]Alec Radford et al., "Better Language Models and Their Implications," OpenAI, February 14, 2019, https://openai.com/blog/better -language- models/.
[2]ヨアヴ・ゴールドバーグ (@yoavgo),「皆さんにあらかじめお知らせしておきたいことがある。我々のラボは言語理解で驚くべきブレークスルーを達成したが、それが間違った人間の手に落ちる可能性を憂慮している。そのため、せっかくだが廃棄して、代わりに通常の＊ACLを公表することにした。素晴らしい成果を上げたチームにここで深い敬意を表する」Twitter, February 15, 2019, https://twitter.com /yoavgo/status/1096471273050382337.
[3] Irene Solaiman, Jack Clark, and Miles Brundage, "GPT-2: 1.5B Release," OpenAI, November 5, 2019, https://openai .com/blog/gpt-2-1-5b-release/.
[4]同上.
[5] "Explainer: Understanding the Size of Data," Science News for Students, December 13, 2013, https://www.sciencenewsfor students.org/article/explainer-understanding- size- data.
[6]Arram Sabeti, "GPT-3," *Arram Sabeti* (blog), July 9, 2020, https://arr.am/2020/07/09/gpt-3-an-ai- thats-eerily- good- at- writing- almost -anything/.
[7] Gwern Branwen, "GPT-3 Creative Fiction," gwern.net, June 19, 2020, https://www.gwern.net/GPT-3#why-deep- learning -will- never- truly- x; Kelsey Piper, "GPT-3, Explained: This New Language AI Is Uncanny, Funny—and a Big Deal," Vox, August 13, 2020, https://www.vox.com /future-perfect/ 21355768/gpt-3-ai-openai-turing- test- language.
[8] Carroll Doherty and Jocelyn Kiley, "Americans Have Become Much Less Positive About Tech Companies' Impact on the U.S.," Pew Research Center, July 29, 2019, https://www.pewresearch .org/fact-tank/ 2019/07/29/americans-have- become- much- less- positive- about -tech- companies- impact- on- the- u- s/; Ina Fried, "40% of Americans Believe Artificial Intelligence Needs More Regulation," *Axios*, https://www.axios.com /big-tech-industry- global- trust- 9b7c6c3c-98f1-4e80-8275-cf52446b1515.html.
[9] Karen Hao, "The Coming War on the Hidden Algorithms That Trap People in Poverty," *MIT Technology Review*, December 4, 2020, https://www.technologyreview.com/2020/12/04/1013068/algorithms -create- a-poverty- trap- lawyers- fight- back/.
[10] Jaron Lanier, *Ten Arguments for Deleting Your Social Media Accounts Right Now* (New York: Henry Holt, 2018).

(デイヴィッド・ロスマン著　邦訳『医療倫理の夜明け』晶文社、2000年、酒井忠昭監訳)
[11] Anand Giridharadas, "Deleting Facebook Won't Fix the Problem," New York Times, January 10, 2019, https://www.nytimes.com /2019/01/10/opinion/delete-facebook. html.
[12] "Where Do We Go as a Society?," vTaiwan, March 2016, https://info.vtaiwan.tw/.
[13] Johns Hopkins, "Mortality Analyses," Johns Hopkins Coronavirus Resource Center, December 3, 2020, https://coronavirus.jhu.edu/data/mortality.
[14] Ezekiel J. Emanuel, Cathy Zhang, and Aaron Glickman, "Learning from Taiwan About Responding to Covid-19— and Using Electronic Health Records," STAT, June 30, 2020, https://www.statnews.com/2020/06/30/taiwan-lessons-fighting- covid- 19-using-electronic -health- records/.
[15]David J. Rothman, *Strangers at the Bedside: A History of How Law and Bioethics Transformed Medical Decision Making* (New York: Basic Books, 1991); Cathy Gere, *Pain, Pleasure, and the Greater Good* (Chicago: University of Chicago Press, 2017).
[16]Don Colburn, "Under Oath," *Washington Post*, October 22, 1991, http://www.washingtonpost.com/archive/lifestyle/wellness/1991/10/22 /under-oath/ 53407b39-4a27-4bca-91fe-44602fc05bbf/.
[17] Abraham Flexner, *Medical Education in the United States and Canada: A Report to the Carnegie Foundation for the Advancement of Teaching* (Boston: Merrymount Press, 1910), http://archive.org/details/medical education00flexiala.
[18] John Knight et al., "ACM Task Force on Licensing of Software Engineers Working on Safety-Critical Software," draft report, ACM, July 2000, http://kaner.com/pdfs/acmsafe.pdf.
[19] Don Gotterbarn, Keith Miller, and Simon Rogerson, "Software Engineering Code of Ethics," *Communications of the ACM* 40, no. 11 (November 1, 1997): 110–18, https://doi.org/10.1145/265684.265699.
[20] Lauren Jackson and Desiree Ibekwe, "Jack Dorsey on Twitter's Mistakes," *New York Times*, August 19, 2020, https://www.nytimes .com/2020/08/07/podcasts/the-daily/ Jack-dorsey- twitter- trump. html.
[21] Michael Specter, "The Gene Hackers," *New Yorker*, November 8, 2015, https://www.newyorker.com/magazine/2015/11/16 /the-gene- hackers.
[22] Rebecca Crootof, "Artificial Intelligence Research Needs Responsible Publication Norms," Lawfare, October 24, 2019, https://www.lawfareblog.com/artificial-intelligence- research- needs -responsible- publication- norms; Miles Brundage et al., *The Malicious Use of Artificial Intelligence: Forecasting, Prevention, and Mitigation* (Oxford: Future of Humanity Institute, 2018), https://maliciousaireport.com/.
[23] Faception (website), 2019, https://www.faception.com.
[24] Mahdi Hashemi and Margeret Hall, "RETRACTED ARTICLE: Criminal Tendency Detection from Facial Images and the Gender Bias Effect," *Journal of Big Data* 7, no. 2 (January 7, 2020), https://journalofbigdata .springeropen.com/track/pdf/10.1186/s40537-019-0282-4.pdf.
[25] Coalition for Critical Technology, "Abolish the #TechToPrisonPipeline," Medium, June 23, 2020, https://medium.com/@Coalition ForCriticalTechnology/abolish-the- techtoprisonpipeline- 9b5b14366b16.
[26] "About the Public Interest Technology University Network," New America, https://www.newamerica.org/pit /university-network/ about-pitun/.
[27] Natalia Drozdiak and Sam Schechner, "The Woman Who Is Reining In America's Technology Giants," *Wall Street Journal*, April 4, 2018, https://www.wsj.com/articles/the-woman- who- is- reining- in- americas- technology -giants- 1522856428.
[28] "The Digital Markets Act: Ensuring Fair and Open Digital Markets," European Commission, https://ec.europa.eu/info/strategy/priorities -2019-2024/europe-fit- digital- age/ digital-markets- act- ensuring- fair-and- open -digital- markets_ en.
[29] Kara Swisher, "White House. Red Chair. Obama Meets Swisher," Vox, February 15, 2015, https://www.vox.com/2015/2/15/11559056 /white-house- red- chair- obama- meets- swisher.
[30] *Federal Trade Commission v. Facebook, Inc.*, United States District Court for the District of Columbia, December 9, 2020, https://www .ftc.gov/system/files/documents/cases/051_2021.01.21_revised_partially_redacted _complaint.pdf, 2.
[31] *The State of Texas, the State of Arkansas, the State of Idaho, the State of Indiana, the Commonwealth of Kentucky, the State of Mississippi, State of Missouri, State of North Dakota, State of South Dakota, and State of Utah vs. Google*

LLC, United States District Court, Eastern District of Texas, Sherman Division, December 16, 2020, https://www.texasattorneygeneral.gov/sites /default/files/images/admin/2020/Press/20201216%20COMPLAINT _ REDACTED.pdf.
[32] Jackson and Ibekwe, "Jack Dorsey on Twitter's Mistakes."
[33] Nick Statt, "Mark Zuckerberg Apologizes for Facebook's Data Privacy Scandal in Full-Page Newspaper Ads," *Verge*, March 25, 2018, https://www.theverge.com/2018/3/25/17161398/facebook-mark- zuckerberg -apology- cambridge- analytica- full- page- newspapers- ads.
[34] Eric Johnson, "Former Google Lawyer and Deputy U.S. CTO Nicole Wong on Recode Decode," Vox, September 12, 2018, https://www.vox.com/2018/9/12/17848384/nicole-wong- cto- lawyer- google -twitter- kara-swisher- decode- podcast- full- transcript.
[35] Joseph E. Stiglitz, "Meet the 'Change Agents' Who Are Enabling Inequality," *New York Times*, August 20, 2018, https://www.nytimes .com/2018/08/20/books/review/winners-take- all- anand- giridharadas. html.
[36] Edmund L. Andrews, "Greenspan Concedes Error on Regulation," *New York Times*, October 23, 2008, https://www.nytimes .com/2008/10/24/business/economy/24panel.html.
[37] Accountable Capitalism Act, S. 3348, 115th Congress (2017–18), https://www.warren.senate.gov/imo/media/doc /Accountable%20Capitalism%20Act%20One-Pager. pdf.
[38] Elizabeth Warren, "Warren, Carper, Baldwin, and Warner Form Corporate Governance Working Group to Fundamentally Reform the 21st Century American Economy," Elizabeth Warren (senate website), October 30, 2020, https://www.warren.senate.gov/newsroom /press-releases/ warren-carper- baldwin- and- warner- form-corporate- governance -working- group- to- fundamentally- reform- the- 21st-century- american- economy.
[39] Yoni Heisler, "What Ever Became of Microsoft's $150 Million Investment in Apple?," Engadget, May 20, 2014, https:// www.engadget.com/2014-05-20-what-ever- became- of- microsofts- 150-million -investment- in-apple. html.
[40] Jessica Bursztynsky, "Microsoft President: Being a Big Company Doesn't Mean You're a Monopoly," CNBC, September 10, 2019, https://www.cnbc.com/2019/09/10/microsoft-president- brad- smith- on -facebook- and-google- antitrust- probes. html.
[41] Chris Mooney, "Requiem for an Office," *Bulletin of the Atomic Scientists* 61, no. 5 (2005): 40–49, https://doi.org/10.2968/061005013, 45.
[42]同上.
[43]同上.
[44] Sheila Jasanoff, *The Ethics of Invention: Technology and the Human Future* (New York: W. W. Norton, 2016).
[45] "Tech Talent for 21st Century Government," The Partnership for Public Service, April 2020, https://ourpublicservice.org /wp-content/ uploads/2020/04/Tech-Talent- for- 21st-Century- Government. pdf, 2.
[46] Joseph J. Heck et al., *Inspired to Serve: The Final Report of the National Commission on Military, National, and Public Service*, March 2020, https://inspire2serve.gov/sites/default/files/final-report/ Final%20 Report.pdf.
[47] Derek Kilmer et al., "How Can Congress Work Better for the American People?," Select Committee on the Modernization of Congress, July 2019, https://modernizecongress.house.gov/final-report- 116th; Elizabeth Fretwell et al., "Science and Technology Policy Assessment: A Congressionally Directed Review," National Academy of Public Administration, October 31, 2019, https://www.napawash.org/studies/academy-studies/ science -and- technology- policy- assessment- for- the- us- congress; Office of Technology Assessment Improvement and Enhancement Act, H.R. 4426, 116th Congress (2019–2020), https://www.congress.gov/bill/116th-congress/ house-bill/ 4426.
[48] Jathan Sadowski, "The Much-Needed and Sane Congressional Office That Gingrich Killed Off and We Need Back," Atlantic, October 26, 2020, https://www.theatlantic.com/technology/archive /2012/10/the-much-needed- and- sane- congressional- office- that- gingrich- killed -off- and- we- need- back/ 264160/.

※URLは2021年9月の原書刊行時のものです。

著者

ロブ・ライヒ

ROB REICH

哲学者。スタンフォード大学社会倫理教育センターのディレクター、人間中心人工知能センターのアソシエイト・ディレクターを務める。倫理とテクノロジーの関係について考えるトップランナーであり、数々の教育賞を受賞している。

メラン・サハミ

MEHRAN SAHAMI

エンジニア。グーグル草創期、セルゲイ・ブリンに登用され、Eメールのスパムフィルタリング技術開発チームの一員となった。機械学習と人工知能の背景を持ち、2007年にスタンフォード大学コンピュータサイエンス教授。

ジェレミー・M・ワインスタイン

JEREMY M. WEINSTEIN

政治学者。2009年にオバマ大統領のもとワシントンに入る。テクノロジーが政府と市民の関係を変化させるという予測のもと、アメリカ合衆国政府の主要スタッフとしてオバマのオープン・ガバメント・パートナーシップを立ち上げた。2015年にスタンフォード大学政治学教授に就任。

訳者

小坂恵理

こさか・えり

翻訳家。慶應義塾大学文学部英米文学科卒業。訳書にパチラット『暴力のエスノグラフィー』(明石書店)、ダルリンプル『略奪の帝国』(河出書房新社)、グラスリー『極限大地』(築地書館)、ヤーレン『ラボ・ガール』(化学同人)、ステイル『マーシャル・プラン』(みすず書房)、バーバー『食の未来のためのフィールドノート』(NTT出版)など多数。

校正/鷗来堂　本文組版/天龍社

システム・エラー社会

「最適化」至上主義の罠

2022年12月25日　第1刷発行

著　者　ロブ・ライヒ、メラン・サハミ、ジェレミー・M・ワインスタイン
訳　者　小坂恵理
発行者　土井 成紀
発行所　NHK出版
〒150-0042 東京都渋谷区宇田川町10-3
電話　0570-009-321（問い合わせ）
0570-000-321（注文）
ホームページ https://www.nhk-book.co.jp

印　刷　亨有堂印刷所／近代美術
製　本　ブックアート

Printed in Japan　ISBN978-4-14- 081927-2 C0098